ıda
da

ʹJon

Y
Llinyn Arian

(Il Filo D'Argento)

Jon Meirion Jones

Cyhoeddiadau Barddas
2007

ⓗ Jon Meirion Jones

Argraffiad Cyntaf: 2007

ISBN 978 1 900437 90 5

Cyhoeddwyd gyda chymorth ariannol
Cyngor Llyfrau Cymru.

Cyhoeddwyd gan Gyhoeddiadau Barddas
Argraffwyd yng Nghymru gan Wasg Dinefwr, Llandybïe

Cyflwynedig i gyn-ddisgyblion
Ysgol Gynradd y Ferwig
a'u rhieni a'r ardalwyr.

Hefyd i Mario Eugenio Ferlito,
yr Eidalwr hawddgar a'r ffrind cywir.

'Yr hyn sy'n fy ngwefreiddio i yw'r 'llinyn arian' sy'n rhedeg trwy fywydau pob un ohonom ond inni fod yn ddigon sensitif i'w ganfod, ac yn ddigon dewr i'w ddilyn.'

Dyddgu Owen
(mewn llythyr at yr awdur – 1977)

'Dagrau pethau yw bod y cwricwlwm cenedlaethol wedi mynd yn llyffethair ar athrawon ysbrydoledig gan ei fod yn gwahardd rhag rhedeg ar ôl ambell 'sgwarnog sydd yn codi'i phen yn y dosbarth.'

Hafina Clwyd

(Rhan o erthygl: 'Ar y Tonfeddi; ymchwil dim mwy', *Y Cymro*, 21 Mehefin 2003)

'Mae'r stori mor wefreiddiol ac unigryw, ac yn parhau. Mae'n rhaid i chwi ysgrifennu llyfr i'w chofnodi ar glawr a chadw.'

Alun Charles, A.E.M.
(Festri Capel y Priordy, Caerfyrddin)

Diolch i . . .

Alan Llwyd am fy ngwahodd i ysgrifennu cyfrol arall ac am ei hynawsedd eto, ei gynghorion doeth a'i haelioni i ysbrydoli.

I Aures, fy ngwraig, am deipio'r sgript ar y cyfrifiadur newydd.

I Mario Ferlito, fy ffrind agos, am barhau i rannu ei gyfeillgarwch ac i gefnogi fy ymgyrch ac yntau yn dioddef ers pum mlynedd o effaith strôc. Mae'n ddiolchgar iawn i'r werin Gymreig radlon am ei anrhydeddu'n gyson trwy anfon cardiau, llythyron a galwadau ffôn iddo ar achlysuron arbennig. Mae'r cwlwm o gyfeillgarwch wedi tynhau dros y blynyddoedd ac wedi cyfoethogi bywydau amryw o blant ac oedolion.

I Dafydd Apolloni, Llanrwst, a Carina Lewis, Llandochau, am eu hynawsedd a'u cymorth gyda chyfieithu darnau o'r Eidaleg i'r Gymraeg. Mille Grazie!

I Bob Thompson, perchennog safle Gwersyll Henllan, am ei gydweithrediad dros y blynyddoedd. Hefyd am warchod ac adfer yr eglwys.

I blant Ysgol y Ferwig am wneud fy nghyfnod fel prifathro'r 'academi' yn un hapus a chofiadwy.

I rieni ac ardalwyr y Ferwig am eu cefnogaeth garedig a gwresog.

I'r Parchedig W. J. Gruffydd (Elerydd) a chyn-Archdderwydd Cymru am ei gyfeillgarwch, ei ysbrydoliaeth ac am rannu o'i weledigaeth greadigol.

I'r beirdd a'u teuluoedd am ganiatâd i ddyfynnu a chynnwys eu gwaith.

I'r Parchedig W. J. Edwards am rannu gwybodaeth am y cenhadon.

I'r Canon Seamus Cunnane am bob cymwynas, ei gyfeillgarwch a'i gefnogaeth barhaol.

I Glenys Anthony, Dic Jones, Tudoria Morgan, Wynfford Jones, Gwynfor Davies (m), Wil Morgan (m), Guiseppe Bardella (m), Gustavo Scarante, Stephen (m) a Nan Jones, John a Lena Griffiths, Betsan James, Enid Faccio, Lewis Williams (m), T. S. Lewis (m), Irene Flint, Elgar Rees, Gerwyn Morgan, T. Llew Jones, J. Tysul Jones (m), Dai a Beryl Llewelyn, Vera John, Eric Elias, Gino a Graziella Vasami, Gerald Miles, Toni Schiavone.

I'r Llyfrgell Genedlaethol am ganiatâd i ddefnyddio lluniau o ddyddiadur John Davies, y cenhadwr.

I Jane Evans ac Alun Wynne (fy mrawd) am eu gwaith arlunio.

I Emyr Williams am luniau o'r carcharorion ar fferm Trecregyn, Aberporth.

I Iolo Jones am lun o Blas y Bronwydd; i Dai a Beryl Llewellyn am luniau o Ysgol Henllan; i Eirlys Loddo am luniau o allor Henllan (1944) ac i Giannina Erriu am luniau a hanes ei thad, Lorenzo Aceto.

I Dafydd Llwyd am ddylunio'r clawr trawiadol.

I Wasg Dinefwr am ei gwaith graenus a'i chydweithrediad.

Cynnwys

'Ba Rin i Bren Heb ei Wraidd?'

(B. T. Hopkins)

'Mae defnyddio hanes lleol yn dechneg amlwg wrth gyfar-
wyddo plant i werthfawrogi etifeddiaeth ddiwylliannol eu
mamwlad ac i ystyried gwareiddiad o safbwynt Cymreig.'

(*Y Goresgynwyr*, David Fraser)

Rwy'n cofio'n dda am fy nhad yn sôn am ei brofiadau personol wrth
gael gwersi hanes yn ysgol elfennol Pontgarreg rhwng 1913 a 1920.

Dysgwn ddyddiadau di-ri am frenhinoedd Lloegr nes bod y
cwbwl yn drewi. Roedd map mawr o'r byd ar y wal, ar hen 'oil-
cloth' crimp, a thywysid ni at y patrymau a'r llinellau coch, sef yr
Ymerodraeth Brydeinig. Dewiswyd fi i ateb cwestiwn pan ddeuai'r
'spector heibio. Cefais y cwestiwn a'r ateb wythnosau ymlaen
llaw.
'What is the chief training area of the British Empire?'
'Salisbury Plain,' a siarsiwyd fi i ddweud 'syr' ar ddiwedd fy
ateb.
Ar y dydd pwysig safai'r athrawes (Miss Mary Lewis) y tu ôl i'r
dyn dieithr yn y siwt dywyll.
'Who is answering the next question? Stand up, boy!'
Atebais y cwestiwn, gan gofio'r 'syr'.
'Good scholar. Sit down,' ebychodd y 'spector.
Fel hyn y cofnodwyd yr achlysur yn y llyfr boncyff (*log book*):
'All the pupils answered correctly, with confidence and in good
English.'

Yn ôl sylwadau pellach gan fy nhad: 'Tra bûm yn yr ysgol, am gyfnod
o saith mlynedd, 'welais i ddim newid o gwbl ar yr hyn oedd ar y waliau

11

– llun rhyw long ryfel, 'modulator', a map o'r byd, y cyfan yn felyn gan henaint a mwg.'

Dywed Cassie Davies, A.E.M., yn ei llyfr *Hwb i'r Galon*: 'Yr unig lyfr hanes yn yr ysgol mor bell ag y cofia i nawr oedd *High Roads of History* ac nid oedd Cymru yn cyfrif ar y 'ffordd fawr' honno.'

Cofiaf am un profiad personol arbennig yn fy addysg gynradd a minnau'n ddeg oed, ar ôl darllen *Teulu Bach Nantoer* a *Storïau o Hanes Cymru* gan Moelona. Dysgais oddi wrth fy athrawes piano fod yr awdur yn byw drws nesaf iddi yng Ngheinewydd. Cnociais ar y drws. Daeth hen wraig serchog i'r trothwy a'i gwallt brith wedi'i glymu mewn bynen dwt. Gwisgai flowsen sidan â choler uchel ffriliog, gwddf-dlws, cameo Fictorianaidd a sgert lwyd hir gydag esgidiau sgleiniog pigfain am ei thraed.

'Prynhawn da, 'machgen bach. Alla' i'ch helpu chi?'

'Fe hoffwn i gyfarfod â Moelona. Rwyf wedi darllen ei lyfrau yn yr ysgol. (Adwaenai ef Caradog, Buddug, Boa y dyn cyntefig a Llywelyn – yn fy nhyb i.)

'Ydych chi yn gwybod rhywbeth am Moelona?' gofynnodd i mi.

'Dyn moel yw e rwy'n credu sy'n ysgrifennu llyfrau,' atebais yn betrusgar.

Yna, pe bai'r ddaear wedi agor, byddwn wedi neidio i'r gagendor. Dywedodd y wraig wrthyf:

'Fi yw Moelona. Ydy'ch rhieni yn gwybod eich bod wedi dod i'm gweld?'

'Nac ydyn.'

'Rwyf am i chi aros 'da fi i de.'

Ar fwrdd crwn yn y parlwr cefais frechdanau, jam cartre cwrens duon, tarten 'fale a sgwrs ddiddorol iawn. Rhannodd gyfrinachau ei llyfrgell â mi. Roedd mor falch fy mod wedi ffwdanu dod i'w gweld ar ysgogiad personol. Cefais weledigaeth hollol ffres ar hanes ac ar ddarllen ar ôl hyn.

Fy meibl fel athro wrth gyflwyno hanes i blant cynradd oedd *Adrodd-iad Gittins* (1967). Dywed y dylai cyflwyniad bywiog o hanes mewn astudiaethau amgylcheddol fod yn gymorth i ysgogi rhyfeddod ac antur ac i ddatblygu sylw, rhesymeg a chydbwysedd. Mae plant yn cysylltu eu datblygiadau emosiynol â gwrhydri dewrion y genedl, ond ni ddylai gwersi hanes fod yn seiliedig ar amserlen felly. Gwirionedd mawr epistol

Gittins oedd dechrau yn lleol ac yn y presennol gan ddilyn y trywydd yn ôl trwy'r canrifoedd gan greu rhwydwaith o gysylltiadau hanesyddol, dealladwy ac ystyrlon i'r plentyn.

Dyna'r canllawiau a ddaeth â stori'r 'Allor' a Mario Ferlito yn rhan annatod o fywydau disgyblion Ysgol y Ferwig ynghyd yn ogystal â'r rhieni a'r ardalwyr. Ac roeddwn yng nghanol y bwrlwm! Dyna i chi brofiad!

Y Cwlwm Cyntaf

'El Dorado'

Rai blynyddoedd yn ôl cynhaliwyd arddangosfa gyfoethog o drysorau amhrisiadwy yn yr Academi Frenhinol, Llundain – arddangosfa debyg i ryfeddodau beddrod Tutankhamun a welwyd ynghynt yn yr Amgueddfa Brydeinig. Casglwyd pum cant o ddarnau gwych o Golombia, Madrid, Llundain a'r Unol Daleithiau, ac yn eu plith drysor cain o aur pur o'r El Dorado (Y Dyn Euraid). Mae cynllun o'r darn a enwyd yn seiliedig ar ddefod o'r unfed ganrif ar bymtheg a oedd yn rhan o ddiwylliant crefyddol llwyth y Muisca. Trigent oddeutu'r ardal i'r gogledd lle saif Bogota, prifddinas Colombia, heddiw. Trefnwyd y dathliadau ar lan llyn Guatavita sydd ar ffurf saser wedi ei chau gan wefusau hen losgfynydd. Rhoddwyd yr enw 'El Dorado' i'r pennaeth wedi iddo gael ei wthio ar rafft o frwyn i ganol y llyn. Ym mhob cornel ohoni cynheuwyd rhwyllau tân i losgi arogldarth (*moque*). O gylch y dyfroedd roedd cannoedd ar gannoedd o bobl ei lwyth yn dathlu'r ŵyl flynyddol dros gyfnod o ddiwrnodau.

Uchafbwynt y defodau oedd cyflwyno offrymau i dduw'r haul. Yng nghanol y llyn gorchuddid holl gorff y pennaeth noeth gyda phridd a resin gludog cyn chwistrellu powdwr aur drosto, a chreu dyn euraid dan belydrau poeth yr haul! O'i amgylch ceid gosgordd o offeiriaid ei lwyth. O lannau'r llyn dôi sain cerddoriaeth a miri dawns a chanu. Ac ar fan uchaf yr haul taflai'r pennaeth bentyrrau o emralltau a llestri aur i ddyfnder tywyll y llyn. Offrymid rhagor o drysorau o'r glannau. Felly dros y blynyddoedd pentyrrwyd y casgliadau mwyaf gwerthfawr o drysorau yn y Byd Newydd. Dyna oedd sail y myth am 'El Dorado'.

Roedd llwyth y Muisca yn byw mewn ardaloedd rhwng ymerodraethau'r Inca, i'r de, a'r Azteciaid, i'r gogledd. Roeddent yn hyddysg iawn mewn gweithio ag aur a'u profiad yn ymestyn yn ôl dros filoedd o flynyddoedd. Casglent gaenennau o aur o ro'r afonydd cyn ei doddi mewn crwsibl. Ni ddefnyddid meginau ond yn hytrach chwythent drwy bibau dros y metal. Os oedd yn fregus, fe'i haildwymid. Roedd ganddynt sgiliau i ffustio metal ufudd a chreu gemwaith a delweddau prydferth mewn mowldiau cwyr. Ac fe grewyd aloi o aur a chopr o'r enw *tumbaga*. Toddai hwn ynghynt ac roedd yn galetach. Fe'i golchid mewn 'moddion aur', past o fwynau a gwreiddiau planhigion.

O'r crefftwaith cyfoethog erys i'r byd heddiw enghreifftiau cain o eurwaith tlws a drudfawr. Yn wir, ni ellir rhoi pris arnynt. Ac ymhlith y casgliadau mae gyddfdlysau, poteli aur o waith y llwyth Quimbaya a llestri dal dail leim.

Defnyddid leim i'w gnoi yn gymysg â dail coca, sef ffynhonnell *cocaine*. A pheth cyffredin yw gweld planhigion coca yn tyfu'n wyllt ar lechweddau mynyddoedd Colombia. Ac ers y dyddiau hynny mae'r gorllewin wedi darganfod fod y cyffur yn atal poen corfforol a newyn. Hefyd, yn ôl y dystiolaeth, gall yr ymgymerwr fynd i gyflwr o drans a phrofi breuddwydion seicadelig.

Credir bod y llwythau brodorol drwy'r canrifoedd yn arfer cnoi dail coca a leim neu yn ei ffroeni fel powdwr, fel rhan o'u defodau crefyddol. A chred rhai arbenigwyr fod gwaith y gofaint aur a'u bwystfilod deuben, creaduriaid rhyfedd ar adenydd, pysgod cywrain a ffigurau â phennau chwyddedig, yn rhan o weledigaethau'r crefftwyr dan ddylanwad coca. Yn wir, cred eraill mai'r ffigurau yma yw sail y fytholeg fod bodau o blanedau eraill wedi ymweld â'r ddaear, a'u bod yn gysylltiedig â llin-ellau syth sy'n rhedeg dros anialwch Periw a gwledydd cyfagos.

Trwy fasnachu a chyfnewid aur am y gemau gwerthfawr a oedd yn frith ymysg gwaddodion halen, roedd gan y bobl Muisca nifer o ofaint a fedrai greu pethau cain iawn ar hyd glannau llyn Guatavita. Un o nod-weddion eu crefft oedd addurno'r darnau â gwe denau o aur fel gwawn o siwgr eisin. Gwelir darnau o'r gelf yn yr Amgueddfa Aur yn Bogota. Ac mae ei geinder yn adlewyrchu defodau'r 'Dyn Aur' ac yn dehongli natur chwantus y *conquistadores* drwy'r canrifoedd.

Yn dilyn goresgyniad tiroedd yr Inca ym 1532 gan y Sbaenwyr, gwel-odd y concwerwyr drysorau o aur y tu hwnt i'r dychymyg. Roedd aur ym meddiant pawb. Yn y brifddinas Cuzco roedd muriau'r deml wedi eu haddurno â sitennau o aur. Yn y closau roedd cerfluniau o *llamas* aur, ac roedd adar aur ar ganghennau wedi eu haddurno ymhellach â gemau gwerthfawr. Yn eu trachwant gorchmynnodd y *conquistadores* i'r Incas lanw ystafell 22 troedfedd o hyd, 17 troedfedd o led ac 8½ troedfedd o

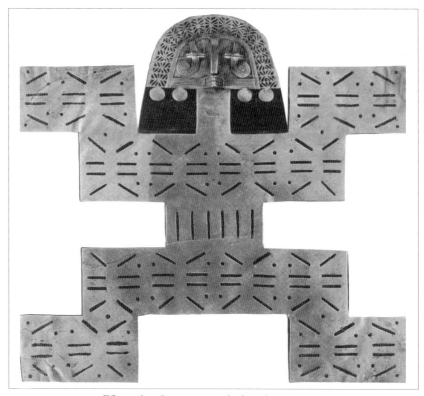

Ffigwr dynol o aur pur gyda darn dros y trwyn.

ddyfnder ag aur pur. Talwyd y bridwerth ond wedyn fe lofruddiwyd yr ymerawdwr trwy ei lindagu yn eu hamarch a'u syched diddiwedd am aur.

Yn dilyn y goncwest ymledodd sibrydion gan greu mytholeg am El Dorado, a drodd yn 'Ddinas Golledig' guddiedig mewn jyngl trwchus a hyd yn oed yn 'Fynydd o Aur'. Drwy'r canrifoedd mae llawer wedi ceisio dod o hyd i'r cawg aur. Yn eu plith roedd Syr Walter Raleigh a noddwyd gan y Frenhines Elizabeth (Bess) 1 yn ei gwest am El Dorado. Credai yntau fod y trysor yn ardaloedd gwledig Guyana. Yn ei fethiant collodd ei ben – yn llythrennol dan y fwyell.

Cyn hir aeth amryw o forwyr i chwilio am 'El Dorado'. Ym 1536 arweiniwyd carfan, dan lywyddiaeth Sebastian de Belalcazar o Quito, i chwilio am y llyn rhyfedd. Ac ymhen misoedd hwyliodd carfan arall dan yr Almaenwr, Nicolaus Federman, wedi ei noddi gan deulu bancwyr o'r enw Welsers o'r Caribî i'r un perwyl. Yr un pryd cychwynnodd carfan Gonzalo Jimenez de Quesada o Santa Marta yn y Sierra Nevada i'r de am yr Andes. Eu cymhelliad oedd bod digon o aur yn y mynyddoedd. Ond ni lwyddodd un ohonynt. Cyfarfu'r tair carfan yng nghanol Colombia ym mis Mawrth 1539 ac yno sefydlwyd dinas Santa Fe de Bogota, nid nepell o lyn Guatavita.

Ond ymlaen yr aeth y chwilio a'r fforio. Saif y llyn yng ngwddf mynydd, wedi ei ffurfio naill ai gan losgfynydd neu gan seren wib o'r gofod, neu drwy i'r halen doddi y tu fewn i'r mynydd.

Mae'r tirwedd naw mil o droedfeddi uwch y môr ac yn gorwedd mewn niwl a chymylau oer bron yn barhaol.

Ym 1545, gorfododd Herman Perez de Queseda i frodorion llwyth y Muisca ffurfio cylch o amgylch y llyn ac i'w wacáu fesul bwcedaid. Gostyngwyd y lefel naw troedfedd a dygwyd nifer o greiriau aur o'r mwd wrth y glannau.

Ddeugain mlynedd yn ddiweddarach, dechreuwyd ar gynllun uchelgeisiol. Torrwyd hollt yn y graig gan wyth mil o weithwyr ac arllwysodd y dŵr allan gan ostwng y lefel o chwe deg troedfedd. Daeth Antonio Sepulveda o hyd i amryw o emau gan gynnwys un emrallt cymaint ag wy iâr. Ond erydwyd muriau'r llyn a bu tirlithriadau, gan ladd cannoedd o'r gweithwyr. Rhoddwyd y gorau i'r gwaith ac ail-lanwodd y llyn. Nid oedd y duwiau yn mynd i ollwng eu cyfrinach mor hawdd â hynny.

Ar ddechrau'r ugeinfed ganrif daeth cynllun 'Contractors Limited' o Lundain gerbron. Rhaid oedd gwacáu'r llyn i gyd, a thorrwyd twnel trwy'r graig i wneud hynny. Rhuthrodd y dŵr allan ond roedd y mwd yn rhy feddal i ddal y peiriannau mawrion y bwriadwyd eu defnyddio i archwilio'r gwaelodion yng nghanol y llyn. Dychwelodd y tîm i Bogota i godi arian a phrynu offer pwrpasol. Ond wedi dychwelyd i Lyn Guatavita roedd y mwd wedi llanw'r twnel a'r glaw parhaol wedi ail-lanw'r llyn. Gwerthwyd rhai o'r gemau ar y farchnad yn Llundain, ond erbyn heddiw mae Llywodraeth Colombia wedi rhoi gwaharddiad ar ragor o ysbeilio ar lyn 'El Dorado'.

Ond llwyddodd y brodorion i guddio llawer o'u heiddo, sef aur a gemau. Ac fe'u cludwyd gyda'r ymadawedig yn eu beddrodau. Yna, yn lle'r Sbaenwyr, collodd Colombia lawer o'i thrysorau trwy'r *guaceros*, sef y lladron beddau. Bu i aml i heliwr Ewropeaidd ac Americanaidd ychwanegu aur a gemau o fynwentydd at eu casgliadau, ynghyd â'u hatgofion am eu profiadau gyda'r jagiwar neu'r anaconda.

Mae aur yn fythol felyn! Nid yw'n cyrrydu nac yn casglu cen (*patina*). Oherwydd bod aur yn anllygredig yn ei hanfod, credai athronwyr ei fod yn cynnwys elicsir bywyd ei hun, sef yr hyn roedd alcemegwyr yr oesau yn chwilio amdano. 'Aur yw'r coethaf o holl bethau'r byd. Gall pwy bynnag sy'n berchen ar aur chwennych a gwireddu ei freuddwydion. Yn wir, gydag aur, gall brynu mynediad i'w enaid i baradwys,' meddai Cristoforo Colombo.

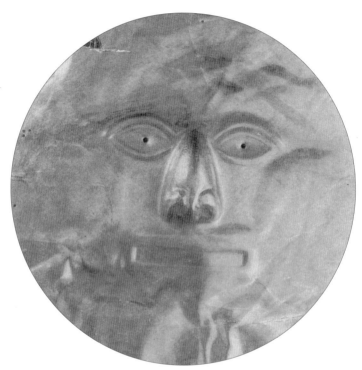

Wyneb o aur addurnedig wedi ei ffustio i'w ffurf.

Daeth y *conquistadores* i America Ganol ac i dde'r cyfandir newydd i chwilio am y deyrnas hud. A daeth gwerthoedd yr Hen Fyd wyneb yn wyneb â'r Byd Newydd. Bu farw mil a hanner o filwyr Sbaen a'u gweision o glefydau ar eu teithiau hirion drwy jyngl, coedwigoedd a thros fynyddoedd mewn hinsawdd ddieithr, anghyfforddus ac anodd. Ond roedd y trachwant a'r wobr a gaent o gludo'r trysorau yn ôl i frenhinoedd a breninesau Sbaen yn arglwyddiaethu ar bopeth arall.

Diystyrwyd diwylliant y Muisca, y Maya a'r Inca gan sarnu, dinistrio a damsgen ar eu celf a'u ffordd o fyw yn eu chwant am gyfoeth.

I lwyth y Muisca roedd darn o gelf o aur wedi ei ffustio â morthwyl llaw i'w ffurf gelfyddydol fel gwydr a adlewyrchai lun. Ac roedd y llun yn gyfrwng ac yn fynediad i'r bywyd ysbrydol. Nid cyfoeth oedd yr aur ond modd i deithio trwy arwynebedd sgleiniog i fyd arall. A phan neidiai El Dorado (y dyn euraid) oddi ar ei rafft i ddyfnderoedd Llyn Guatavita – roedd arwynebedd ariannaid y llyn fel gwydr, a symudai'r plymiwr trwyddo i fyd arall, y byd ysbrydol. Nid oedd y Sbaenwyr yn deall hyn. Iddynt hwy, cyfoeth oedd aur, i'w ddwyn a'i gasglu yn drachwantus a'i addoli ac i greu grym oddeutu llys brenhinoedd Sbaen.

Ailadroddir yr un delfryd yn yr unfed ganrif ar hugain. Mae trachwant yn parhau i gael blaenoriaeth ar ddoethineb.

Mae cyfoeth wedi'i ddarganfod sy'n awgrymu fod yr Amerindiaid yn edrych ar eu byd fel lle a ysbrydolwyd gan 'ddisgleirdeb ysbrydol'. Amlygid y ffenomen mewn pethau naturiol, megis yr haul, y lleuad, dŵr, iâ, enfys a chymylau; hefyd mewn elfennau naturiol fel mwynau, plu, crwyn anifeiliaid, perlau a chregyn. Cysylltid y goleuni â chrefftwaith seramig, tecstiliau a metalau. Ac er yr amrywiaeth roedd pob un ohonynt yn meddu ar ystyr gysegredig.

A phan gyfarfu Herman Cortez â chynrychiolwyr yr Ymerawdwr Moctezuma, cyflwynwyd iddynt anrhegion sgleiniog, fel gleiniau (*beads*) a gwydrau. Cyfnewidiwyd tebyg am debyg. Ymhen amser defnyddiwyd aur ac agorwyd drysau trachwant.

Oni bai i hanes 'El Dorado' dyfu yn chwedl ac yna yn fytholeg, i danio breuddwydion a thrachwant dynion a'u cymell yn eu hawch i anturio at erchwyn y byd i geisio meddu ar aur, ni fyddai pwythau cyntaf y llinyn arian wedi cael eu nyddu.

Yr Ail Gwlwm

Harri Morgan, y Môr-herwr

Harri Morgan.

Mae enwau a hanes Howel Davis, Henry (Harri) Morgan a John Bartholomew Roberts (Barti Ddu) – tri Chymro a môr-ladron enwocaf yr ail ganrif ar bymtheg – wedi ennyn diddordeb awduron, darllenwyr, cynhyrchwyr a gwylwyr ffilmiau, ac, yn sicr, wedi cyffroi dychymyg chwilfrydig y plentyn.

Dyma dri a oedd wedi rhuddo barf brenin Sbaen trwy ysbeilio a dwyn trysorau gwerthfawr iawn oddi ar ei longau trymlwythog. Tri Chymro a oedd, yn eu dydd, wedi codi ofn ar yr awdurdodau ymhob cwr o'r byd gyda'u hanes a'u gweithredoedd.

Ond drwy gydol y canrifoedd, drwy ramant llawer o lyfrau a thrwy sbectol hud-a-lledrith Hollywood a champau gwyrthiol Errol Flynn a

Burt Lancaster, gwelir pob un ohonynt fel rhyw rôg hoffus. A 'does neb yn fwy hoff o'u gweilch na'r Cymry! Ar y sgrin arian medrent ymladd yn ddeheuig â chleddyf (o ddur Toledo), gan hedfan o rigin i rigin fel acrobát, neidio a thwmlo ac osgoi'r gelynion a chipio llongau a chaerau ynghyd â chistiau o drysor. A phwy a all anghofio Robert Newton a'i ffon fagl fel Long John Silver allan o lyfr enwog Robert Louis Stevenson, a'i lygaid yn pefrio, a pharot gwyrdd ar ei ysgwydd, ac yntau'n byseddu'r *dubloons* a'r *pieces of eight* â'r bachyn dur a wisgai wedi iddo golli ei law mewn brwydr. I wneud y ddrama'n fwy cyffrous fe drawyd yr arwr ffilm ar foch a braich gan rwygo'i grys sidan nes tynnu gwaed, cyn dod wyneb yn wyneb â'r dihiryn o gapten a oedd yn elyn iddo (o dras Sbaenaidd) a'i ladd mewn ymladdfa ddramatig arall. Rhan o'r ysbail fyddai ennill merch brydferth – hithau'n berthynas, dyweder, i lywodraethwr o dras uchel. Yna cipio'r llong a mabwysiadu'r criw gan hwylio at gaer y gelyn lle'r oedd gormeswr creulon yn trigo. Yna hwyliai ei 'armada' i fachlud y gorllewin a'r cistiau'n llawn o drysor – wedi ei ddwyn o dan drwynau'r Sbaenwyr.

Mae 'Capten Morgan' a'i lun trawiadol ar label potel wedi bod yn gyfrwng i werthu *rum* Jamaica ers canrif a rhagor; ac mae Barti Ddu wedi ennill parchusrwydd ar ôl gosod pen-gerflun a chofeb ohono ym mhentref Casnewy' Bach, Sir Benfro.

Mae T. Llew Jones yn ei nofel *Barti Ddu* wedi creu delwedd ramantus i'w yrfa. Fe'i cipiwyd gan y 'Press Gang' ar noson ei briodas a bu'r digwyddiad tyngedfennol hwnnw yn gyfrwng annatod i sefydlu gyrfa iddo fel môr-leidr. Er gwaethaf beiddgarwch a gwroldeb angenrheidiol capteiniaid o fôr-ladron, roedd rhai pethau ynghylch Barti Ddu yn wahanol i raddau. Dywedir gan rai ei fod yn llwyr-ymwrthodwr ac yn ddarllenwr cyson o'r Beibl Mawr, a gwisgai yn drwsiadus iawn, hyd yn oed mewn brwydr – côt sidan las, gwasgod goch, trowsus glas, sanau pen-glin gwyn, het ddu ac arni bluen goch enfawr, ac o amgylch ei wddf, croes aur wedi ei haddurno â diamwntiau llachar. Roedd o gymeriad cymharol gymedrol a thrugarog! Ond yng ngwres ymladdfa roedd mor ddigyfaddawd ag unrhyw un. Unwaith y câi ei ddwylo ar rywun, nid hawdd oedd dianc rhagddo. Fe'i lladdwyd mewn brwydr ar y môr oddi ar arfordir gorllewinol yr Affrig a thaflwyd ei gorff i'r môr (yn ôl ei ddymuniad) yn ei ddillad crand gorau.

Yn *Y Bywgraffiadur Cymreig hyd 1940* cyfeirir yn ddiddorol iawn at

21

Harri Morgan fel 'môr-herwr' ond disgrifir Bartholomew Roberts (Barti Ddu) fel môr-leidr. Os mai 'crwydryn, ysglyfaethwr, tu allan i'r gyfraith' yw herwr, yna roedd Morgan yn llawn gymaint o ddihiryn, os nad mwy, oherwydd cuddiai y tu ôl i drwydded swyddog llywodraeth. Cafodd gomisiynau môr herwa gan Syr Thomas Modyford, Llywodraethwr Jamaica, ac ym 1668 'anrheithiodd Porto Bello gyda chreulondeb ellyll'. Meddiannodd hen ddinas Panama ym 1671 ond parodd hyn drafferth mawr i Lywodraeth Lloegr. Galwyd Modyford yn ôl i Lundain a chaniataodd ei olynydd i longau môr herwa amddiffyn llongau Prydain rhag y Sbaenwyr. Ac er carcharu Morgan, enillodd ffafr y Brenin Siarl ll ac ar 23 Ionawr 1674 fe'i gwnaethpwyd yn is-lywodraethwr ar Jamaica ac ymddengys iddo gael ei wneud yn farchog yr un pryd. Enwodd ei stadau ar yr ynys yn Lanrumney a Phencarn.

Fe anwyd 'Henry Morgan' yn ôl yr hanes yn Llanrhymni ond nid oes cofnod pwy oedd ei rieni. Roedd yn perthyn i Forganiaid Tredegar a oedd â chysylltiadau â Thŷ Tredegar.

Yn y *Bristol Apprentice Books (Servants to Foreign Plantations)* ceir y cofnod hwn amdano: '1655, February 9. Henry Morgan of Abergavenny, labourer, bound to Timothy Tounsend of Bristoll, cutler, for three years to serve in Barbadoes on the like Condicions'. Dywed *Y Bywgraffiadur*: 'Dyma ffurf arferol ymrwymiad pob dyn a ddymunai ymfudo i India'r Gorllewin; ystyr 'like Condicions' ydyw ei fod i gael 10 punt ar ddiwedd ei dymor o wasanaeth'. Wedi ennill ei ryddid ymhen tair blynedd hwyliodd o'r Barbados i Jamaica i ennill ei ffortiwn. Llwyddodd yn gynnar iawn fel môr-leidr a chasglodd gyfoeth sylweddol. Ysbeiliodd longau trysor y Sbaenwyr gan leihau cystadleuaeth fasnach Lloegr. Roedd hyn o fantais mawr i'r Saeson. Ac ym 1665 priododd Elizabeth, merch Edward Morgan, a ddyrchafwyd yn is-lywodraethwr ar Jamaica ym 1664, ddeng mlynedd cyn i Harri Morgan lanw'r swydd.

Os oedd fforwyr oes teyrnasiad Bess a'r Tuduriaid wedi clywed sôn am aur, arian, gemau'r 'Spanish Main' ac El Dorado, yn sicr byddai gŵr trachwantus fel Morgan, trwy ei we o sbïwyr, hefyd wedi clywed amdanynt, â diddordeb mawr, yng nghyfnod y Stiwartiaid. Byddai wedi codi aeliau, troi clust ac wedi hogi ei awydd a'i gleddyfau i chwilio am yr 'El Dorado'. A chwilio am y trysor mwya' hwnnw oedd ei gymhelliad pennaf wrth iddo groesi culdir Panama. Lledodd y newyddion am ei hanes a'i laniad ar arfordir dwyreiniol yr isthmws fel tân. Symudodd teuluoedd allan o'u cartrefi a gadawodd ffermwyr eu hanifeiliaid a'u cnydau. Arhosodd rhai. Ond nid oedd trugaredd i fywyd nac i eiddo yn wyneb rheibio, llosgi a lladd.

Dywed Dyddgu Owen eto: '. . . ym Mhanama roeddwn ynghanol ei fisdimaners. Roedd sôn am ei greulondeb yn parhau yn y Caribî yn y presennol. Tramwyodd Harri Morgan ar draws isthmws Panama gan ladd, anrheithio ac ysbeilio a'i gofadail enwocaf yw adfeilion hen ddinas Panama'.

Nid rhyfedd iddi ddweud hefyd: 'Nid fy mod yn hoff o'r gwalch creulon – os oes rhaid dewis môr-leidr, yna Barti Ddu i mi, er mai un drwg oedd e hefyd. Oherwydd erbyn imi ddysgu am erchyllterau Harri Morgan, roedd arnaf ofn cyfaddef fy mod yn perthyn i'r un genedl'.

Claddwyd gweddillion Syr Henry Morgan yn Port Royal ar 26 Awst 1688 gydag urddas brenhinol, ond oherwydd daeargryn gref a thon enfawr (*tsunami*) diflannodd ei fedd a'i arch am byth.

Ond mae llawer o dystiolaeth am gyfnod cythryblus y môr-ladron a'r llongau trysor yn gorwedd ar waelod môr y Caribî. Llyncwyd llongau a'u cyfoeth gan drachwant marsiandiwyr, byrbwylledd y morwyr ac eiddigedd brenhinoedd. Yn nŵr bas y Caribî mae trysorau a gollwyd, breuddwydion ffaeledig a gweddillion trachwant eiddgar yn gorwedd mewn tywod a llaid. Hudid y Sbaenwyr gan aur ac arian, a hwyliai masiandiwyr ar draws yr Atlantig mewn llongau bregus a oedd yn gollwng dŵr, a defnyddid siartiau annigonol ac offer cyntefig. Ond roedd môr-ladron yn disgwyl amdanynt. Oherwydd eu llwythi trymion ac anallu'r criw trwsgl i ymladd, collwyd llawer o'r llongau. Suddodd eraill wedi eu dal gan stormydd sydyn. O'r herwydd hwyliai llongau o Sbaen mewn confoi er mwyn diogelwch rhag y môr-ladron dienaid. Roedd Siarl 1 o Sbaen yn dibynnu llawer ar gyfoeth y Byd Newydd i dalu am ei ryfeloedd. Cyfeiriai'r brenin y cyfoeth trwy'r *Casa de Contratacion* (Tŷ'r Masnach) yn Seville a throsglwyddid yr elw i'r Goron. A phan etifeddodd Philip ll yr orsedd, etifeddodd hefyd chwyddiant a dyledion enfawr.

Daethpwyd o hyd i'r llongau canlynol ar waelod y Caribï:

Santa Maria 1554
Espirito Santo 1554
San Esteban 1554
Nuestra Señora de Atocha 1662

Santa Margarita 1622
San José 1631
Llynges gyfan ar y Florida Keys 1733
El Nuevo Constante 1766

A beth am longau Harri Morgan ei hun – yr *Oxford* – llong â drafft o un droedfedd ar ddeg a ffrwydrodd ym 1669 pan gollwyd 300 o fywydau? Hefyd y *Speedwell* – a gariai bum angor, tunnell yr un. Mae'r ddwy yn gorwedd ar waelod y Caribî. Yna, ar 25 Chwefror 1675 rhedodd y *Jamaica Merchant*, un arall o longau Morgan, ar greigiau ynys Isle à la Vaché. Ac mor ddiweddar â 2000 daeth deifiwr o hyd iddi a'r canonau yn gorwedd ar waelod y môr. Ond nid oedd sôn am drysor. Dywedir i Morgan geisio codi'r canonau trymion yn ddiweddarach. Gallwn fentro fod y trysor yng nghist yr hen rôg ei hun.

Disgrifir y *neo San Esteban* (math ar long) fel – cwta, cyflym, anodd i'w llywio, starn uchel, howld dwfn a hwyliau sgwâr. Adeiladwyd y *neos* i gario nwyddau, ac oherwydd bod eu ffurf fel twba roeddent yn aml yn cymryd dŵr ac yn drwsgl mewn stormydd. Roedd y *San Esteban* yn 74 troedfedd o hyd, 24 troedfedd yn ei lled. Fe'i llenwid â chant o deithwyr a chriw, bwyd ac arfau a oedd yn aml yn fwy na 94,000 pwys.

Yn ôl dyddiadur Eugenio de Salazar roedd bywyd ar longau o'r fath yn druenus ac yn anhapus. Roedd dynion, menywod, ieuanc a hen, y brwnt a'r glân wedi eu taflu at ei gilydd mewn halabalŵ. Yn y *mess* (lle bwyta) roedd bytheirio, chwydu, rhechen ac agor perfedd yn digwydd yng nghanol brecwast. Roedd bywyd ar y llong yn oer, yn newynog, yn gyfoglyd a heb breifatrwydd. Cysgai'r teithwyr yn unrhyw le, ar ddeciau, ar ben pynnau balast, ar draws eiddo personol eraill, ac yng nghanol llygod ffrengig a chwilod duon.

Ac i long a gurwyd gan storm, ac a dyllwyd gan fwydod môr, ymddangosai fel gwagar a oedd yn gollwng dŵr. Hwyliai o borthladd yn drymlwythog o blwm (i batsio tyllau) ac ocwm (ffeibr fel rhaff) i atal dŵr rhag ymdreiddio drwy'r planciau, offer, coed garw a miloedd o sbeiciau (picelli) a hoelion.

Hwylid y llongau i'r eithaf. Ailddefnyddid peth o'r coed mewn llongau newydd ac fe or-yswirid y llongau gan y perchnogion ofnus. Nid rhyfedd i fôr-ladron fel Harri Morgan a Barti Ddu gael cymaint o lwyddiant yn rheibio a dwyn oddi arnynt – cyn suddo eu tybiau bregus!

Nodyn rhagluniaethol arall yw fod Harri Morgan yn arwr i Mario Ferlito – y cyn-garcharor rhyfel – wedi iddo ddarllen am anturiaethau'r môr-leidr yn ei ddyddiau cynnar yn yr ysgol elfennol yng ngogledd yr Eidal.

Oni bai i Harri Morgan, y môr-herwr, barhau i chwilio am 'El Dorado' a thrwy hynny ysbeilio, llosgi ac anrheithio bywyd ac eiddo oddeutu hen ddinas Panama a'r Caribî, ni fyddai haneswyr ac awduron a theithwyr wedi dod ar draws ei hanes.

Y Trydydd Cwlwm

John Davies (Tahiti)

Hela calennig, ond casglu at y genhadaeth a wnaem fel plant crynion. Ar fore Calan cerddem o riniog i riniog wedi'n gwisgo'n drwm mewn dillad cynnes a phâr o glocs wedi'u hiro'n dda. Roeddem yn ddau neu dri neu yn fwy a chanem rigymau traddodiadol nerth ein pennau i sicrhau ateb a rhodd dros gledr llaw. Canem benillion ar gyfer bore, prynhawn a nos. Ac roedd gennym bennill arall yn y 'reportoire' pe na chaem ateb a ninnau yn gwybod fod 'na bâr o lygaid y tu ôl i'r llenni. 'Blwyddyn newydd ddrwg, llond y tŷ o fwg'. Cofiaf gael pice neu afal a gwydraid o *ginger beer* cartref gan rai. Ceiniog neu ddimai oedd y calennig fel arfer a phisyn tair o liw copor gan berthnasau. Rhoddem ein harian prin mewn cwdyn â llinyn incil a oedd ynghlwm wrth ein gyddfau, heblaw am y pishyn tair sgleiniog newydd (mint o'r banc) a gaem gan y Fonesig Evans, Plas Rhydycolomennod; fe'i rhoddem yn ofalus mewn poced arbennig. Câi'r heliwr cyntaf ddarn hanner coron ganddi ond rhaid oedd codi'n foreol iawn i gystadlu am hwnnw.

Roedd ein hymarweddiad wrth gasglu at y genhadaeth yn fwy syber a chwrtais ac roedd gennym frawddeg baratoadol, sef: 'Esgusodwch fi ('*miss*' neu 'syr'), a fyddech chi mor garedig â rhoi rhywbeth at y genhadaeth?' Cariem bensil, a'i flaen yn torri'n aml, a hefyd garden wedi ei phlygu'n driphlyg a llun efallai o long genhadol John Williams ar ei chlawr. Rhoddai'r cyfrannwr ei lofnod a'r swm dyledus ar y garden a'r gamp oedd ei dychwelyd i'r ysgol Sul yn llawn o enwau a chyfanswm sylweddol, cywir ar ei gwaelod. Dan drefn ymroddgar yr athrawon tros-glwyddid swm teilwng i'r Gymdeithas Genhadol ac mewn cwrdd arbennig cyflwynid llyfr Cymraeg am hanes y cenhadon i bob plentyn, ac arysgrif-iad o ddiolch yn llawysgrifen *copper plate* Miss Mary Lewis, athrawes Ysgol Sul ac ysgol ddyddiol.

O gof bro daw stori am dwr o blant cymysg eu cefndir crefyddol o ardal Pontgarreg yn eu llusgo eu hunain at drothwy Iet Wen, cartref yr enwog Granogwen (Sarah Jane Rees), i gasglu at y genhadaeth. Fe'i hadwaenid fel athrawes ysgol, pregethwraig, dirwestwraig a bardd ac oherwydd ei maintioli corfforol sylweddol, gyda pharchedig ofn yr âi plant at ei drws. Wedi cnocio ysgafn a gwrando ar gais y casglwyr, ebychodd mewn llais cryf, hyderus,

'Bore da, blant. I ba gapel ŷch chi'n mynd?'

Rhedodd ei bys bygythiol dros y garfan.

'Bancyfelin, *Miss*. Bancyfelin, *Miss*. Penmorfa, *Miss*. Crannog, *Miss*. Capel-y-Wig, *Miss*. Yr Eglwys, *Miss*,' atebai'r plant nerfus yn eu tro.

'Plant Penmorfa a Bancyfelin [Methodistiaid], ceiniog yr un. Plant Crannog a Chapel-y-Wig [Annibynwyr], dimai yr un. Plant yr Eglwys – dim!'

Enwadaeth remp ydoedd ar ei orau – neu'i waethaf. Gwenai hanner y plant dros y lleill a diau y gwthiwyd ambell dafod at yr hen 'foden' wedi iddynt droi'r gornel a cherdded allan o olwg ei llygaid curyll.

Hyd yn oed heddiw mae dau lun o ddwy long genhadol *John Williams I* a *VII* yn addurno muriau festri Capel-y-Wig. Maent yn cadw oed yn y distawrwydd ochr yn ochr â'r 'Curwen's Modulator' a lluniau dau o'r

Llun *John Williams I*, llong hwyliau'r Gymdeithas Genhadol,
a saif yng nghyntedd Capel-y-Wig.

27

Llong ddiesel y Gymdeithas Genhadol, *John Williams VII.*

disgyblion a aeth i'r weinidogaeth – y Parchedigion S. B. a Fred Jones – a'r cloc. Dan ei wyneb na ddengys unrhyw arwyddion henaint, mae'i fysedd a'i bendiwlwm llonydd yn sefyll yn ddisgwylgar ar ryw bum munud ar hugain i wyth pell er pan fu iddo roi ei olaf dro.

Mae ein dyled i athrawon Ysgol Sul yn fawr iawn a'u cyfraniad a fu'n gyfrwng i ddysg mewn amryw feysydd yn amhrisiadwy. Dyna falch oeddwn o weld fod y Parchedig John Gwilym Jones wedi gwobrwyo Vernon Jones a'i gywydd i'r athrawes Ysgol Sul yn Eisteddfod Meifod, 2003:

> Yn nhir neb arweinia hon
> Ei hil heb dorri'i chalon.

Oherwydd atyniadau materol eraill a gostyngiad yn rhif poblogaeth y Cymry Cymraeg, mae llawer wedi troi eu cefnau ar yr Ysgol Sul a chyfundrefn addoliad mewn capel ac eglwys. Eto mae llawer o'r ffyddloniaid yn parhau ac yn gwneud gwaith da iawn i alwadau'r gofyniadau cyfoes. Dyma englyn a lunais i'r Festri:

Ei sail yng ngwlith y Suliau, – ein Hathen
Ai hiaith mewn adnodau;
Mae hiraeth yn ei muriau –
Wylo chwys o gael ei chau.

Hefyd dyma benillion Isfoel i'r 'Ysgol Sul':

Pan oedd un dilledyn rhyngom
Yn y bwthyn llwm,
Hyfryd cofio mynd i'r cysegr
Ar yn ail â Twm.

Mynnai Mam fy nhrwsio'n barchus
Yn fy ifanc oed,
Plannai adnod ar fy nhafod
A chyfeirio 'nhroed.

Cofio fy hen athro annwyl
A'i hyfforddiant taer,
Yn cymhwyso egwyddorion
Crist o'm cylch yn gaer.

Heddiw, o dan bwys blynyddoedd
Gwedi llawer clwy,
Diolch, deil y gaer yn gyfan,
Nid af drosti mwy!

Yn naturiol roeddwn wedi clywed am aberth a hanesion cenhadon enwog capel Neuaddlwyd yn Nyffryn Aeron – David Jones a Thomas Bevan. A hefyd David Johns (Llain, plwyf Llanina) a David Griffiths (mab Glanmeilwch, Gwynfe, Sir Gaerfyrddin). Bu farw'r tri a'u teuluoedd yn Madagascar.

Ond ni wyddwn lawer am John Davies (Tahiti) nes i lythyr Dyddg Owen dynnu fy sylw ato pan oeddwn yn Brifathro ar Ysgol y Ferwig, ger Aberteifi. A phan ddaeth yr Eisteddfod Genedlaethol i Feifod yn 2003, un o'm prif flaenoriaethau oedd ymweld â Phendugwm, Pontrobert, lle ganwyd John Davies. Wedi oedfa'r Sul yn y pafiliwn, a'm cydwybod yn parhau i gordeddu dan eiriau heriol y Parchedig Ddr. R. Alun Evans, aethom fel teulu ar ein pererindod. Dilynwyd cyfarwyddyd pentrefwraig garedig o Bontrobert, Margaret Herbert, Glan-yr-afon, a theithiwyd ar hyd y cwm troellog cyn dringo i glos Pendugwm, fry ar frest y llethr. Roedd y tirwedd o wyrddlesni'r mwynder yn crynu yn y tes. Roedd Idris Gwynfor Evans ar y clos wrth ei dwt yn ei ddillad gwaith a'i 'wellingtons' bob tymor. Cyn hir ymunodd ei wraig hynaws Gwyneth a'u hŵyr Dafydd i'n cyfarch. A'r fath groeso!

'Dewch i weld y tŷ. Dewch i gael paned.'

Yna gyda brwdfrydedd byrlymus ychwanegodd:

'Dewch i weld y stelwyn a Doli, a'r cwpen mewr enillodd e, Dafydd, yn Sioe 'Syswallt [Croesoswallt].'

Dychwelodd ef mewn byr amser gan arddangos y wên fwyaf llydan a chario cwpan arian a oedd bron gymaint ag ef ei hun. Daeth ton o wên dros wynebau Idris a Gwyneth hefyd – a oedd yn cyfleu balchder o weld parhad yr hil, parhad i'r Gymraeg a'i diwylliant, a pharhad i Bendugwm. Roedd eu cwpan hwythau yn llawn hefyd.

Idris Gwynfor a Gwyneth Evans a'u hŵyr Dafydd
ar glos fferm Pendugwm, ger Pontrobert.

Gareth Wyn ac Aures, mab a phriod yr awdur,
ger Hen Gapel John Hughes, Pontrobert.

'Oeddech chi'n adnabod y Parchedig Elfed Lewys?' gofynnais iddynt.
'Oedden. Roedden ni yn aelodau gydag e yng Nghapel Penllys len fen
ecw! Bachgen clên oedd e. Y Parchedig Gerald Jones sy' gyda ni nawr.
Rydan ni wedi bod yn lwcus iawn!'

Ac yna wrth holi am hanes John Davies y cenhadwr, fe'm cyfeiriwyd
gan Gwyneth Evans i Gae'r Hen Dŷ, gyferbyn â'r fynedfa i'r clos.

'Welwch chi'r boncyn fen drew, a'r crych ar y codiad tir. Mae olion
hen dŷ yno, a ffynnon hefyd!'

Mae amheuaeth ymhle yn gywir y trigai teulu John Davies. Ai yn y tŷ
fferm, yn yr hen dŷ, neu mewn murddun cysgodol yn y cwm islaw.
Ond fe gofnodir yn swyddogol: Ganwyd John Davies yn fab i wehydd, ar
11 Gorffennaf, 1772, mewn tŷ ar fferm Pendugwm ym mhlwyf Llanfi-
hangel-yng-Ngwynfa (Gwynfa). Fe'i bedyddiwyd ym Meifod.

Dywed O. M. Edwards amdano: 'Cafodd dri mis o addysg (yn ysgol-
ion Madam Bevan) a daeth yn un o ysgolfeistri Thomas Charles o'r Bala.
Bu yn athraw yn Llanrhaiadr ym Mochnant, ac yn Llanwyddelan. Dech-

31

reuodd yr ysbryd cenhadol gymeryd meddiant ohono wrth ddarllen hanes y Morafiaid, yn 'Greenland' a Thomas a Carey yn yr India. Ysgrifennodd o Fachynlleth at Mr Charles i gynnig ei hun yn genhadwr. Ymaelododd â'r Methodistiaid ac addolai mewn tŷ annedd o'r enw Penllys. Un o'i gyfeillion bore oes oedd John Hughes, y gweinidog a briododd Ruth, morwyn Dolwar Fach. Yr oedd John Hughes, Y Figyn, fel y'i gelwid yn lleol, – yn aflêr ei olwg ac yn aflafar ei lais, ac yr oedd yn gofyn peth craffder i weled ei ddynoliaeth ardderchog, ei amcanion cywir, a'i ddyngarwch aruchel. Tlawd fu ar hyd ei oes. Mawredd heblaw cyfoeth welodd pobl Sir Drefaldwyn. Roedd Ruth yn dwt a threfnus ac yn annhebyg iawn i'w gŵr. Priodasant o Ddolwar yn Llanfihangel ym Mhentymor 1805 ac yr oedd Ann Griffiths yn eu priodas.'

Ganwyd Nansi Ann Thomas (Ann Griffiths wedi priodi) yn bedwerydd plentyn i John a Jane Thomas yng ngwanwyn 1776. Bedyddiwyd hi ar Ebrill 21. Disgrifir Ann: 'Tyfodd yr eneth, – o gyfansoddiad tyner, o wynepryd gwyn a gwridog, talcen lled uchel, gwallt tywyll, yn dalach o gorffolaeth na'r cyffredin o ferched, llygaid siriol ar donn y croen, ac o olwg lled fawreddog, ac er hynny yn dra hawdd neshau ati mewn cyfeillach a hoffai. Hoffid darllen a chân yn ei chartref, a dysgodd ysgrifennu llawn grain yn rhywle. Daeth dwyster y Diwygiad i'w chartref hefyd'.

Difyr iawn yw'r sylw canlynol: 'Yn y seiat fechan ym Mhont Robert yr oedd dau wehydd (John Hughes a John Davies) ddaeth wedi hynny yn ysgolfeistriaid dan Charles o'r Bala'.

Daeth y Parchedig John Hughes i amlygrwydd fel gweinidog a chofnodwr geiriau penillion Ann Griffiths. Cyhoeddodd naw neu ddeg o lyfrau a gweithiau llenyddol gan gynnwys *Hymnau i'w canu yn yr Ysgolion Sabbothol* (1821), *Cyfansoddiad Prydyddawl ar Lyfr Caniad Solomon* (1821), a phregethau a chofiannau. Bu'n ffigwr allweddol iawn yn hanes crefydd yng Nghymru ac yn enwedig am ei gofiant i Ann Griffiths yn *Y Traethodydd* (1846). Parhaodd ei gyfeillgarwch â John Davies ac ysgrifennodd *Hanes Mordaith John Davies* (1827), a golygodd *Trefn Eglwysig Ynysoedd Mor y Dehau* (dim dyddiad). Ac mae ar glawr gyfres o lythyron ato oddi wrth ei gyfaill yn Tahiti.

Dywed O. M. Edwards ymhellach am John Davies: 'Wedi hir a hwyr cafodd wahoddiad gan Gymdeithas Genhadol Llundain i fynd i ynysoedd Môr y De. Hwyliodd ar 6 Mai, 1800, – cyrhaeddodd Tahiti 19 Gorffennaf 1801. Daliodd i ohebu â theulu Dolwar am ychydig ac â John Hughes drwy ystod ei oes hir. Gweithiodd yn galed am flynyddoedd yn wyneb anhawsterau mawrion a phrofedigaethau dwys. Ond torrodd y wawr o'r diwedd. Ym Mai 1821 ysgrifenna at John Hughes am drefn ei eglwysi blodeuog, a dywed fod ganddo ormod o waith i feddwl am ddyfod adre. Tra'r oedd John Hughes yn helpu i ffurfio Cyffes Ffydd y Methodistiaid, yr oedd John Davies yn cyfieithu Efengyl Ioan ac Epistolau Paul a Salmau Dafydd i dafod-ieithoedd Môr y De; a thra'r oedd y Cymry yn dechrau canu emynau Ann Griffiths yr oedd yntau'n dysgu anwariaid Tahiti i ganu'r un syniadau yn eu hiaith hwy'.

*   *   *

A sut gymdeithas a wynebodd John Davies a'i gyd-genhadon yn Tahiti yn y flwyddyn 1801? Roedd natur a gwead y gymdeithas wedi aros yn lled ddigyfnewid drwy gydol y canrifoedd er bod y morwyr a'r masnach-wyr eisoes yn y ganrif flaenorol wedi llygru'r traddodiadau. A'r elfen yma ynghyd â'r gymysgedd o ddiwylliant Polynesia a greodd botes anwar. Nid mynd i bregethu tân a brwmstan a wnaeth John Davies ond estyn cymorth fel athro, ffermwr, cynghorwr, llythyrwr, argraffwr, awdur a Christion.

Ysgrifennodd bedwar ar bymtheg o gyfrolau yn y Dahiteg a chwech arall ar y cyd â Henry Nott a William Henry. Dywed Dyddgu Owen: 'Mae hyn ynddo'i hun yn gynnyrch trawiadol i un dyn, yn enwedig o gofio nad oedd iaith ysgrifenedig ar yr ynysoedd. John Davies a gafodd y gwaith o glustfeinio ar air ac ymadrodd er mwyn safoni'r geiriau a'u gosod mewn du a gwyn, a'r ffaith ei bod yn iaith o lafariaid yn ei gwneud yn fwy anodd byth'.

Cymdeithas aristocrataidd, ffiwdal ei natur ac yn seiliedig ar batrwm llwythau a phenaethiaid a wynebodd y gŵr o Bendugwm. Gelwid yr uwch-bennaeth yn *ari'i rahu*, a phennaeth y llwyth yn *ari'i*. Trosglwyddid ei safle i'r mab hynaf, ac ymhob gŵyl byddai'r *orero* – y llefarwr – yn adrodd hanes ac achau'r llwyth drwy'r canrifoedd ac yn atgoffa'r pennaeth am ei gyfrifoldebau (nid yn annhebyg i draddodiad Gwlad yr Iâ). Yr *ari'i* a reolai bysgota, cynaeafu a rhyfela. Roedd grym pwerus o fewn y llwyth gan yr offeiriaid (y *tahua*). Yna'r *ario'i*, sef disgynyddion y duw *Oro* (duw rhyfel) a drefnai'r gwyliau dawns, a'r gwyliau theatrig a'u cysyn-iadau rhywiol. Nid oedd hawl ganddynt i fagu plant. Fe leddid babanod

33

ar enedigaeth oni bai, er enghraifft, eu bod yn sgrechian wrth ddod i'r byd. Yna caent eu derbyn i'r llwyth. Rhoddid lle anrhydeddus i'r *ra'ativa*, y perchnogion tir. Ac ar y gwaelod, gwelid y *mahahuni*, y werin, y cyffredin a'r gweithwyr. Hwy oedd y pysgotwyr, y gweision, y ffermwyr, y caethweision, a'r carcharorion rhyfel. Er mwyn plesio'r duw *ario'i*, prif bwrpas y werin oedd cynhyrchu plant ar gyfer eu haberthu mewn seremonïau cyntefig.

Rwyf innau fel Dyddgu Owen a llawer un arall wedi ceisio dychmygu ymateb John Davies i'r traddodiadau rhyfedd a nodwyd. Yn ei bryder, ei ddewrder a'i benderfyniad a'i ffydd, gweithredai mewn dealltwriaeth fod yna allu uwch yn ei hybu ac yn ei gefnogi i ddiwyllio'r Polynesiaid. Meddyliwn amdano yn codi ei gapel bach pren o wiail a brwyn ar drothwy'r *marae*, ac yntau'n methu cysgu oherwydd 'swn byddarol tabyrddau, a therfysg ysgrechian y paganiaid'.

Roedd y tirwedd, y tywydd, y bwyd a'r diwylliant yn estron. Ac er bod y croeso yn gyfeillgar ac yn heddychlon, ni fu arnynt newyn a bu cyfeillgarwch y frawdoliaeth yn gysur mawr i'w gilydd. Ni chaent gyflog gan y Gymdeithas a bu'n rhaid pwyso'n drwm ar garedigrwydd y brodorion ac ewyllys da'r penaethiaid o safbwynt cael tir i godi annedd ac eglwys, cadw anifeiliaid a chodi cnydau megis llysiau a ffrwythau. Ac roedd digon o bysgod yn y môr.

Rhaid oedd wrth ruddin cymeriad, penderfyniad, dewrder, amynedd a ffydd. Trwy weithredu'r 'pethau bychain' ar raddfa leol, deuluol a phentrefol y dôi llwyddiant iddynt gan bwyll.

Darganfu fod y plant yn siriol ac roedd eu dysgu yn foddhad i'r rhieni. Gwelai hwy ddwywaith yr wythnos a chynyddodd eu rhif. Daeth 42 ynghyd mewn un man; 23 o fechgyn ac 19 o ferched rhwng 6-7 oed a 12-13 oed. Ceisiodd ddysgu'r wyddor Saesneg iddynt ond methiant fu'r ymdrech i ynganu'r cytseiniaid. Ai Cristnogaeth a oedd gwthio iaith ymerodrol Lloegr ar blant bychain Tahiti? Gallaf glywed y gwleidyddion yn Lloegr a Ffrainc yn cynllwynio masnach a thwf economaidd i'r ynysoedd er eu lles eu hunain yn sgîl dyfodiad y cenhadon. Sylweddolodd John Davies mai camgymeriad oedd hyn ac aeth ati i ysgrifennu geiriadur a llyfrau (gan gynnwys rhannau o'r Beibl) yn y Dahiteg.

Ni fyddai'r plant byth yn cyfarfod yn yr un man. Byddent naill ai yn dringo coed *uru* (coconŷt) neu yn paratoi ffyrnau pobi, neu ar dywod y traethau, neu efallai yn pysgota neu'n casglu ffrwythau.

34

Y *marae* yn Para: o ddarlun gan George Tobin, 1792.

Rhedai pythefnos rhwng ymweliadau a byddai'r rhieni yn bresennol yn ystod y cyfarfodydd, a siarad brwd ac uchel yn eu plith. Daeth 2,800 o'r brodorion ynghyd i un cyfarfod a gynhaliwyd am ugain niwrnod a rhagor yn ymyl pentref Papaara. Holwyd a phrofwyd unigolion a theulu-oedd yn eu dysg. Hwyliai John Davies a'i gyd-genhadon mewn canŵ i'r ynysoedd allanol. Rwyf yn sicr fod dwyieithrwydd cynhenid John Davies a'i allu i siarad Ffrangeg a pheth Sbaeneg wedi bod o fantais fawr iddo wrth geisio deall diwylliant a ffordd o fyw'r Polynesiaid, yn ogystal â'u dyheadau. Ac er mai araf fu'r cynnydd, sylwodd fod cyflwr y *marae* (y temlau awyr-agored) yn dirywio fel yr oedd y diddordeb mewn Cristnog-aeth yn cynyddu.

*   *   *

Mae'n anodd credu fod lleoedd fel Polynesia Ffrengig yn bodoli. Dychmygwch olygfeydd o ffurfafen las, haul crasboeth, cefndir o fyn-yddoedd pigfain, glesni fel melfed yn gorchuddio'r tirwedd a thraethau o dywod gwyn. Tyf ffrwythau egsotig ar y coed a'u suddoedd yn diferu dros gyrff lliw mêl y brodorion. Maent hwythau yn perthyn i ddiwylliant lliwgar a rhywiol gyda'i ddawnsfeydd awgrymog, dan lygaid duwiau cyntefig a phopeth yn rhamant ac yn bleser i gyd. Dyna'r ddelwedd boblogaidd. Ac efallai fod yr enw 'Tahiti' yn cynhyrfu'r synhwyrau yn fwy nag un enw arall.

Wedi i'r fforwyr cynnar ddychwelyd i Ewrop gyda'u disgrifiadau llachar o baradwys ar y ddaear, yn fuan iawn fe ddylanwadodd y gweledigaethau ar boblogaeth rwystredig a chynheuwyd eu dychymyg. Ers hynny, mae'r ynysoedd, sydd fel tyllau pin ar liain glas y Môr Tawel, wedi bod yn atyniad i lawer. Wedi'r cyfan roedd y dŵr yn *aqua* clir a chynnes, ac roedd digon o ryw ar gael yno, rhyw ar amrantiad a oedd yn rhydd o euogrwydd. Daeth Tahiti a'r ynysoedd yn enwog, daeth yn ddeorfa i freuddwydion. Ac ymhlith yr arlunwyr a'r awduron a hudwyd yno roedd Herman Melville, Robert Louis Stevenson, Somerset Maugham, Matisse ac, wrth gwrs, Paul Gauguin.

Bu farw Paul Gauguin ar 8 Mai 1903. Collodd frwydr chwerw yn erbyn yr awdurdodau ac fe'i bygythiwyd â dirwy ddinistriol a hyd yn oed gyfnod mewn carchar. Fe'i cyhuddwyd o gorddi'r brodorion i greu gwrthryfel yn erbyn yr awdurdodau a'u habsennu yn gyhoeddus. Dioddefodd o boen ofnadwy mewn unigedd llwyr yn ystod ei wythnos olaf.

Gosodwyd ei weddillion i orwedd mewn mynwent ar ynys Hwa Oa yn y Marquesas, dwy res o gyrraedd y bardd enwog o Wlad Belg, Jacques Brel. Mae'r beddrod a'r amgueddfa yn atynfa boblogaidd i dwristiaid. Ac eironig yw cymharu diwedd ei oes ag enw ei dŷ – Maison du Jouir (Tŷ Pleser) – â'r geiriau cerfiedig ar y gwaith pren: 'Soyez amoureuses et vous serez heureuses!' (Byddwch yn gariadus ac fe fyddwch yn llawen). Hefyd – 'Soyez mystérieuses' (Byddwch yn ddirgel). Ysgrifennodd yr esgob lleol yn ei ddyddiadur rheolaidd at ddinas Paris '. . . Yr unig newyddion o bwys yma yw marwolaeth unigolyn dirmygus o'r enw Gauguin – arlunydd honedig ond gelyn i Dduw a phopeth gweddus'. Yr oedd yn ugain mlynedd wedi ei farwolaeth cyn y gwelwyd ei enw ar ei garreg fedd, wedi i *fakir* (cardotyn) o gymdeithas Americanaidd ddarganfod y man mewn tyfiant trwchus.

Ganwyd Gauguin ym Mharis ar 7 Mehefin, 1848, saith mlynedd cyn marwolaeth John Davies, Pendugwm. Treuliodd gyfnod ym Mheriw cyn hwylio'r byd fel swyddog yn y llynges. Dychwelodd i Baris eto a daeth yn gyfeillgar ag Edgar Degas. Ond yn dilyn dirwasgiad 1882 collodd ei eiddo a gadawodd ei wraig a'i deulu a chanolbwyntio ar ei waith fel arlunydd. Daeth i adnabod Vincent van Gogh yn dda, ac er iddo greu amryw o luniau trawiadol, roedd am ddianc. Ysgrifennodd '. . . Rwyf am fynd i Tahiti am weddill fy mywyd. Hedyn yw fy arlunio ac rwyf am ei dyfu yno yn ei gyflwr cyntefig a gwyllt'.

Hwyliodd i Tahiti yn Ebrill 1890, yn 43 oed, a glaniodd yn Papeete, prifddinas yr ynys. Ond nid hon oedd y baradwys y breuddwydiodd Gauguin amdani yn ei ieuenctid. Roedd swyddogion, marsiandiwyr a milwyr wedi ei meddiannu. Nid oedd yr arlunydd yn dymuno ail-fyw ei ddyddiau anhapus a thlawd yn Ewrop, felly brysiodd i chwilio am gartref ym mhentref Mataiea, pedair milltir oddi wrth gartref John Davies, a oedd wedi marw ym 1855. Adeiladodd gartref cyntefig rhwng môr a mynydd yng nghanol coed mango. Fe'i cyflyrwyd gan olygfeydd llachar o'r môr a'r ewyn, y riffiau coral a rhithm araf bywyd y Tahitiaid. Roedd wrth ei fodd yn arlunio'r ynyswyr gan eu bod yn hoffi sefyll, eistedd neu orwedd yn yr unfan am oriau. Creodd luniau a oedd yn eu hanfod yn cyfleu gorffennol Polynesia – gyda melyn, coch a glas yn amlwg iawn. Ond ni werthodd lawer o'i ganfasau. Dychwelodd eto i Ffrainc, ac ysgrifennodd lyfr enwog, *Noa-Noa*. Ond nid oedd yr oes yn barod i dderbyn ei dalent ac i'w ddyrchafu i enwogrwydd. Dotiodd at brydferthwch Tahiti a'r ynysoedd, a hwyliodd eto i'r Môr Tawel ym 1895. Ac wrth edrych ar ei waith medrwch deimlo'r boen a'r ymdrech i ddeall prydferthwch a grym natur wrth iddo chwilio am baradwys. Mae lluniau Gauguin yn enwog ac yn werthfawr iawn, ac mae miloedd yn ymweld â'i baradwys – 'a chwilio heb ei chael hi'.

Mae gweddillion John Davies, y cenhadwr, yn gorwedd mewn llecyn di-nod, sef gardd un o anheddau Papaare, ac nid oes nemor neb yn holi am ei weld. Eto mae gwasanaethau crefyddol yr eglwysi yn llawn ar y Sul ac mae'r sefydliadau crefyddol a'r gwleidyddion yn cydweithio'n agos iawn. Efallai wedi'r cyfan fod cynfasau gwaddol John Davies a'i gyd-genhadon wedi goroesi'r blynyddoedd a'u bod yn fwy perthnasol i fywyd beunyddiol Tahiti a Pholynesia Ffrengig na chreadigaethau Gauguin.

Oherwydd iddo ymgolli mewn diwylliant estron, achubodd Gauguin lawer o awen y gorffennol. Ymhlith pobl Polynesia creodd luniau gwych, ac wrth wneud hynny cyfoethogwyd traddodiad arlunio yn y gorllewin ar yr un pryd. Ni welir dim o'i waith gwreiddiol ar yr ynysoedd. Mae'r gorllewin a chasglwyr preifat wedi hawlio ei greadigaethau.

A phle mae Tahiti? Smotyn bychan, annelwig bron, yw ynys Tahiti, yng nghanol y Môr Tawel (y Pasiffig) ac yn rhan o'r Ynysoedd Cymdeithasol (am eu bod yn agos i'w gilydd), a hefyd yn rhan o'r clwstwr ehangach a elwir yn Polynesia Ffrengig. Mae 118 o ynysoedd i gyd, a 76 wedi eu poblogi. Gwasgerir yr ynysoedd dros 2,000 km, sy'n gymharol i betryal wedi ei dynnu o Stockholm, Llundain, Madrid a Bucharest. Mae'r ynysoedd mynyddig yn cynnwys Tahiti a Mo'orea. Yn wir, llosgfynyddoedd a lafa'r echdoriadau ydynt uwchben wyneb y cefnfor.

Dyma ddisgrifiad Dyddgu Owen o ynys Tahiti wrth iddi hwylio ar long bleser tuag at y brifddinas Papeete, ym 1968: 'O'r môr y gwelais i'r ynys gynta', ac ni chefais drafferth yn y byd i gredu bod hon yn un o ynysoedd harddaf ein planed. O gopa Arofena, sydd dros saith mil o droedfeddi, i lawr i'r traethau, ymddangosai fel pe bai'n ymguddio dan hugan o felfed gwyrdd, dim adeilad, na thŷ na thwlc yn y golwg yn unman – ynys werdd wedi ei hamgylchynu â breichled wen, sef y môr yn trochioni ar gwrel y rîff. Rhwng y rîff a'r traeth, y lagŵn yn pefrio o liwiau'r gemau mwyaf drudfawr – emrallt, saffir, 'aquamarine', amethyst a rhuddem. I gael mynediad i'r lagŵn rhaid oedd dilyn y sianel lle mae afon yn llifo i'r môr canys nid yw'r cwrel yn gallu byw mewn dŵr glân a dyna pryd y gwelsom ynys fechan wen ar fin y dŵr; o leiaf roedd peth o ôl y cenhadon i'w weld'.

Oherwydd safle daearyddol Tahiti – sef rhwng y cyhydedd a llinell Capricorn – mae'r tywydd yn drofannol ac yn uchel ei wlybaniaeth. Mae dau dymor: y tymor gwlyb o Dachwedd i Ebrill gyda glaw trwm a stormydd gwylltion, a'r gaeaf cymharol sych o Fai hyd Hydref. Hefyd mae'r ynysoedd yn sefyll ar lwybr gwyntoedd cyson y 'trades'.

Barn anthropolegwyr, archaeolegwyr ac ieithwyr yw fod hynafiaid y Polynesiaid wedi dod o'r ardaloedd a elwir heddiw yn 'Indonesia' ac ynysoedd y 'Philippines'. Roedd dwy elfen hollol dyngedfennol ynghlwm wrth y saga ryfedd, sef y cychod aml-bwrpasol a'r ddawn i fordwyo. Roedd gan yr hen Bolynesiaid wybodaeth drylwyr am y sêr, y gwyntoedd a cherrynt y cefnfor. Ac roedd gwneuthuriad y cychod a'r hwyliau yn gyfan gwbl o blanhigion. Gallai cychod canŵ ddal hyd at gant o bobl a'r catamaran hyd at saith deg gyda'r siliau ochrog yn dal planhigion, siwgr a choconŷt, hadau, ac adar ac anifeiliaid fel ieir, moch a chŵn ar gyfer gwladychu'r tiroedd newydd. Oherwydd pellter a natur yr ynysoedd bychain credir bod llawer o'r anturiaethau wedi methu, oblegid newyn a llongddrylliadau. Ond anodd yw dod o hyd i gofnodion cynnar oherwydd nid oes iaith ysgrifenedig i'w chanfod yn hanes y Polynesiaid. Poblogwyd Samoa a Thonga oddeutu 1500 CC, Tahiti, Marquesas, Hawaï ac Ynys y Pasg rhwng 200 CC a 400 CC.

Ni ddaeth y fforwyr Ewropeaidd i 'baradwys' tan 1500 o flynyddoedd yn ddiweddarach. Nid oedd ganddynt y wybodaeth i lywio fel y Polynesiaid, gwybodaeth a oedd wedi ei chreu gan fileniwm a rhagor o forio. Ferdinand Magellan ar ran y Sbaenwyr, er mai o Bortiwgal yr hanai, oedd y cyntaf ym 1520 i ddarganfod rhai o'r ynysoedd. Ni ddaeth o hyd i Bolynesia, fel y cyfryw. Yna daeth yr Iseldirwyr o hyd i rai o'r ynysoedd ym 1722, ond Sais, John Byron, tad-cu'r bardd enwog, a'i gyfaill a'i gydgapten, Samuel Wallis, ar long arall – yr *HMS Dolphin* – oedd yr Ewropeaid cyntaf i roi troed ar Tahiti ym Mehefin 1767. Ac oherwydd ofn a diffyg dealltwriaeth, bu ymladd ffyrnig rhwng y morwyr a'r brodorion, a llosgwyd tai a chanŵiau. Ond roedd y merched ieuainc prydferth wedi creu cryn argraff ar y morwyr, a datblygwyd trefn fasnach rhyngddynt. Nid oedd y Tahitiaid wedi gweld metel erioed, ac am gig a ffrwythau a dŵr droyw cyfnewidiwyd cyllyll, bwyelli a hoelion.

Ysgrifennwyd adroddiad sych a diddychymyg ar ddarganfyddiadau daearyddol a natur brydferth yr ynysoedd. A chyn hir, anghofiwyd amdano, a'i roi o'r neilltu gan chwedlau hoenus y morwyr am y merched gosgeiddig a'u dawnsfeydd awgrymog. Daeth sôn am baradwys rywiol ac mai unig dduw y Tahiti oedd duw rhyw. Ond i'r brodorion roedd rhyw yn ffordd o fyw, ac wrth i'r merched brodorol geisio darganfod a oedd gan y morwyr y rhannau corfforol addas i gyflawni'r weithred, rhoddodd eu hagwedd agored, gynnes at ryw siawns i'r morwyr i ymelwa arnynt. Yn fuan iawn daeth galw mawr am hoelion gan y brodorion i wneud bachau pysgota. A daeth yr hoelen gyffredin yn fodd i brynu rhyw i'r morwyr, y masnachwyr a'r helwyr morfilod. Dywedid fod deciau llawer o longau wedi colli'r rhan fwyaf o'u hoelion. Ond yn sgil y pleserau rhad daeth puteindra, clefydau ac alcoholiaeth.

Amcangyfrifir fod poblogaeth Tahiti yn y 1760au diweddar yn 40,000. Erbyn 1800 cwympodd i 20,000 ac yn 1820 roedd wedi gostwng i 6,000.

Ond roedd y Ffrancwyr yn fwy goddefgar a'u hagwedd agored at ryw (sy'n dal yr un peth heddiw) yn ddiarhebol. Trwy gefnogi adroddiadau cynnar, a oedd yn disgrifio Tahiti fel Iwtopia, ac yn sôn am dduwiesau gosgeiddig fel Fenws ei hun, buan iawn yr aeth yr hanes trwy Baris fel tân gwyllt. Bougainville oedd yr arweinydd, a chan fod ei ddilynwyr yn profi popeth a oedd ar gael yn Tahiti, nid yw'n syndod eu bod hwythau, y brodorion, wedi gwneud yr un peth. Yn raddol, meddiannwyd Tahiti gan Ffrainc. A phan ymwelodd Capten James Cook, y fforwr mwyaf ohonynt i gyd, â'r Ynysoedd rhwng 1769 a 1779 ar dri achlysur, nid oedd ei safonau ef a'r safonau a etifeddodd y Tahitiaid gan y Ffrancwyr yn cyd-redeg â'i gilydd. Dywedir iddo losgi eiddo a thorri ymaith glustiau lladron a oedd wedi dwyn eiddo'r llong, er iddynt ddod â'r ysbail yn ôl i'r *Endeavour*. Cymerodd Cook un o'r Tahitiaid, gŵr o'r enw Tupaia, a llywiwr arbennig, gydag ef i Awstralia a thu hwnt. Ond bu farw Tupaia o glefyd yn Batavia, fel llawer o gyd-deithwyr o'r Ynysoedd.

Dychwelodd y Saeson a'r Sbaenwyr eto yn eu tro. Ceisiodd y Sbaenwyr sefydlu eglwysi cenhadol Catholig yno, ond ofer fu'u hymdrechion oherwydd fe'u dychrynwyd yn ddirfawr gan anwarineb y Tahitiaid.

Ac ni all neb sôn am Tahiti heb gyfeirio at Gapten William Bligh a'i long *HMS Bounty*. Anfonwyd Capten Cook ar ran y Gymdeithas Frenhinol i arsylwi ar lwybr y blaned Fenws a thrwy fesur ei symudiad o dri lle gwahanol i amcangyfrif ei phellter o'r byd, a hefyd i chwilio am gyfandir coll y de. Ond roedd Bligh wedi mynd i gyrchu *breadfruit* o Tahiti i'r Caribî i fwydo'r caethweision a ddygwyd yno o'r Affrig fel un o brif elfennau masnach Prydain ar y pryd. Hwyliodd yn niwedd 1787 ac oherwydd tywydd garw oddeutu 'Cape Horn' bu'n rhaid iddo droi ac ail-hwylio i'r dwyrain. Bu'n fordaith hir ac anodd dros gyfnod o ddeng mis. Cyrhaeddodd Tahiti pryd na ellid trawsblannu'r planhigion. Arhosodd y *Bounty* yno am chwe mis. Ni allwn ond dychmygu i'r morwyr brofi o ffrwythau pob coeden yn yr Ardd Eden honno! Ar 7 Ebrill 1789, ac yn groes i ddymuniad y morwyr, hwyliodd y *Bounty* ymaith, ond arweiniodd Fletcher Christian, y mêt, wrthryfel yn erbyn Bligh a'i arweiniad creulon dair wythnos yn ddiweddarach. Fe'i gwthiwyd i'r môr mewn cwch agored gyda deunaw o'i ffyddloniaid. Rhoddwyd bwyd a dŵr iddynt a'u gollwng ar drugaredd y gwyntoedd a'r cerrynt. Ond roedd Capten Bligh yn llywiwr medrus, a chyrhaeddodd Timor wedi 41 diwrnod ar y môr agored wedi hwylio 5,823 o gilomedrau. Record yn wir!

Dychwelodd Fletcher Christian a'r *Bounty* i baradwys Tahiti. Priododd 16 o'r gwrthryfelwyr â merched o'r ynys, ac aeth Christian ymlaen, gydag wyth aelod o'r criw gwreiddiol a rhai Tahitiaid, i ynys bellennig ac unig y Pitcairn sydd rhwng Seland Newydd a Pheriw ac yng nghanol y

Môr Tawel. Galwodd (y Parchedig) Gerallt Jones, un o forwyr y Cilie, heibio i'r Pitcairn ar ymweliad byr gan adael dwy gasgen o flawd gwenith a thuniau o gig, jam, ymenyn a llaeth i'r brodorion, gan ddilyn hen draddodiad morwrol. Oherwydd rhamant y lle a'r cefndir, daeth amryw adroddiadau am y disgynyddion. Dywedir i lawer o'r morwyr gwreiddiol ladd ei gilydd wrth gweryla'n gyson, oherwydd iddynt losgi'r *Bounty*, ac wrth wneud hynny atal unrhyw ffordd rhag dianc, pe dymunid hynny. Ond ar 14 Gorffennaf 2003, chwyddwyd poblogaeth Ynys Pitcairn i 48 trwy enedigaeth plentyn o'r enw Emily Rose Christian, y plentyn cyntaf i gael ei eni yno ers dwy flynedd ar bymtheg. Roedd y newydd-ddyfodiad yn perthyn i'r nawfed cenhedlaeth ac yn ddisgynnydd uniongyrchol i'r Fletcher Christian gwreiddiol. Dyna linyn arian gwerth ei gofnodi!

Yn y cyfamser hwyliodd yr *HMS Pandora* dan gapteiniaeth Edward Edwards i Tahiti gan roi 14 o'r terfysgwyr mewn heyrn a'u carcharu mewn cawell cyfyng ar fwrdd y llong. Boddwyd pedwar ohonynt yn y caets mewn tywydd garw wrth hwylio'n ôl i Loegr. Dedfrydwyd chwech i farwolaeth a rhyddhawyd y gweddill.

Dychwelodd Capten Bligh a'r *HMS Providence* i Tahiti ym 1792 i ailgasglu'r *breadfruit*, ond wedi'r holl gyflafan nid oedd eu ffrwythau at ddant y caethweision yn y Caribî. Yn ystod ei deithiau 'botanegol' cyflwynodd Bligh y pinafal i Rio de Janeiro a'r afal i Tasmania, Awstralia. Gelwir Tasmania heddiw yn 'Ynys yr Afal'. Rhyfedd o fyd!

Enynnodd anturiaethau Bligh a'r *Bounty* ddiddordeb mawr. Ymddangosodd llyfrau, erthyglau mewn cylchgronau a drama-gerdd ar lwyfan Theatr Drury Lane ym 1816 gyda'r teitl *The Pirates*. Ond gwnaethpwyd y ffilm gyntaf ym 1916 gan ŵr o Awstralia, Raymond Longford, gydag actor o'r enw George Cross. Yna cafodd gŵr arall syniad i wneud drama ddogfen ar Ynys Pitcairn, a hysbysebodd am gwch i'w gyrchu yno. Atebodd gŵr ieuanc ac arwyddodd y cytundeb. Roedd y gŵr hwn wedi bod yn Guinea Newydd yn chwilio am aur a hefyd roedd cleddyf yr enwog Fletcher Christian yn eiddo i deulu ei fam. Nid rhyfedd iddo ddangos diddordeb. Ei enw, gyda llaw, oedd Errol Flynn, a gymerodd ran yn y ffilm *In the Wake of the Bounty*. Fel y gŵyr pawb, datblygodd i fod yn un o sêr disgleiriaf y sgrin arian yn Hollywood. Ond rhwystrwyd y broses o ddosbarthu'r ffilm gan gwmni MGM. Roeddent wedi gweld ei phosibiliadau ac aethant ati i gynhyrchu'r ffilm enwog *Mutiny on the Bounty* gyda'r enwog Charles Laughton (Bligh) a Clark Gable (Christian) yn y prif rannau o lyfr enwog Charles Nordoff a James Normal Hall. Yn yr ail ffilm Trevor Howard oedd Bligh a'r Marlon Brando gwamal yn chwarae rhan Christian. Ac wrth gwrs, yn y drydedd ffilm Anthony Hopkins o Bort Talbot a chwaraeodd ran Bligh a Mel Gibson yn actio Christian. Yn ôl y beirniaid, portread Hopkins yw'r tebycaf i wir gymeriad Bligh. Daeth y cynyrchiadau o'r tair ffilm ag arian mawr i chwyddo economi'r Ynysoedd, yn enwedig Mo'orea.

Ond yn rhyfedd iawn daeth dyfodiad arfau i Tahiti a'r ynysoedd eraill â grym annisgwyl i ddwylo un garfan arbennig o'r enw y *Pomares*. Tyfasant hwythau yn rheolwyr pwysig iawn ar yr ynys. Coronwyd Pomare I yn frenin ac ar ei farwolaeth ym 1803, coronwyd ei fab Pomare II. Bu'r cenhadon cynnar, gan gynnwys John Davies o Bontrobert, yn cydweithio'n agos iawn â'r ddau frenin. Er i Pomare II ei alltudio i ynys gyfagos am gyfnod, dychwelodd eto i Tahiti ym 1815 i sefydlu teyrnas gadarnach a Christnogaeth yn brif grefydd iddi.

Ond roedd y cenhadon cynnar yn ystyfnig iawn ac yn gyndyn i gyfuno diwylliant Tahiti gyda'u hegwyddorion cul hwythau. Dywed rhai haneswyr iddynt fygu llawer o ddiwylliant Tahiti â Phrotestaniaeth syber a ddiffoddodd lawer o hwyl a hapusrwydd bywyd beunyddiol y brodorion. Gwaharddwyd dawnsio a gwisgo tatŵs, a rhaid oedd gorchuddio'r corff yn llwyr â dillad, a chedwid y Sul mewn tawelwch. Rhoddwyd gwaharddiad ar faban-laddiad, amlwreica (poligami) a rhyw rhydd.

Ni allwn ond rhyfeddu a dychmygu'r effaith a gafodd yr arferion hyn ar genhadon fel John Davies, gan ystyried ei fagwraeth Fethodistaidd yn nyfnder mwynder Maldwyn. Ac mae'n rhaid ystyried yr effaith a gafodd yr elfen Brotestannaidd ar fywyd 'paradwysaidd' rhydd brodorion Tahiti a'r ynysoedd.

Nid oedd pawb yn cytuno ag athrawiaeth a dull y cenhadon o weithredu. Ysgrifennodd un Sais, Robert Keable, ficer o fewn cyfundrefn eglwys Loegr, am weithredoedd un cenhadwr o'r enw William Ellis. '. . . It was a thousand pities that the Tahitians did not convert Mr Ellis'.

Mae mytholeg Tahiti yn ffynhonnell hollol hanfodol i astudio crefydd yr ynys cyn dyfodiad y cenhadon ac wedi hynny. Addolid cyfres o dduwiau gwarcheidiol – *atua* – a'r rheini wedi eu hamgylchynu gan dduwiau eilradd eu statws. Y prif dduwiau oedd *Ta'aroa* (duw'r creu), *Tu* (duw dyn), *Tane* (duw'r crefftwyr), *Oro* (duw rhyfel) a *Hiro* (duw lladron a morwyr). Difyr yw nodi fod ysbeilwyr a morwyr yn rhannu'r un duw!

Roedd cystadleuaeth frwd rhwng y duwiau a theflid rhai allan, yn eu tro, o fywyd beunyddiol. Trosglwyddwyd y chwedlau ar lafar o genhedlaeth i genhedlaeth, a cheid delwedd o'r duwiau ar ffon hir – y *to'o* – wedi ei haddurno â phlethiadau ffeibr cnau coco a phlu cochion.

Mae sail a datblygiad gwead y chwedlau yn ymestyn yn ôl dros filoedd o flynyddoedd. Yr offeiriaid – yr *ari'i* – a reolai drefn y llwythau. Hwy a roddai waharddiadau ar fwyta a dathlu. Prif foddion cynhaliaeth yr ynyswyr cyntefig oedd pysgota, ffermio anifeiliaid a chasglu ffrwythau. Roedd *breadfruit* sur yn boblogaidd, hefyd tatws melys, cig cŵn a chrwban môr i haenau uchaf y gymdeithas.

Ychydig o gelfyddyd wreiddiol Polynesia sydd wedi goroesi. Roedd y cynnyrch yn gysylltiedig â seremonïau crefyddol. Defnyddid cerrig, coral, esgyrn, cregyn a ffeibr planhigion. A heb unrhyw wybodaeth am fetelau, gwnaethpwyd arfau, llestri ac offer (gan gynnwys bachau pysgota, bwyelli, rhwyfau a phestlau).

Roedd brwydro ffyrnig a gwaedlyd yn aml rhwng llwythau, a phan nad oedd amodau cytundeb priodas yn eu bodloni'n llwyr, rhyfel oedd yr unig ateb. Defnyddid pastynau, gwaywffyn, chwipiau a ffyn-tafl. Lleddid y llwyth a drechid gan ddinistrio eu *marae* (math ar deml awyr-agored) Yno yr anrhydeddid y duwiau, yno yr urddid y penaethiaid ac yno y cyflwynid aberth dynol i'r duwiau. Mae sôn fod canibaliaeth yn rhan o ddathliadau'r concwerwyr. Ond cyfyngid hyn i'r arweinwyr a'r ymladdwyr yn unig, ac nid oes cofnod o'r ymarfer ar Tahiti. Gwaharddwyd yr arfer ar ynysoedd y Marquesas ym 1807 ond cuddiwyd yr arfer a gyfrifid yn atgas a ffiaidd – gan y gorllewinwyr.

Mae'r Polynesiaid yn hoff iawn o ddawns, canu a cherddoriaeth. Gelwir y dathliadau yn *heiva*, a pheth cyffredin fyddai i'r gwyliau barhau am ddyddiau ac wythnosau. Crëid y gerddoriaeth trwy chwarae tabyrddau (*pahu*) a ffliwt drwyn (*vuro*). Gwthid yr offeryn i un ffroen a chaeid y llall gyda bys a thrwy chwythu clywid y sain mwyaf aflafar (i glustiau'r gorllewinwyr).

Elfen unigryw arall yn eu diwylliant yw'r *tiki*, sef cerfluniau o ffurf ddynol yn amlygu gwedd enigmatig – wedi eu cerfio a'u creu o garreg basalt (*keetu*) neu bren. Mae'r coesau yn fyr a'r breichiau a'r peneliniau ynghlwm wrth y corff byr. Ac mae'r pen yn ymestyn o'r corff. Fe'u gwelir yn agos i'r *marae*, y mannau crefyddol. Roedd ofergoeliaeth ac ofn yn gysylltiedig â'r *tiki* – a bwrid melltith ar unrhyw un a symudai'r cerflun.

Ceisiodd y cenhadon cynnar wyngalchu (gyda chryn lwyddiant) llawer o ddraddodiadau 'amheus' y Polynesiaid, a daeth diwedd ar lawer ohonynt. Ond parhaodd un ohonynt, a'r rhyfeddaf ohonynt. Cyfeiriwyd at un ddefod arbennig fel 'unnatural crimes'. Codid y mab hynaf o fewn teulu fel merch, a byddai yn byw ei holl fywyd fel dynes. Gwisgai ac ym-ddwyn fel menyw. Fe'u gelwid yn *mahu*, ac fe'u derbynnid a'u parchu fel aelodau llawn o'r gymdeithas. Yn ôl François Bauer, awdur *Raerae de Tahiti*, roedd yn arferiad poblogaidd i un o wyth o blant ymhlith y teulu gael ei godi fel *mahu*. Mae amheuaeth ynglŷn ag ystyr a dechreuad yr arferiad rhyfedd hwn. Ai cymhellion cymdeithasol ynteu rhesymau rhyw-iol? Ai cymryd ffurf y 'fam' a wnâi i amddiffyn y teulu? Cofiaf ddod ar draws hen ddraddodiad tebyg yn Markham yn yr Iseldiroedd. Yno megid yr holl fechgyn o fewn y teulu fel merched. Tyfent eu gwallt yn hir a gwisgent ffrogiau yn y cartref, ac wrth fynd i'r ysgol a'r eglwys. Ond yna wrth iddynt ddatblygu yn gorfforol ac arddangos cyneddfau gwrywaidd, fe'u trawsnewidid i wisgo ac ymddwyn fel gwŷr ieuanc a dynion am weddill eu bywydau.

Po fwyaf y cloddir i ddyfnderoedd diwylliannol a thraddodiadau'r Polynesiaid, mwyaf y sylweddolir y sioc diwylliannol a drawodd gen-hadon fel John Davies a'i gyd-genhadon ar eu crwsâd i Ynysoedd y De. A minnau yn niniweidrwydd fy machgendod yn casglu fy ngheiniogau prin drwy'r genhadaeth er mwyn estyn cymorth i'r cenhadon dewr a'u gwaith arloesol, heb wybod dim am y traddodiadau hollol anghydnaws ag arferion a rheolau cymdeithas yn Ewrop a'r gorllewin. Nid rhyfedd i Thomas Charles o'r Bala, ar gais yr L.M.S. (y *London Missionary Society*) i ddod o hyd i genhadon addas, ddewis John Davies, Pendugwm. Oher-wydd rhuddin ei gymeriad a'i gefndir nid rhyfedd iddo aros, yn wynebu talcen caled, â'i ffydd a'i weledigaeth yn hollol ddi-syfl a chadarn – am 54 o flynyddoedd.

*   *   *

Roedd y fforwyr cyntaf wedi rhagweld y peryglon a oedd i ddod, a bu'r gwrthryfelwyr yn anghyfrifol iawn yn y ffordd y rhoddwyd arfau Ewropeaidd i frodorion Tahiti ac Ynysoedd Polynesia yn gyffredinol. Ond y trychineb mwyaf, yn ôl rhai cymdeithasegwyr, oedd gwaith y cenhadon cynnar. Diflannodd llawer o ddefodau crefyddol a diwylliannol o fywydau beunyddiol yr ynyswyr yn eu sgîl.

Disgrifiwyd pobl Tahiti fel 'noble savages', a chyn hir cynlluniodd y rhai duwiolfrydig i wyrdroi eu cyflwr a'u diwyllio. Hwyliodd 30 aelod o Gymdeithas Genhadol Llundain ar y llong *Duff*, a glaniodd deunaw, a phump ohonynt yn wragedd, ar Benrhyn Fenws ym Mawrth 1797 i gyflwyno Cristnogaeth i'r anwariaid. Aeth un i ynysoedd Marquesas a deg i Tongatapu. Dilynodd y cenhadon y morwyr a darganfod fod y clefydau a'r afiechydon a ddaeth i'w canlyn yn gwneud eu gwaith yn anos o lawer. Talodd y Gymdeithas Genhadol £4,800 tuag at y fordaith.

Ysgolor, caplan i'r 'Countess of Huntingdon', pregethwr a hanesydd o'r enw Dr Haweis, a fu'n gyfrifol am drefnu'r mordeithiau cenhadol. Roedd yn hysbys hefyd ei fod ef a Thomas Charles o'r Bala yn gyfeillgar. Trefnodd ail fordaith ar gyfer y *Duff*, ond daliwyd y llong gan fôr-ladron Ffrengig ac anfonwyd y cenhadon yn ôl i Lundain. Ac yn Awst 1799 daeth gwybodaeth fod y cenhadon cynnar wedi gadael Tahiti am Port Jackson yn Awstralia.

Trwy flaengarwch Dr Haweis, eto, daeth y Gymdeithas Genhadol i gytundeb â'r Llywodraeth i anfon cenhadon i Fôr y De ar y llong *Royal Admiral* dan gaplaniaeth Mr Wilson, a oedd hefyd i gludo carcharorion i New South Wales, Awstralia. Roedd y gost yn £3,000 i anfon y cenhadon (dim mwy na 50) i Tahiti, a £1,000 i fynd i Tonga. Codwyd 300 o garcharorion yn Deptford a'u rhoi yn eu celloedd, a hwyliodd y llong ymlaen i Portsmouth, lle yr ymunodd y cenhadon â hi. Roedd pump o'r canlynol wedi eu ricriwtio o ail fordaith y *Duff*: Charles Wilson (prentis pobydd), James Hayward (athro o Lundain – *Itinerant School*), William Waters, James Mitchell, John Youl, James Elder, William Scott (o Gaeredin), James Shepherd, William Read (o Gaerfaddon), Stephen Morris, Samuel Tessier (o Lundain) a John Davies o Bendugwm, Pontrobert, ysgolfeistr a disgybl i Thomas Charles o'r Bala.

Roedd John Davies yn 28 oed a disgrifir ef fel '. . . a scholar, a specialist in grammar, a linguist, teacher and historian . . . which will stand him in good stead. A truly precious man'.

Bu Dr Haweis yn pregethu i'r carcharorion ar fwrdd y *Royal Admiral* yn harbwr Portsmouth. Hefyd gosodwyd cyfarwyddiadau a chynghorion i'r cenhadon ar gyfer y sialens i ddiwyllio anwariaid Môr y De a'u cyflwyno i Gristnogaeth. 'Pray against pride, ambition, vanity, against anger, resentment and insubordination, against a party spirit; and all the Carnal Lusts, which so many, and so great temptations will tend to cherish. May the mind of Christ be evident in you, that you may be fit representatives of the prince of peace, and the worthy messengers of his Gospels . . . Read and study whilst at sea. Cherish a missionary spirit. Render the language of the heathen. Possess a practical knowledge of navigation. Begin your missionary work with the unhappy countrymen on board ship (convicts). Keep a journal through a secretary among you. Show the journal once a week to Captain Wilson. Avoid to the utmost every temptation of the Native Woman. Let no brother live separately from the rest, and if any one sleeps alone, let it be in a house that is prohibited of women. Be compassionate for the wretched conditions of the heathen. When you write the language of the islanders, attend to the rules for expressing the sound. Transmit to us copies of what you translate. The soot of the candle may supply the want of ink and the island cloth we apprehend may be prepared, so as to serve as paper. Let the Lord's Supper be administered on board and on-shore'.

Ac ar 23 Mai 1800, cododd y *Royal Admiral* ei hangor a hwylio allan o Portsmouth ac ymuno â'r confoi ym Mae Tor, cyn cyfeirio i'r de-orllewin heibio i Ynysoedd Cape de Verde ac ymlaen i Rio de Janeiro. Roedd y cenhadon yn falch o gael traed ar dir eto ond cafodd '. . . yr ymddygiad a'r drygioni ymysg y bobl, y tlodi a'r cyfoeth, y meddwdod a'r dawnsio awgrymog' . . . effaith ddirfawr arnynt. Roedd rhai eisiau aros yno i ddechrau eu cenhadaeth.

Llwythwyd y llong â ffrwythau, dŵr ffres a bwydydd. Ond wrth i'r *Royal Admiral* hwylio ymlaen i hin oer a stormydd Capos des Hornos, trawyd pawb yn wael. A bu farw llawer o'r carcharorion i lawr yn yr *holds* mewn awyrgylch afiach o salwch a chlefydau ac mewn lleoedd cyfyng, a hwythau mewn cadwyni.

Ond ar 20 Tachwedd 1800, angorodd y llong ym mhorthladd Jackson yn Sydney Cove, Awstralia. Cafodd y cenhadon lety yng nghartref gweinidog ymneilltuol, y Parchedig Samuel Marsden. Ond golygfa dorcalonnus i John Davies oedd gweld y carcharorion yn cael eu harwain o'r llong i fyny i'r gwersyll yn y dref.

Ac oherwydd i Capten Wilson hwylio ymlaen i Seland Newydd ar 30 Mawrth 1801, ni chyrhaeddwyd Tahiti tan 5 Gorffennaf 1801– tri mis o fordaith a ddylai fod wedi cymryd chwe wythnos.

* * *

Cawsant groeso twymgalon a lliwgar, ac roedd y brodorion yn awyddus i gyfnewid moch a chnau am gyllyll neu arfau eraill. Fore trannoeth, cyfarfu John Davies â'r cenhadon eraill a'r brenin Pomare, yn ogystal â'i deulu, ei osgordd a'i warchodwyr, ym Mae Matavai. Yno roedd darn o dir a roddwyd i'r cenhadon cyntaf i fod yn rhydd iddynt am eu hoes. Ond roedd pris i'w dalu am hyn. Cawsai'r brenin Pomare a'i berthnasau ynnau mwsged gan Gapten Wilson ar ynys Bora Bora.

Y dasg gyntaf oedd adeiladu cartrefi ac ysgoldy o frwyn a gwiail ar sail o gerrig. Roedd gan John Davies a'r cenhadon rwydd hynt i fynd ymlaen i ddysgu'r ynyswyr i ddarllen ac ysgrifennu. Ond yn gyntaf roedd yn rhaid dysgu Tahiteg. Gorchwyl anodd iawn fu hyn i'r Saeson. Roedd gormod o lafariaid yng nghystrawen yr iaith ond i'r Cymro deallus ni fu hyn yn rhwystr.

Cyflwyno talaith Matavai (Tahiti) i'r cenhadon, 16 Mawrth 1797: o ddarlun olew R. A. Smirke o Gymdeithas Genhadol Llundain.

Codwyd ei ysgol gyntaf ar y traeth; tywod cwrel oedd ei fwrdd du a brigyn oedd ei ysgrifbin. Roedd yn anodd iawn trefnu'r plant i ddod at ei gilydd oherwydd hoffent bysgota, casglu ffrwythau, dringo coed a chwarae. Ac ar gyrraedd tair ar ddeg oed fe'u cyfrifid yn oedolion. Âi John Davies

47

i gyfarfod â nhw ar y traethau a dechreuodd y plant ymfalchïo mewn medr ac ysgrifennu. Oherwydd y diddordeb newydd hwn, daeth llawer o blant i'r ysgoldy, ac yn fuan gwelwyd fod yr adeilad yn anymarferol. Roedd angen llyfrau – llyfrau sillafu a seiffro a llyfrau darllen. Aeth John Davies ati ymhellach i ysgrifennu llyfrau holi ac ateb a chyfieithiadau o storïau o'r Beibl mewn Tahiteg gyda chymorh Mr Nott. Argraffwyd rhai yn Llundain ac eraill yn Awstralia. Cyfansoddodd hefyd emynau i'w canu ar donau Cymreig a mabwysiadodd gynllun y '*monitors*'. Dysgwyd y plant cyflymaf eu doniau i ddechrau, a hwythau yn eu tro yn dysgu'r grwpiau iau. Bu'r drefn yn llwyddiannus iawn ac ymunodd oedolion â'r ysgol, a hyd yn oed y brenin Pomare yn ei gartref. Ond roedd offeiriad y duw *Oro* yn eiddigeddus iawn o'r cenhadon. Roedd y Duw dieithr yn atgas iddynt, ac fel dialedd aberthwyd plant i'r duw *Oro*. Câi'r cenhadon eu gwylio'n barhaus, a throsglwyddid hanesion i'r offeiriaid. Roedd rhyfel yn yr awyr a gwelwyd bod yr offeiriaid yn elynion peryglus.

Y Parchedig John Williams, a laddwyd gan frodorion ynys arall, ynghyd â chyd-genhadon, ac yn ôl William Davies, awdur *Canmlwyddiant Cymdeithas Genhadol Llundain* (1895), 'gwnaethant olest-wledd gyhoeddus arnynt'.

Yn ôl y Parchedig William Davies yn ei lyfr *Canmlwyddiant Cymdeithas Genhadol Llundain* (1895): 'Gorchfygwyd Pomare, llosgwyd y tai cenhadol i'r llawr, trowyd yr offerynnau gwaith a'r argraffwasg yn ddefnyddiau bwledi ac arfau rhyfel. Cynhaliwyd gloddestwyl greulawn a llygredig ar y fan lle y safai tŷ cenhadol, ac nid oedd cymaint ag un cenhadwr, na Christion proffesedig yn yr holl ynys'.

Parhaodd John Davies i gadw dyddiadur. Ac wedi cyfnod anodd ar ynys Huahine, galwodd y llong *Hibernia* a chludo'r cenhadon i Awstralia. Buont yno am bedair blynedd cyn dychwelyd i Ynys Eimeo ar y llong *Endeavour* ar 6 Chwefror 1812, wedi mordaith a gymerodd bedwar mis.

Cawsant groeso cynnes a brwd gan y brenin Pomare a'r brodorion, a llawenydd mawr i John Davies oedd clywed emynau yn cael eu canu i alawon Cymreig a ddysgwyd i'r bobl flynyddoedd yn ôl. Codwyd ysgol a chapel, a chrefodd y plant a'r oedolion am ddysg. Yn Hydref 1814 cynhaliwyd y briodas Gristnogol gyntaf ar yr ynys. Dangosodd John Davies bryder dirfawr pan feddiannodd y Ffrancwyr Ynys Tahiti. Dywed W. Hydwedd Boyer yn ei lyfr, *I'r Ynysoedd*: 'Iaith swyddogol ynys Tahiti heddiw yw Ffrangeg, er mai iaith pobl yr ynys wrth gwrs yw Tahiteg. I John Davies, yn anad neb, y mae'r clod fod yr iaith Dahiteg yn fyw heddiw'. Argraffodd werslyfrau yn eu hiaith eu hunain a dysgodd y brodorion i brintio a rhwymo llyfrau. Ond trwy ei ddyddiaduron a'i lythyron at ei

Capel a adeiladwyd o gerrig yn Papeto'ai: o ddarlun gan Edward Lucett.

49

Tŷ Cenhadol yn Puna'auia, Tahiti.

Dehongliad artist o ddawns yr anwariaid o gylch coelcerth o dân
sy'n poeri allan ysbrydion drwg.

rieni a'i ffrind, y Parchedig John Hughes, Pontrobert, y cawn gipolwg cywir a diffuant a manwl ar ei waith a'i ymdrechion diflino.

Ynys Huahine
12 Medi 1818

Yr ydym yn bwriadu gosod i fyny argraffwasg yn Huahine. Mr Ellis yw yr argraffydd a Mr Nott a minnau y cyfieithwyr. Efengyl Luc sydd wedi argraffu o gylch 3,000 o gopïau ac y mae galwad am lawer mwy. Mr Nott sy'n cyfieithu Actau a minnau Efengyl Marc . . . Agorais ysgol yn Huahine ac yn y dechrau yr oedd gennyf o gylch 200 o ysgolheigion, ond hwy a gynyddasant i 500 a 600, a rhai wythnosau ar ôl hynny . . . i fwy na 900.

Papaara, Tahiti
16 Awst 1823

Epistolau Paul o'm cyfieithiad hefyd i'w rhoddi yn y wasg. Efengyl Marc hefyd sydd ynghylch parod. Genesis hefyd a rhai o'r proffwydi gan Mr Nott . . . Eto fy hen glefyd a elwir yn Feyfey sy'n fy nghanlyn beunydd. Y maent yn gyffredin yn dweud ei fod yn perthyn i'r hyn a alwant Eleffantosis. Yr wyf yn cael ffit ar brydiau yn debyg i'r crud, ac yn cadw i'r gwely am ddeuddydd. Y mae fy nghoes aswy yn chwyddo'n galed . . . Llong o Ffrainc, La Cacquill yn ymweld a ni. Bum ar fwrdd y llong a chiniawais gyda Capten Dupency. Y swyddogion oeddynt garedig; dau ohonynt yn medru Saesoneg.

Papaara, Tahiti
20 Medi 1823

Gyda hyn o lythyr yr wyf yn anfon i chwi gopi arall o'r Report olaf, a hefyd bapurlen o'n Gramadeg Tahitaeg a Saesonaeg.

Porthladd Wilks
19 Ebrill 1824 (Tahiti)

Yr ydwyf wedi dod yma, gyda rhan fwyaf o'r bobl i'r diben o uno yng nghoroniad ein brenin ieuanc Pomare II. Minnau a apwyntiwyd gan mai baban ydyw.

Haweis Town, Papaara
Mawrth 1826

Euthum i weld a Rapa. [Anfonodd John Davies hanes y fordaith yn
Gymraeg at ei ffrind, y Parchedig John Hughes, Pontrobert, ac fe'i cyhoedd-
wyd gan Eur-wasg, Llanfair Caereinion, a'i argraffu gan R. Jones. Mae
copi ar gael yn y Llyfrgell Genedlaethol.] . . . Amryw [o'r penaethiaid]
wedi marw o glefyd trwm . . . cynghorais hwynt i arddio eu tir, a phlannu
banana, umara, pinwydd a hadau . . . Ymborth y trigolion yw taro (arum
escuttentum); y mae yn fwyd sylweddol, gwell na chloron (potatoes)
Prydain. Mae yma hefyd fath o gloron melysion yn tyfu, a hefyd yr yam
a'r banana, ac helaethrwydd o bysgod y môr. Rhif y trigolion sydd
oddeutu 2,000. Cyn i'r llongau ddyfod yma yr oeddynt yn gwbl noethion
ond y maent yn awr (yn enwedig y merched) yn dechrau cywilyddio a
chuddio eu noethni a dail y pren ti fel Adda ac Efa a dail ffigys. Y mae
ganddynt nifer mawr o dduwiau . . . Pobl Raivavae a soniasant am y
seren gynffonog a welwyd yn ddiweddar. Darfu i mi sylwi arni yn
Papaara o ddechrau Hydref hyd ddiwedd Rhagfyr 1825 . . . Cedrwydden
wedi cael ei thaflu i'r lan ger y môr. Pren mawr ydoedd gyda gwraidd,
canghennau a brigau yr un fath a elwir 'Cedar' yn New Holland.

Haweis Town, Papaara
6 Medi 1827

Yn fy llythyr olaf crybwyllais am farwolaeth fy ngwraig pan oeddwn o
gylch 700 o filltiroedd oddi cartref ar fordaith i Ynys Rapa. [Collodd John
Davies ei wraig gyntaf yn lled fuan ar ôl cyrraedd Tahiti ar 10 Gorffennaf
1801. Priododd drachefn â Sophie Browning – chwaer grefyddol iawn o
Lundain a aeth i Tahiti yn genhades. Bu hithau farw oddeutu diwedd
1812. Priododd y drydedd waith gyda gweddw un o'r cenhadon, Mr
Bicknell, ond collodd hithau drachefn yn dra annisgwyl yn niwedd
Ionawr 1826.]

Papaara
12 Ionawr 1828

Y newydd athrist am farwolaeth fy oedrannus fam . . . Yr wyf yn
meddwl ei geni yn 1744 . . . Dyfodiad y Pabyddion (*French Jesuits*) i
Ynysoedd y Deheufor sy'n achos braw a diflasdod i lawer o feddyliau.

Papaara
20 Rhagfyr 1828

Mae gennyf naw o fuchod, un tarw, pedwar o ychain a phump o loi ieuainc, a helaethrwydd o laeth geifr . . . Mae hefyd ynghylch deuddeg o wartheg yn ynys Eimeo a oeddynt yn perthyn i mi. Mae gennyf goed coffi yn fy ngardd yn awr yn llawn o ffrwythau – yr un fath o goffi a werthir yn y siopau. Mae siwgr da, am bedair ceiniog y pwys, triagl – deuswllt y galwyn a halen deuddeg swllt y can pwys.

Papaara
21 Hydref 1833

Ond mae yr ergydion a roddir yn awr a phryd arall ar fy mhabell briddlyd yn tueddu imi roddi mewn cof iddi cyn hir gael ei thynnu lawr . . . Nifer a fuont farw. Dau a laddwyd mewn terfysg . . . Un arall a laddwyd gan bysgodyn . . . a chanddo drwyn hir fel nodwydd a ddaeth fel saeth ato ac a drywanodd agos drwy ei forddwyd lle glynodd yn ddi-ysgog, a phan gafodd ei dynnu allan, gwaedodd y gŵr i farwolaeth.

Papaara
2 Rhagfyr 1837

Prynais farch, cyfrwy a ffrwyn am 90 dolar, sef o gylch ugain punt. Y mae tair ardal, fel tri o blwyfi yn fy ngofal, ac ar hyd glan y môr tebycaf o gylch 14 neu 15 milltir.

Papaara
9 Ebrill 1839

Rhaid i mi weithio tra ydyw hi yn ddydd – y mae y nos yn dyfod, pan na ddichon neb weithio. Gan hynny, ymweled â Chymru heb ryw achos tra phwysig ni welaf fel llwybr dyletswydd . . . Adeiladu dau gapel . . . Nid oes 'ebbing' yma . . .

Papaara
17 Gorffennaf 1843

Mae yma yn bresennol bump o longau rhyfel o Ffrainc a thair o Loegr. Y mae'r Ffrancwyr yn ddigon llonydd . . . a'r Saeson yn gwneud mwy o niwed i'r bobl trwy eu hymddygiad yn eu plith . . . Sicr ydyw . . . yn llaw Ffrainc y bydd y llywodraeth . . . Cenhadwr pabaidd o Ffrainc yn ymddwyn yn dirion a dengar, yn myned o dŷ i dŷ i ymweled â'r cleifion, a rhoi iddynt bethau meddygol.

Papaara
30 Ionawr 1844

Yr achos na ddarfu imi anfon i Lundain am y 'Drysorfa' oedd fy ofnau y pallai fy ngolwg fel nas gallwn ei ddarllen, a chan nad oes gennyf neb a all ddarllen Cymraeg imi. Fy merch, Hephzibah Bicknall, merch fy ail wraig, yr hon sydd yn bresennol yn byw gyda mi a all ddarllen imi yn Saesoneg neu yn y Tahiteg ond ni wŷr air o Gymraeg ac ni all ei ddarllen.

TE EVANELIA NA LUKA.

PENE I.

TE HAAMATA RAA NO TE EVANELIA
NA LUKA, E TO IOANE FANAU RAA

RAVERAHI tei tamata aenei i te haapapa raa mai, i te papaa parau i itea mauhia io tatou nei.

2 Ta ratou i duu mai ia tatou nei, te ite mau to ratou mata, mai te mata mua mai a; te mau oromedua hoi no taua parau ra.

3 Ovau atoa hoi, ite papu aenei i te mau parau atoa mai te matamua mai a, manao aenei, mea maitai ia tuatapapa du i taua parau ra, i te papai raa du ia oe na Teophilo tui roo.

4 Iaite roa oe, e parau mau te mau parau i haapiihia du ia oe na.

5 I TE anotau ia Heroda ra, te Arii no Iudea, te noho ra tehoe tahua reira, Zaharia te ioa, no te pupu no Abia, e tana ra vahine o Elisabeta te ioa, no te mau tamahine a Aarona.

6 I maitai raua toa; i mua i te aro no te Atua, i te faaroo raa i te parau e te haapao raa i te mau peu atoa na te Atua, aore i hapa.

7 E a'ta a raua tamarii, no te mea aua o Elisabeta, e ua ruhiruhia raua toa.

8 E te rave ra oia i ta te tahua toroa, i mua i te aro o te Atua, ua tae adura iana i tona pupu,

Cyfieithiad John Davies i'r iaith Dahiteg o bennod gyntaf yr Efengyl yn ôl Ioan.

Tudalen gyntaf y llawysgrif
'Hanes Cenhadaeth Tahiti' gan John Davies.

Trwy ganol Tahiti ac yn treiddio o'r arfordir gogleddol i'r de mae dyffryn Papenov. Roedd yna ddyffrynnoedd cuddiedig a phoblog yn ymestyn ohono ac yno y cuddiai dilynwyr Christian Fletcher a rhai a fu'n ffyddlon i hen grefyddau Polynesia. Cyn 1846 bu'r ardaloedd yn guddfannau i wrthryfelwyr Tahitaidd yn erbyn y Ffrancwyr. A phan oedd Prydain a Ffrainc yn ymladd am sofraniaeth ynysoedd Tahiti, awgrymodd John

Davies, y cymodwr, na ddylai'r brodorion godi arfau i ymladd o blaid y naill ochr na'r llall. Gwelai y medrai gyfuno ei safbwynt a pharhad yr economeg trwy amaethu geifr a ffrwythau, ac yn y blaen, dan unrhyw gyfundrefn. Roedd ei benderfyniad yn rhan o gynhysgaeth ei fagwraeth a meddylfryd y gymdeithas a'i cododd.

Dywedodd Gwyn Erfyl yn ystod Eisteddfod Genedlaethol Maldwyn (2003): 'Pobl geidwadol yw pobl Maldwyn. 'Dyn nhw ddim yn eu gwthio eu hunain, 'dyn nhw ddim yn hoffi protestio, nid yw yn eu natur. Maent wedi byw gyda hyn ers canrifoedd'. Roedd yr adnodd yn rhan annatod o gymeriad John Davies, yn rhan o fwynder Maldwyn. Mae'n wyrth ac yn glod i drigolion Maldwyn fod y Gymraeg a Chymreictod mor ddwfn a naturiol yn eu traddodiad a'u bywyd diwylliannol beunyddiol, a hwythau mor agos at y ffin, os ydyw'r rhwystr gwleidyddol hwnnw yn bod! Yr un adnodd a roddodd nerth i John Davies i fyw yn Tahiti am 54 o flynyddoedd ac i gyfrannu mor gyfoethog i'w ddiwylliant a'i chrefydd. Nid oedd enw John Davies wedi ei gynnwys ar restr arloeswyr Maldwyn ym mhabell yr awdurdod lleol yn ystod yr Eisteddfod Genedlaethol. A dywed y broliant yn y llyfryn moethus a gyhoeddwyd gan Bowys yn arbennig ar gyfer yr Ŵyl: 'Wrth gwrs, mae yna nifer o unigolion eraill hefyd sydd wedi gwneud cyfraniadau nodedig yn y sir a thu hwnt, ond oherwydd cyfyngiadau lle, nid oedd yn bosibl eu cynnwys. Serch hynny, mae'r llyfryn hwn yn gyfle i ddathlu doniau a chyfraniad enwogion y sir ac fel y gwelwch, mae'n rhestr fawreddog a llewyrchus iawn o arloeswyr'.

Hoffwn ychwanegu enw John Davies, Pendugwm, at y rhestr. Gŵr arbennig iawn!

Oni bai i John Davies o Bendugwm, Pontrobert, ym mwynder Maldwyn fynd i genhadu i Tahiti yn Ynysoedd Môr y De ym 1800, a diwyllio'r brodorion yno a chyflwyno Cristnogaeth iddynt trwy addysg a gwaith dyngarol, ni fyddai Dyddgu Owen wedi dilyn ei drywydd, a chlymu'r trydydd cwlwm.

Y Pedwerydd Cwlwm

Pererindod o Bontrobert i Papaara, Tahiti

'Gan i mi gael fy ngeni ym Mhontrobert yn yr un ardal ym Maldwyn, cefais fy magu ar hanes y gŵr hwn, ac fel pob merch fach, bûm wrthi'n creu f'ynys fy hun, rhyw Afallon hudol a delfrydol.'

Sôn y mae Dyddgu Owen am John Davies, y cenhadwr, a wasanaeth-odd hyd ddiwedd ei oes ar ynys Tahiti ac ynysoedd eraill yn y Cefnfor Tawel am 54 o flynyddoedd. Dywed hefyd: 'Bob yn dipyn daeth enwau llongau i'r freuddwyd: *Endeavour, Beagle, Dolphin, Resolution*, ac yn ddiweddarach, y *Duff*. Roeddwn wedi ymddeol cyn darllen llythyrau John Davies at ei gyfaill John Hughes, Pontrobert, ac astudio'n ofalus *The History of the Tahitian Mission*, gan yr Awstraliad C. W. Newbury'.

Mae gan bob un ohonom ein Tir-na-N'og, ein Shangri-La neu ein Hynys Hud. Ac mae gennyf gof am fy nhad, y Capten Jac Alun, yn sôn am ei ddyddiau cynnar yn ysgol Pontgarreg. Dysgodd am laniad Capten James Cook ym 1777 ar Ynysoedd Sandwich (Hawaii) a'i lofruddiaeth ym 1779. Seriwyd y flwyddyn honno – blwyddyn y tair caib – ar ei gof.

Pwy na allai ond cael ei gynhyrfu gan y digwyddiadau a ddilynodd farwolaeth James Cook ar draeth Owhyhee, Hawaii, ar 14 Chwefror 1779. Ac ar 16 Chwefror roedd ei long, y *Resolution*, wedi angori yn y bae pan ddaeth y dyn hysbys, y *Kahuna*, i'r llong a throsglwyddo bwndel o barsel i Charles Clerke, meistr y llong. Fe'i hagorwyd yn ofalus.

Yn un o'r bwndeli roedd darn sylweddol o gig a edrychai o'r cychwyn fel darn o gnawd dynol. Roedd yn pwyso 6-8 pwys ac yn rhan o glun, ond heb gynnwys yr un asgwrn neu ddarn ohono.

Lladdwyd pump o forwyr y *Resolution* ar y traeth ddau ddiwrnod ynghynt. Torrwyd eu cyrff yn ddarnau a thynnwyd rhai esgyrn ar wahân gan eu malu yn bowdwr a'u cyflwyno i benaethiaid yr ynys. Doent â grym duwiol iddynt. Aethpwyd â'r darnau o gnawd, ar ôl tynnu'r esgyrn allan, yn ôl i'r llong, oherwydd nid oedd ynyswyr Hawaii yn ganibaliaid.

Adnabuwyd y darnau cnawd, gan fod Capten James Cook wedi llosgi ei fysedd pan ffrwydrodd corn o bowdwr yn ei ddwylo. Roedd y creithiau i'w gweld o hyd ar gnawd y llaw a ddychwelwyd.

Hanes yr Ymerodraeth Brydeinig a geid ar y maes llafur hanes ar ddechrau'r ganrif ddiwethaf. Ac roedd map o'r Ymerodraeth Brydeinig, a oedd yn felynddu gan effaith mwg, yn addurno mur y dosbarth, a'r holl wledydd a oedd yn eiddo i'r Ymerodraeth mewn lliw pinc amlwg arno. Breuddwydiai 'nhad am Ynysoedd trofannol Môr y De, fel y gwnes innau, ac am draethau o gwrel gwyn, llosgfynyddoedd pigfain yn brathu'r nen a changhennau palmwydd yn sigl-ddawnsio dan gyffyrddiad awelon parhaol y môr glas, glas. Cyfrannodd breuddwydion o'r fath, ynghyd â'i natur ramantus a thraddodiad morwrol y bröydd, at ei benderfyniad i fynd i'r môr.

Merch y Mans oedd Dyddgu Owen, ond bu farw ei mam pan oedd Dyddgu yn ieuanc iawn. Collodd ei thad mewn damwain erchyll pan aeth ceffyl yn wyllt ar y ffordd fawr. Wedi cyfnod byr yn ysgol Cymdy, symudodd i fyw gyda'i modryb yn Llanfyllin. Fe'i cofrestrwyd fel disgybl yn ysgolion cynradd a sir y dref. Aeth ymlaen i Brifysgol Aberystwyth. Wedi ennill tystysgrif athro bu'n athrawes i blant ag anghenion arbennig mewn ysgol breswyl cyn dychwelyd i Lanfyllin. Un o'i disgyblion enwocaf oedd y diweddar Ryan Davies. Bu hefyd yn ddarlithwraig yng Ngholeg y Drindod, Caerfyrddin, hyd nes iddi ymddeol i Harlech. Ond fe'i cofir fwyaf fel awdures lwyddiannus i blant ac ieuenctid, awdures llyfrau fel *Cri'r Gwylanod* (1953), *Caseg y Ddrycin* (1955) a *Brain Borromeo* (1958). Ysgrifennodd hefyd ar gyfer y plant lleiaf ac yn ogystal lyfrau teithio ar gyfer oedolion. Ym 1978 cyhoeddodd lyfr o'r enw *Y Flwyddyn Honno* ar gyfer ieuenctid sy'n sôn am hanesion y Rhyfel Cartref ymhlith teuluoedd Cwm Nantcol. Wedi ymddeol aeth ar deithiau byd-eang, i Kenya, Yr Aifft, Brasil, Sri Lanka, Swdân, Bali, Seland Newydd, Tonga, Sbaen a'r Antilles. Ond uchafbwynt yr anturiaeth fawr oedd cyrraedd Tahiti a galw ar y ffordd ym Mhanama. Ac yno daeth wyneb yn wyneb â hanesion Harri Morgan. 'Rhwng popeth profiad bythgofiadwy oedd Dinas Panama i mi,' meddai.

Heddiw mae Dinas Panama ryw bum milltir i'r dwyrain o'r hen ddinas – Panama Viejo – a anrheithiwyd a'i dinistrio gan Harri Morgan ac eraill o'i fath. Oddeutu 1673 symudodd y trigolion o'r hen ddinas gan ailadeiladu dinas gaerog newydd i'w hamddiffyn rhag môr-ladron, yn enwedig Harri

Morgan. Adeiladwyd eglwys Sant Joseff a mynachdy gan frodyr Urdd yr Awstiniaid ar lecyn penodol, a ffurfiwyd yr anheddfa newydd o'u cylch.

Mae pob ymwelydd â Phanama sy'n defnyddio gwasanaethau gyrrwr tacsi neu dywyswyr swyddogol yn sicr o gael siawns i wrando ar barabl a chwedl ac adloniant . . . 'Roedd ganddynt bregeth a chynulleidfa . . . a doedd dim taw arnynt,' oedd sylw Dyddgu Owen. Yn aml roedd y ffeithiau wedi eu dyfrhau â slant bersonol ac ôl dychymyg cenedlaethau wedi ei argraffu arnynt. Ond roedd hanes yr Allor Aur gan bawb.

Safai'r hen eglwys gadeiriol yn yr hen Banama a heddiw dim ond adfeilion 'yr hen dŵr sgwâr solet' sydd i'w gweld. Gorchuddiwyd yr allor enwog o wneuthuriad mahogani cerfiedig gan ddeilen denau o aur pur, ond wedi'r ecsodus rhag y môr-ladron, ailadeiladwyd eglwys gadeiriol newydd â'r Allor Aur yn San José ym 1677 gan fynachod Awstinaidd.

Wele grynodeb o'r stori ryfedd fel y'i cyflwynir heddiw i ymwelwyr.

Roedd Harri Morgan trwy ei ddewrder a'i bersonoliaeth gref wedi ymuno â chriw o fôr-ladron ac wedi ei wthio ei hun arnynt gan ennill eu hymddiriedaeth a'i sefydlu ei hun yn gapten – tra llwyddiannus – arnynt. Casglodd lynges fechan o fôr-herwyr a lledodd ei hanes yn fuan dros y Caribî a thu hwnt wedi iddo losgi ac ysbeilio porthladd Antillas. Yna ym Mehefin 1668 ymosododd ar dref Portobello gyda naw llong a 460 o ddynion, cyn hwylio i fyny afon Chagres. Cyn hir byddai trigolion dinas yr hen Banama yn derbyn llach ei gynddaredd. Lledodd yr hanes. Roedd Morgan yn dod i ladd, i reibio, i ddwyn a llosgi popeth. Roedd Eglwys Sant Joseff hefyd i'w rheibio. Trefnodd swyddogion y ddinas ryw fath ar fyddin i amddiffyn ei heiddo. Ond bu'r Tad Ioan ac offeiriaid a lleygwyr yn gweithredu mewn ffordd wahanol. Tynnwyd allan bedair colofn anferth wedi eu gorchuddio ag aur pur. Symudwyd addurniadau, yn bennaf o gynllun *baroque*, rhan uchaf yr allor a bwrdd y cymun a'u gosod ar rafftiau arbennig a'u boddi yn y môr. Ni ellid symud y cyfryw. Ac o dan gyfarwyddyd dewr y Tad Ioan gorchuddiwyd y gweddill gan wyngalch.

Symudodd Harri Morgan a'i fôr-ladron trwy'r ddinas yn gyflym oherwydd gwendid yn yr amddiffynfa. Rheibiwyd stryd ar ôl stryd, a thŷ ar ôl tŷ, cyn cyrraedd yr eglwys. Arhosodd y Tad Ioan yno i'w hamddiffyn, nid â chleddyf ond â chryn gyfrwystra. Wedi'r cyfan, roedd yr eglwys yn

59

rhan annatod o'i fywyd a'i gredo ac roedd wedi aberthu cymaint i'w hadeiladu.

Estynnodd groeso cwrtais a boneddigaidd i Harri wrth borth yr eglwys. Gofynnodd Harri iddo am fwyd, gwin a tho a chysgod dros dro rhag y glaw trofannol, a rhoddodd y Tad bob un o'r rhain iddo. Dangosodd hefyd yr allor a chyfarchodd Harri: 'Rydych ym mhresenoldeb gwaith arbennig iawn. Ac fel y gwelwch mae'r sgaffaldiau yn dangos nad ydym wedi gorffen y gwaith. Yn wir, mae'n ymdrech galed i godi arian. Rydym flwyddyn a rhagor ar ei hôl hi. Nawr mae'n ofynnol i ti roi rhywbeth rwy'n ei ddymuno yn ôl i mi'. Gwnaeth hyn argraff fawr ar Harri a derbyniodd hwy â sirioldeb digyffro.

'Beth yw dy ddymuniad?' gofynnodd. Rhaid oedd i'r Tad Ioan gadw ei bwyll a chuddio ei syndod.

'Mil dycet . . . i orffen y gwaith ar yr allor,' atebodd y Tad yn hyderus ond roedd ei galon yn curo'n gyflym.

A rhwng pyliau o chwerthin ac ymffrost atebodd yn uchel fel bod pob un o'i ddilynwyr yn gallu'i glywed. Atseiniodd ei lais rhwng trawstiau'r eglwys,

'Mae'r brawd yma'n fwy o fôr-leidr na mi fy hun. Ha! Ha! Ha! Ha!' Gorchmynnwyd i'w ddilynwyr roi'r swm y gofynnwyd amdano i'r Abad . . . ac fe achubwyd yr allor.

Swyddogion o'r un Urdd sy'n gofalu am yr Eglwys a'r Allor Aur yn San José heddiw. Maent yn ddisgynyddion uniongyrchol i'r sefydlwyr cynnar. Mae Darien, Uraba ac Ynys Catherine hefyd yn dod dan eu goruchwyliaeth. Yn wir, arweinwyr crefyddol a'u cymdeithas a'u diwylliant a sefydlodd y Panama (newydd) dros gyfnod o ganrifoedd, a hwy hefyd a fu'n ei rheoli. Heddiw mae'r Urdd yn llywodraethu ar Ysgol Uwchradd Sant Awstin, a phlwyfi yn Rio Abajo a Chiriqui.

Meddai Dyddgu Owen ymhellach am ei thaith mewn tacsi i weld Dinas yr Allor Aur: 'Fe'n rhybuddiwyd i beidio, ar un cyfri, ag agor ffenestri'r car, gan fod yna chwiw ladron yn dew ar hyd y strydoedd yn 'giamsters' ar gipio bagiau. Buan iawn y gwelsom y rheswm am hyn gan fod i Ddinas Panama fel pob porthladd ei chyfoethogion a'i thlodion, a'r tlodion hynny y tu hwnt o dlawd. Ar y ffordd i eglwys San José roedd y strydoedd yn gul a'r tai yng nghyffiniau'r eglwys fel cytiau ieir, yn wir, nid wyf yn gweld neb yng Nghymru yn fodlon cadw ieir yn y fath gytiau.

Sôn am gyferbyniad – y slym y tu allan a chael ein dallu y tu mewn gan aur yr allor; ie, allor aur, yn ymestyn o'r llawr i'r nenfwd, ac wedi ei cherfio'n gywrain, yn estyll a phileri main gosgeiddig – yr aflendid a'r tlodi y tu allan, a'r fath gyfoeth oddi mewn.'

Yr Allor Aur, San José, Dinas Panama. Mahogani cerfiedig wedi ei orchuddio â deilen o aur pur. Achubwyd yr allor rhag môr-ladron Harri Morgan ym 1671, yn yr Hen Banama, cyn iddi gael ei symud i ddinas Panama, ardal José, gan fynachod Awstinaidd ym 1677. Cymerwyd y ddelwedd oddi ar gerdyn post a roddwyd i'r awdur gan Dyddgu Owen, gyda'r geiriau hyn arno: 'I Jon M. Jones sydd wedi dod yn rhan annisgwyliadwy a gwreiddiol o'r stori hon'.

Ond egwyl ar y daith oedd Panama a'r Allor Aur i Dyddgu Owen. Roedd yn dyheu am gyrraedd Ynys Tahiti, lle bu ei harwr o Bendugwm, Pontrobert, yn genhadwr am 54 o flynyddoedd. Hwylio tua'r de oddi ar Benrhyn y Gobaith Da, De'r Affrig, ac i'r dwyrain ymlaen i Awstralia a wnaeth John Davies. Medrai Dyddgu Owen hwylio ar long bleser foethus a thrwy Gamlas y Panama, un o wyrthiau'r byd cyfoes. 'Gwahanwyd y tir, unwyd y byd' yw arwyddair y Gamlas.

Er bod y gofodwyr cyntaf o'r Undeb Sofietaidd a'r Unol Daleithiau yn honni mai Mur Mawr Tseina oedd yr unig greadigaeth o waith dyn y gellid weld o'r gofod, mae Camlas Panama yn un o gampau mwyaf uchelgeisiol a llwyddiannus dyn ar y ddaear. Er bod adeiladwaith y Pyramidiau yn Yr Aifft a rheilffyrdd traws-gyfandirol yn gampau i'w hedmygu, roedd y weithred o hollti dau gyfandir yn rhywbeth hollol rhyfeddol.

Ond mae hanes Camlas Panama yn ymestyn yn ôl i'r unfed ganrif ar bymtheg. Yn ôl cofnod gan Dyddgu Owen yn ei dyddiadur: 'Daeth Hen Banama yn bwysig ymhell cyn bod sôn am y gamlas. Fe ddarganfuwyd y culdir gan Sbaenwr o'r enw Ojeda ym 1499, medd rhai, gan Vasco Nunez de Balbao ym 1501, medd eraill, a chan Columbus ar Ddydd Nadolig 1502, medd eraill eto . . . A phan groesodd Balbao y culdir ym 1513 a gweld y Pasiffig am y tro cyntaf daeth cyfle i ymgyfoethogi na fu erioed ei fath. Sylwodd Columbus fod yr Indiaid yn gwisgo perlau mawr a mân, a dyma ddechrau eu cludo i Sbaen yn anrhegion i'r Frenhines Isabella. Yna gwnaeth darganfyddiad Balbao o'r Môr Mawr y tu hwnt i'r culdir eu hwyluso i gludo aur a chyfoeth yr Inca mewn llongau o Periw a'i lwytho ar gefn asynnod a'u harwain ar draws yr 'Isthmus' ar hyd El Camino Real (Y Ffordd Frenhinol) i Portabelo ar y Caribî, a'u cludo oddi yno ar longau Sbaen i Ewrop.'

Mae'n ddiddorol iawn nodi fod rhai o fewn llys Siarl V (brenin Sbaen ar y pryd) ym 1524 wedi awgrymu iddo fynd ati i ariannu cynllun o adeiladu camlas drwy'r culdir a oedd yn dilyn cwrs, mwy neu lai, y cynllun gorffenedig yn Awst 1914. Tynnwyd ar gynlluniau ym 1529, 1534 ac ym 1819 gyda chefnogaeth y gwyddonydd Alexander von Humboldt. A bu eraill ym 1850 a 1875. Ym 1876 ffurfiwyd cwmni rhyngwladol a enillodd hawliau oddi wrth lywodraeth Colombia i dorri camlas dros y culdir. Methodd yr ymdrech eto a ffurfiwyd cwmni newydd gan Ferdinand Marie de Lesseps, adeiladydd Camlas Suez. Roedd ef am greu cylch o ddŵr o amgylch y byd ac roedd darganfod aur yng Nghaliffornia wedi ennyn diddordeb yr Unol Daleithiau, a byddai camlas trwy guldir Panama yn torri'r daith o Efrog Newydd i San Fransisco o 18,000 milltir. Ceisiwyd torri camlas trwy Nicaragua ond methwyd, a chynigiodd cwmni de Lesseps ei hasedau i'r Unol Daleithiau am 40 miliwn dolar. Llofnodwyd cytundeb Hay-Bunau-Varilla gan roi addewid o annibyniaeth i Banama yn rhydd o reolaeth Colombia, ond ar yr un pryd hawlio darn deng milltir o led i dorri'r gamlas. Cytunwyd ar dalu iawndal o ddeng miliwn dolar i Banama a 250,000 dolar yn flynyddol gan ddechrau ym 1913. Gelwir y darn tir yn 'Canal Zone'.

Yn ôl Dyddgu Owen: 'Mae 15,000 o longau yn ei thramwyo bob blwyddyn. Cymer 8 awr i fordwyo'r hanner can milltir . . . Mae'r gamlas yn y trofannau, a glaw, gwres, lleithder a heulwen yn gyfrifol am y tyfiant toreithiog a'r gwyrddlesni anhygoel – pob modfedd o dir o'r golwg dan dyfiant . . . Does dim angen chwa ar y gamlas, canys nid oes ond angen clustfeinio i glywed sŵn anifeiliaid a chrawcian adar dieithr'.

Daeth amryw o anawsterau i dorri ar draws y gwaith o gynllunio, adeiladu a chwblhau Camlas Panama, er enghraifft, dadlau gwleidyddol, perygl o du llosgfynyddoedd a daeargrynfeydd yn Nicaragua, llofruddiaeth yr Arlywydd McKinley, ailgynllunio, tirlithriadau, a'r mwyaf ohonynt i gyd – sef clefydau. Cyn dechrau ar y gwaith rhaid oedd trechu achosion yr afiechyd gan gofio bod 20,000 wedi marw yn ystod teyrnasiad Ffrainc. Y clefydau mwyaf trafferthus a pheryglus oedd malaria a'r clefyd melyn, sef yr union afiechydon a ataliodd Napoleon Bonaparte rhag ymosod ar Haiti ym 1831. Ond roedd pob un o'r clefydau y gwyddai dyn amdanynt yn endemig ym Mhanama. Cofnodwyd y dicléin, *colera*, *diphtheria*, y frech wen a'r pla du ar ffeiliau ysbytai ym Mhanama ym 1904.

Arlywydd y 'ffon fawr' (y 'big stick') oedd Theodore Roosevelt, a rhoddodd hawl a chefnogaeth i Dr William Gorgas a John Stevens, y prif beiriannydd, i gael gwared â'r clefydau.

Cododd y Ffrancwyr westai ar hyd y gamlas gan adeiladu ffosydd a chwteri carthffosiaeth a hefyd byllau o ddŵr i atal haint y morgrug wmbrela. Ond roedd y mosgitos benywaidd yn cenhedlu yn y dŵr. Roedd yn ddeorfa heb ei hail iddynt. Ar air a gorchymyn personol yr Arlywydd, gorchuddiwyd y pyllau dŵr ag olew a gwenwyn pryfed. Cyn hir, gyda 4,000 o filwyr a chymorth moddion a chyffuriau, daeth ardal y 'Canal Zone' yn rhydd o'r clefydau. Medrai'r gweithwyr gwblhau eu gwaith yn llawer haws ac yn rhydd rhag anhwylderau a chlefydau angheuol.

Ond parhau a wnaeth y tirlithriadau gan greu problemau mawr a dyrys o safbwynt y gwaith.

'Sut mae eu hatal?' gofynnai'r peirianwyr.

'Gwnewch i'r baw hedfan,' oedd ateb Dr Gorgas.

Yn gyfan gwbl symudwyd 96 miliwn llath ciwbig o bridd a baw gan ddefnyddio 19 miliwn pwys o ffrwydron. Yn rhyfedd iawn dim ond wyth bywyd a gollwyd yn ystod y gwaith peryglus. Ac yn hytrach na thorri trwy fynydd Culebra, adeiladwyd argae fawr yn Gatun a'r llyn mwyaf yn y byd, ar y pryd, i gyflenwi dŵr i'r gamlas a chreu trydan i agor cyfres o gatiau a llifddorau i godi'r llongau heibio i'r llyn. Yna cludwyd darnau anferth o'i 'locks' o'r Unol Daleithiau a rhoi sylfaen o goncrit iddi, tipyn o arbrawf ar y pryd. Gosodwyd gynnau mawrion wrth ddwy geg y gamlas i'w hamddiffyn ac adeiladwyd rheilffyrdd a moduron trydan arbennig i dynnu'r llongau mewn mannau culion. Gwnaed pob ymdrech i atal damweiniau.

Ond ym Mawrth 1907, ymddiswyddodd John Stevens, y prif swyddog, oherwydd ymyrraeth o du Washington. Daeth Colonel George Goethals â 48,000 o weithwyr i'r adwy ac ar ôl chwe blynedd o lafur ac ymdrech ddygn llwyddwyd i lanw'r dyffryn a chwblhau'r gwaith.

Ac ar Awst 1914, ar gost o 300,000,000 dolar (23,000,000 dolar yn llai na'r amcangyfrif), hwyliodd y llong goncrit *Cristobal* ar hyd y gamlas, er mai'r tyn-fad *Ancon* oedd y llong swyddogol gyntaf i hwylio drwy'r gamlas. Ond oherwydd i ddechreuad y Rhyfel Byd Cyntaf hawlio sylw pawb, ni chlywyd llawer o sôn am un o lwyddiannau mwyaf rhyfeddol dyn drwy weddill y degawd.

Heddiw fe ddefnyddir y Gamlas i gludo mwy o fasnach nag erioed o'r blaen, ac roedd cynlluniau ar y gweill ar un adeg i gynyddu ei lled a'i dyfnder trwy ddefnyddio ffrwydrad niwclear. Ond oherwydd natur y byd ac agwedd pobl at lygredd ac arfau niwclear, nid yw cynlluniau o'r fath yn ymarferol nac yn dderbyniol bellach. Dysgodd dyn gyd-fyw yn ddisgybledig â Natur ond ni fydd byth yn feistr arni.

Ac wrth i Dyddgu Owen adael rhyfeddodau hanesyddol a pheirianyddol Panama, roedd edmygedd o waith un o'i chyd-bentrefwyr ac arwr iddi yn Tahiti bell yn ei hannog ymlaen, a chyffro a hudoliaeth y pellter yn ei galw. Byddai cael gweld y bedd di-nod, os câi ei weld, ac ymweld ag ynys Tahiti a dod i wybod rhywfaint am ei thraddodiadau a'i hanes, ac am aberth ac ymroddiad John Davies Pendugwm yn gosod y rhyfeddodau eraill yn eu cyd-destun ac yn peri iddyn nhw gilio fwyfwy i'r cysgodion. Byddai hanes cenhadaeth Cymro diymhongar ond pender-fynol yn ei meddiannu, a hyd yn oed wedi iddi gwblhau ei thaith fyd-eang, yn parhau i fod yn uchafbwynt. Mae'r argraffiadau sy'n aros yn y galon a'r enaid yn drech na'r hyn sy'n cael ei brofi gan lygad, clust a chorff.

*   *   *

Mae Tahiti hanner y ffordd rhwng Awstralia a chyfandir yr Amerig, a enwyd ar ôl y fforwr o'r Eidal, Amerigo Vespucci. Ac mae Tahiti ymhell o bobman. Ym 1968 hwyliodd Dyddgu Owen ymlaen o Balbao, Panama, i'r Pasiffig mawr. Cyrhaeddodd Tonga i ddechrau. Ynys folcanig yw Yongapatu 'a gododd o berfeddion yr eigion i fod yn rhan o'r ddaear'. Fe'i gelwir yn 'Ynys Sanctaidd' ac mae'n enwog heddiw fel deorfa chwaraewyr rygbi grymus ac oherwydd y Frenhines Salote – y ddynes 21 stôn a gipiodd ddychymyg y torfeydd yn ystod coroniad yr 'Ail Bess'.

Onid yw'r byd yn fychan ar brydiau? Dôi meddyg teulu Dyddgu Owen, gŵr o'r enw Doctor Bull a drigai yn Llanfyllin, o Tonga yn wreiddiol. A thrwy ei gyfarwyddyd ef a'i ferch daeth i wybod mwy am Tonga a'r ffaith fod John Davies wedi cysylltu trwy lythyron â chen-hadwr arall, Nathaniel Turner, a oedd yn byw ar ynys Tonga. Cafodd Dyddgu wefr fawr o gymharu'r llythyron â'i gilydd – Nathaniel Turner yn gofyn am fenthyg athrawon dros dro, a John Davies yn cyfeirio at y digwyddiad. Roedd gan Dyddgu gopïau o lythyron John Davies gyda hi yn ystod y daith.

Yno yn Nukualofa, prifddinas Tonga, daeth Dyddgu Owen wyneb yn wyneb â pherchennog siop a oedd wedi clywed sôn am Carwyn James – 'Taflodd ei freichiau i fyny i'r awyr, gwenodd o glust i glust, ac ymgolli mewn sgwrs am rinweddau'r gŵr mawr,' ysgrifennodd. Yma sylweddol-odd hefyd mai Cymro, mab i ficer Nantglyn, Dafydd Samwel (Dafydd Ddu), oedd y meddyg ar long James Cook a fu'n dyst i'w lofruddiaeth ar ynysoedd y Sandwich ym 1779. Roedd Dyddgu wedi paratoi'n drylwyr iawn ar gyfer ei phererindod o amgylch y byd. Darllenodd am hanes y mannau arbennig a'r cymeriadau a oedd yn gysylltiedig â'r hanesion. A darllenodd am gefndir Dafydd Ddu Feddyg yr un modd.

Yn ôl *Y Bywgraffiadur Cymreig*: 'Yn 1775 dangosodd, yn y Royal College of Surgeons, Llundain, ei fod yn gymwys i weithredu fel swyddog meddygol yn y llynges – fel '2nd Mate 3ydd Rate' i gychwyn. Y flwyddyn ddilynol hwyliodd gyda'r capten James Cook fel 'surgeon's first Mate' ar y *Resolution*; y flwyddyn wedyn trosglwyddwyd ef i'w chymhares, y *Discovery*. Bu'n gwasanaethu mewn saith o longau rhyfel a hefyd yn gofalu am garcharorion Prydeinig yn Versailles. Roedd yn llenor ac yn fardd, ac ysgrifennai yn Gymraeg ac yn Saesneg. Roedd ganddo lyfrgell amrywiol ar y llongau. Yn y flwyddyn 1777 lluniodd benillion yn Gymraeg ar ddydd Gŵyl Ddewi, rhywle rhwng Seland Newydd a Tahiti. A'i waith barddonol mwyaf trawiadol oedd y gerdd *Padouca Hunt*, cân ddychan am y ddadl a geid ymhlith Cymry llengar Llundain, sef ai Columbus ynteu Madog a ddarganfu America, ac a oedd Madog 'yn gyndad llwyth o Indiaid Americanaidd a siaradai Gymraeg'. Casglodd waith Dafydd ap Gwilym a Huw Morys a bu'n noddwr arbennig i Twm o'r Nant.

Teimlad cynhyrfus yw ymweld â lleoedd ymhell oddi cartref a darganfod fod Cymry Cymraeg dawnus wedi ennill bri y tu allan i'w gwlad eu hunain ac wedi cyfrannu er gwell at ddatblygiad a thwf gwareiddiad estron, gan ddefnyddio maeth eu magwraeth er lles eraill ar yr un pryd.

Cyrhaeddodd Dyddgu Owen Papeete, prifddinas Tahiti, yn ystod 1968, a dywed yn ei dyddiadur: '. . . ac yno fel ym mhobman arall gwaherddir hawl i unrhyw un godi adeilad sy'n uwch na phalmwydden. Dim rhyfedd nad oedd ond gwyrddlesni i'w weld o'r môr. Ar y cei yn disgwyl amdanom roedd grŵp o ferched glandeg yn eu sgertiau o wair, a pheraroglau'r blodau *franipane* am eu gyddfau ac yn eu gwallt i'w glywed o erchwyn y llong. Dawnsient eu croeso yn heini a gosgeiddig a 'doedd dim posib peidio â meddwl am ymateb y cenhadon cynnar i'r math hwn o groeso'.

Llawenydd mawr i Dyddgu Owen a'i ffrind Ceri oedd cyfarfod â'r Parchedig Giovanni Conte ar fwrdd y llong ac yntau yn cynnig eu gyrru yn ei fodur i bentref bychan Papaara, 30 milltir i ffwrdd ar arfordir deheuol yr ynys. Ac yng nghartref y gweinidog cyfarfu ag un o ddisgynyddion y Pennaeth Pomara a gafodd dröedigaeth dan ddylanwad John Davies – 'Bu bron i mi neidio mewn llawenydd,' meddai Dyddgu Owen.

Aeth â thusw o rug gyda hi yr holl ffordd o Bendugwm, gyda'r bwriad o'i roi ar fedd John Davies. Ond yn rhyfedd iawn, roedd yr hanes am glwy'r traed a'r genau a oedd yn rhemp yn siroedd Amwythig, Caer a'r gororau wedi cyrraedd Tahiti bell. Pan oeddwn yn byw yn Amwythig

Papaara, teml y paganiaid.

Bedd John Davies, y cenhadwr, yn Papaara, Tahiti.

67

cofiaf weld y ffurfafen yn wrid o goch afiach uwch tanau'r coelcerthi. Yn y tywydd oer crogai'r drewdod yn yr awyr drwy gydol y dydd a'r nos. Claddwyd cannoedd o anifeiliaid mewn pydewau ar y ffermydd yn ystod 1968 ymysg haenau o galch, a chofiaf weld ffermwyr yn gwarchod y ffyrdd i'w ffermydd trwy eistedd mewn bocs sentri o ryw fath gan gario dryll i atal tresmaswyr. Ni chafodd Dyddgu adael y tusw grug ar Tahiti oherwydd y rheolau. ond, a hithau yn ei dagrau, taflodd ei rhodd-goffa dros ddyfroedd yr harbwr cyn hwylio ymaith i'r ynys nesaf.

Un ynys yw Tahiti ond eto'n ymddangos fel petai'n ddwy. Mae culdir byr yn cysylltu Tahiti Nui (a gymherir ag oren) a Tahiti Iti (a gymherir ag eirinen). Mae digon o eglwysi i'w gweld heddiw yn amrywio o eglwys gadeiriol, eglwysi efengylaidd, temlau Tseineaidd, ac adeiladau sy'n perthyn i'r Mormoniaid, i Dystion Iehofa ac i'r Iddewon. Ond y Protestaniaid sydd yn y mwyafrif ac mae perthynas agos rhwng yr eglwys a'r wladwriaeth. Er hynny mae'r Polynesiaid o hyd yn talu parch a gwrogaeth i'r *tapu* – gan ofni'r ysbryd drwg, y *varua ino*. Cedwir goleuni ynghyn mewn adeiladau rhag ymweliad y *tupapau*, ysbrydion y meirw.

Dywedir bod ymwelwyr naill ai yn hoffi dinas Papeete neu yn ei chasáu'n ddybryd. Gelwir hi yn 'Las Vegas y Pasiffig'. Mae'n ddinas fywiog sy'n llawn atyniadau – bwyd egsotig, dawnsio cynhyrfus, bariau ffynci a phorthladd prysur. Os ydych yn chwilio am baradwys, ewch i rywle arall i chwilio yw'r cyngor gorau. Mae enwau llawer o'r strydoedd yn dwyn cysylltiad â Ffrainc, er enghraifft, y 'Rue du General de Gaulle' a'r 'Rue du Marchal Foch'. Ac i'r gorllewin mae maes awyr rhyngwladol Faa'a – rhywbeth na welodd John Davies a'i gyd-genhadon mohono; ac o'i amgylch mae clystyrau o westai moethus.

Un peth diddorol ynglŷn â Papeete yw'r ffaith i'r Almaenwyr fomio'r lle yn ystod 1914 gan ladd llawer o bobl. Roedd breuddwyd y Kaiser wedi ymestyn i baradwys ei hun.

Wrth deithio ar y ffordd arfordirol o Papeete gwelir traethau bychain o dywod du – sy'n dwym iawn dan draed ond yn disgleirio fel diemwntau o lo carreg ym mhelydrau'r haul. Teithiodd Dyddgu, Ceri a'r Parchedig Giovanni ar hyd yr arfordir gan sylwi ar raeadr Faarumai, coed castanwydd a rîff Arahoho a grewyd gan rym y tonnau.

Rhesi o fyngalos glân a gerddi cymen yw Papaara heddiw. Nid oes traeth, ond mae pyllau nofio yno. Ac mae yno bellach archfarchnad a thŷ bwyta a byrgyrs a coca-cola. Ar hyd y strydoedd mae nifer o fechgyn ieuainc ar gefn eu beiciau, ac eraill yn herio'r tonnau yn eu *kayaks*. Mae'r rhan fwyaf o'r pentref ar ben y bryn, wyth gan medr i ffwrdd yn agos i'r *Marae Tetaumatai*, teml awyr-agored y Polynesiaid cynnar. Oddi yno mae golygfeydd gwych o'r lagŵn a'r mynyddoedd pigfain i'r gogledd. Yn ôl Dyddgu eto: 'Pentre bychan oedd Papaara [ym 1968] gydag eglwys o bren wedi ei saernïo yn y dull Tahitaidd, a thai yma ac acw dan y coed, neu ar y traeth. Roedd y cenhadwr wedi trefnu imi gyfarfod â pherchennog y lle, hen ŵr, dros ei bedwar ugain, yn siarad dim ond y Dahiteg. Dywedodd ei fod wedi clywed am John Davies a'i ddewrder yn codi capel (o frwyn a gwiail) yn ymyl y deml awyr-agored baganaidd, ond yn ystod ei oes ef ni wyddai am unrhyw un a fu'n holi am ei fedd'.

Meddai ymhellach: ''Dwn i ddim beth yr oeddwn yn ei ddisgwyl ond bedd mewn gardd oedd o, ar ochr y môr i'r ffordd fawr. Rhyngddo ef a'r tŷ roedd lein yn llawn o ddillad, ond nid oedd y garreg wastad a nodai'r fan yn cael ei hamharchu mewn unrhyw ffordd, er bod y llythrennau'n dechrau mynd yn annelwig erbyn hyn. Ond gan mai pridd du folcanig sydd yn Tahiti, o sgeintio tipyn ohono dros y geiriau, roedd yn weddol hawdd i'w ddarllen:

JOHN DAVIES
MISSIONARY
ARRIVED
IN THE SHIP
THE ROYAL ADMIRAL
JULY 1801
DIED
AUGUST 1855
L.M.S.'

Yr hyn a greai syndod i Dyddgu Owen oedd y ffaith fod John Davies wedi cael ei gladdu 'yng nghanol yr holl ysblander o flodau trofannol o'n cwmpas, blodau bach gwynion a fynnai dyfu wrth y bedd, blodau y gellid dychmygu eu gweld yn ei ardd ym Mhendugwm. Roedd yna dawelwch, diolch i'r drefn . . . a neb yn y tŷ'.

A hithau, Dyddgu Owen, dan emosiwn, yn methu rhoi'r tusw o rug Pendugwm ar fedd ei harwr. Ym mhridd du, dieithr Papaara, gorweddai gweddillion ei chyd-bentrefwr a'i harwr, a llygredd y byd cyfoes a deddfau llywodraeth yn ei rhwystro rhag gosod darn o hyfrydwch Pontrobert ar lendid bedd gŵr arbennig iawn. Ond roedd ei theyrngarwch i fro ei magwraeth yn gryfach o lawer na delweddau dieithr ac ystrydebol hanes a thwristiaeth. Meddai: 'Ynys i'r arlunydd Gauguin yw Tahiti i lawer, ynys Pierre Loti neu'r ynys lle bu gwŷr y môr, Cooke, Bougainville, a Wallis, i eraill; neu hwyrach mai hanes Capten Bligh a'r *Bounty* sy'n eu cynhyrfu, ond 'does dim gwobr am ddweud ynys pwy ydyw i mi'.

Mae Tahiti yn 9,607 milltir o Lundain a'r daith yn cymryd 19 awr 20 munud mewn awyren, heibio i Los Angeles. Mae'r ynys yn ddeg awr o Santiago, Chile, pum awr o Auckland, wyth awr o Sydney, pum awr i Honolulu ac un awr ar ddeg i Tokyo. Cymharer hyn â thaith John Davies ar fôr mewn llong hwyliau.

Ynys hunan-lywodraethol yw Tahiti ond yn eiddo i Ffrainc. Defnyddir y 'franc cours pacifique' (CFP) fel y cyfrwng ariannol, a'r 'franc' Ffrengig.

Mae deg awr o wahaniaeth rhwng Tahiti a GMT, ac mae hi ddeuddeg awr (amser haf) ac un awr ar ddeg (amser gaeaf) o flaen Paris. Ond trwy wyrthiau technoleg fodern gall unrhyw un gyrraedd 'paradwys' mewn diwrnod neu lai. Eto dywedir wrthych am ddod â sbectol haul, het â bondo sylweddol ac eli atal-pryfed. A yw'r ddelwedd mor baradwysaidd i deithwyr heddiw? 'Ia Ora, Maeva a Manava' – cyfarchion a chroeso – ac mae'r wên, y ddawns, y canu ac arogl blodau y tiara yn ddigon i erydu holl atgofion y gorffennol ac ofnau'r dyfodol.

Mae ynys gyfagos Bora Bora wedi etifeddu maes awyr milwyr Americanaidd a adeiladwyd yn y 1940au fel carreg naid i Siapan. Ar ddiwedd y rhyfel dychwelodd y milwyr i'r Amerig. Ond ysgrifennodd un ohonynt, James Michener, un o 6,000, lyfr enwog am Dde'r Pasiffig, ac arno y seiliwyd y ffilm gerddorol enwog *South Pacific*, o waith Rogers a Hammerstein. Daeth Bora Bora yn ddelwedd i'r gân hudolus 'Bali-h'ai' – ynys hud – sydd yn parhau fel y weledigaeth berffaith, nas dinistrir tra bo byd a chreadigaeth.

Ond bwriodd y cwmwl madarch ei gysgod dros hyfrydwch yr ynys, wrth i arbrofi â ffrwydradau niwclear aflonyddu ar baradwys. Bu raid i Ffrainc symud o'r Sahara oherwydd protestiadau o du Algeria, ac wedi gwrthod datganiad y Llys Iawnderau Rhyngwladol ym 1973, symudodd y Ffrancwyr i ynys Mururoa. Bu protestiadau gan longau *Greenpeace*, a thorrodd Periw bob cysylltiad â Ffrainc. Ym 1981 tyllodd y Ffrancwyr siafftiau bomiau i mewn i'r ddaear dan y lagŵn i gynnal profion niwclear. Ymosododd aelodau o Heddlu Cudd Ffrainc ar un o longau *Greenpeace*, y *Rainbow Warrior*, a'i suddo yn Auckland gan ladd aelod o'r criw. Carcharwyd dau aelod o'r Heddlu Cudd am gyfnod byr, cyn eu hanfon yn ôl i Ffrainc, lle cawsant eu croesawu fel arwyr!

Yna, ym 1995 ailddechreuwyd yr arbrofion ar orchymyn Jaques Chirac, Arlywydd Ffrainc, a bu protestiadau grymus ac effeithiol drwy bob cwr o'r byd gan gondemnio'r aflendid brawychus a ffiaidd. Gwelwyd terfysgu yn Tahiti ond diystyrwyd yr holl brotestio gan y Ffrancwyr. Roedden nhw yn byw yn niogelwch Ewrop, ymhell o Muroroa. Tystiodd gwyddonwyr Ffrengig fod tiroedd a choral yr ynys yn ddiogel a daeth y profion i ben ym 1996. Ond ym 1999 cyhoeddodd dogfen wyddonol Ffrengig fod ymbelydredd niwclear wedi treiddio trwy ddŵr tanddaearol a bod craciau wedi ymddangos yn y graig coral. Ac er bod y ddadl wedi symud o lwyfan rhyngwladol, mae'n parhau ym mharadwys ac yn creu ofnau am ddiogelwch a glendid y dyfodol. Gall barhau am ganrifoedd. Gwallgofrwydd llwyr!

Un frawddeg a siglodd Dyddgu Owen i'r byw oedd sylwadau Capten Cook wedi cyrraedd Ynys Tahiti ar 13 Ebrill 1769: 'Roedd y trigolion yn hapusach yr adeg honno, nad oedd ganddynt obaith i fod BYTH wedyn'.

Ond meddai Dyddgu Owen ymhellach: 'Mae'n ddweud mawr, ond gyda'r morwyr daeth drylliau a chlefydau, ac alcohol, a chyda'r cenhadon daeth yr ymdrech i roi terfyn ar eu ffordd naturiol hapus o fyw, gan eu hargyhoeddi o bechod ac euogrwydd. 'Doedd dim rhaid iddynt weithio, a'r ynys ei hun mor doreithiog, gyda choed a phrysgwydd, ffrwythau a blodau ym mhobman. Roedd y tywydd yn hafaidd trwy gydol y flwyddyn, digonedd o fwyd o'u hamgylch, bananas, cnau coco, 'breadfruit', 'yams' a siwgr cên yn tyfu'n wyllt, pysgod yn y lagŵn, a moch dan y coed. Gardd Eden yn wir, ond yn wahanol i Ardd Eden, 'doedd yma yr un neidr, dim nadredd o fath yn y byd, na'r un anifail peryglus. Pawb yn anllythrennog ddedwydd, yn treulio'r oriau yn chwarae a nofio, neu'n ymaflyd codwm, a charu a dilyn eu greddfau rhywiol yn rhywbeth hollol naturiol iddynt'.

Ond daeth seirff i baradwys: seirff trachwant, hunanoldeb, militariaeth a gwenwyn ymbelydredd niwclear. Daeth englyn trawiadol T. Arfon Williams i 'Eden' i'r cof:

71

Bu sarff llawn ystryw rywbryd yn estyn
melyster; o'i gymryd
anfoes a ddaeth i wynfyd,
sawr brwmstan i berllan byd.

Bu bron i ddiwylliant Polynesia ddiflannu yn llwyr gyda dyfodiad yr
Ewropeaid a Christnogaeth. Ond bellach, mae'n cael sylw mawr ac yn
cael ei gofnodi'n haeddiannol. Oherwydd mai diwylliant llafar ydoedd,
dim ond cofnodion y gorllewinwyr sydd ar glawr a chadw. A thrwy
archaeoleg a gweld y cerfluniau yn unig y daw ymwelwyr ar ei draws.
Dim ond profi pleserau'r lagŵn a wna llawer o ymwelwyr heddiw, a
thrwy siawns yn unig y dônt wyneb yn wyneb â'r gwir ddiwylliant cyn-
henid.

Oni bai fod Dyddgu Owen, a oedd yn dod o'r un pentref â John
Davies, wedi mynnu mynd ar bererindod i Tahiti bell i dalu gwrogaeth
i'w harwr ac i weld ei fedd yno, ni fyddai wedi dod ar draws y Panama a
hanes Harri Morgan a'r Allor Aur.

Y Pumed Cwlwm

Yr Allor

Fues i'n lwcus iawn! Cefais wahoddiad i ddychwelyd i fy sir enedigol, Aberteifi (Ceredigion erbyn hyn), yn y saithdegau, i arwain plant ac athrawon yn Ysgol y Ferwig, ger Aberteifi. Ac wrth edrych ar ffurf ddaearol y sir mae'r Ferwig ym mlaen pella'r esgid. Mae afon Teifi a berw'r bar yn golchi bysedd ei thraed gorllewinol a thonnau ac awelon Bae Aberteifi yn mwytho ac yn erydu cefn ei harfordir gogleddol. Ardal iachus ydyw heb lawer o goed ac yn enwog am dyfu barlys. Ac yn ôl neb llai na Syr T. H. Parry-Williams, fel ateb i gwestiwn a anfonais i'r rhaglen deledu *Lloffion*, mae'r enw yn gyfystyr â 'Berewig', megis Berwick on Tweed – hen air o wreiddiau'r Frythoneg â chysylltiadau â thyfu haidd (barlys). Ac mae tiroedd y Ferwig yn Eden am dyfu'r ŷd hwnnw. Wrth bori trwy lyfr ardderchog T. I. Ellis, *Crwydro Ceredigion*, deuthum ar draws y geiriau hyn: 'Ni welwn nemor neb o gwmpas; dichon fod y pentrefwyr wedi heidio i dref Aberteifi. Y peth cyntaf a'm trawodd wrth nesu at y pentref oedd yr eglwys. Y mae'r naill ben iddi'n gymharol newydd, a'r llall, y tŵr, yn bur hen, ac ni allwn beidio â theimlo bod yma enghraifft o ieuo pensaernïol anghymharus . . . yn wir bron yn dechrau dadfeilio; a dichon y derfydd amdano cyn hir'.

Dymchwelwyd y tŵr yn y 1970au am resymau diogelwch i'r addolwyr a'r ysgol gynradd islaw. Erbyn heddiw mae'r pentref wedi ehangu ac mae anheddau newydd a dieithr ynghyd â'r rhes o dai cyngor wedi newid naws a chymeriad y lle. Efallai fod y Ferwig yn fwy o ardal na phentref. Ond roedd gwead y gymuned yn glòs a chroesawgar iawn a pharod ei chymwynas i unigolion ac achos. Diflannodd y siop, gweithdy'r crefftwr, y garej, yr efail a'r tanerdy a'r 'Tanners Arms' – lle saif Gwynfro heddiw. Ond erys ei phobl, ei gwytnwch a llawer o'i Chymreictod.

Cofiaf am gyngor doeth fy mam-gu wrth imi bendrymu dros wneud cais am swydd prifathro: 'Nid yw'r proffwyd yn barchus yn ei wlad ei hun'. Roedd gan fy nwy fam-gu ddywediadau ac adnodau pwrpasol i ganmol, i gynghori ac i geryddu. Ac wedi gwrando arni, ymddangosais yn un o wyth o flaen is-bwyllgor addysg yn Ysgol Uwchradd Aberteifi. Y gŵr wrth y llyw oedd y Parchedig T. Tegryn Davies, cynghorwr sirol gweithgar ac effeithiol iawn. Roedd ei ddylanwad ar bawb a phopeth mor drwm a pharhaol. Bu'n gaffaeliad mawr a'i gyngor a'i air tawel a phwrpasol yn gymorth i adeiladu cymeriad a datblygu swydd. Torrwyd y rhestr wreiddiol i lawr i bedwar ac yna i ddau. Fy nghyd-ymgeisydd oedd Eric Sharp, cyfaill ysgol, ac aeth ef ymlaen i fod yn ddarlithydd llwyddiannus mewn coleg hyfforddi athrawon. Meddai T. Tegryn Davies wrthyf cyn y cyfweliad, gan ddyfynnu o delyneg Isfoel 'Y Gantores Gudd' – 'Cofia nawr yn y cyfweliad: Yr un fath â'r sguthan annwyl/Ganu nodyn bach dros ben'.

Fe'm gwahoddwyd i'r trydydd cyfweliad, a'r olaf, o flaen cyngor sirol llawn y Sanhedrin yn Neuadd y Sir, Aberaeron. Roedd tua deg a thri ugain ohonynt yn trydar fel piod wrth imi ateb y cwestiynau a ofynnent. Ond deuthum allan yn fyw megis Daniel o ffau'r llewod â chontract yn fy llaw. Troediais yn ysgafn-droed tua'r Ferwig wedi addo trwy gytundeb i fyw yn nalgylch yr ysgol. Yr oedd cyd-bentrefwr i mi, John Davies, Llainronw, Pontgarreg, wedi fy rhagflaenu ac wedi mwynhau awelon y môr, y tir a'i bobl am gyfnod maith. Rhagolygon da iawn! Fel y pren almwn, brithodd ei wallt ac adroddodd stori wrthyf. Cwympodd llwyth o huddygl (tropas) ar ei ben o'r simne wedi chwa sydyn o wynt. 'Daeth â lwc i mi,' meddai, 'lwc dda i tithau hefyd ond heb y tropas!' Cofiaf amdano hefyd yn adrodd hanes marwolaeth ei fam ar ei enedigaeth ef a'i chwaerefell, Winifred. Fe'u bedyddiwyd dros arch eu mam – hen arfer Cymreig.

Pan gyrhaeddais yr ysgol ar fore cyntaf fy nheyrnasiad roedd tomen uchel o gofrestri, llythyron a dogfennau o'r Swyddfa Sir yn Aberystwyth yn fy nghyfarch. Ond ar ei draed, yn erbyn y stondin inc, roedd llythyr yn llawysgrifen fy nhad o bellafoedd byd – Chicago, os cofiaf yn iawn – yn cynnwys englyn:

Er moethau yr Amwythig, – yr hen sir
Hon sydd yn garedig;
Di-ail yw ardal y Wig –
Nef arall sy'n y Ferwig.
. . . neu ('Anfarwol yw y Ferwig')

Bedydd cynganeddol! Braf oedd dychwelyd i glyw'r tonnau, i glyw cân, sain ac englyn unwaith eto. Braf oedd clywed disgyblion yr ysgol, ac wyth o bob deg ohonynt yn siarad Cymraeg naturiol a graenus. A meddwl fod Jeremiah Jones, fy hen dad-cu a phatriarch y Cilie, wedi gofalu am efail 'ar ei liwt ei hun' gyferbyn â'r ysgol ar safle lle mae gardd Brynteg heddiw. Roedd yn lletya ar fferm Heolgwyddil. Ac i fyny'r ffordd roedd fferm Heol-las, lle bu 'mam-gu' Cilie – Mary George – yn forwyn. 'Yno,' meddai Isfoel, 'yr aeth fy nhad yn llanc un ar hugain oed, o dan fantell y tywyllwch i ymarfer ei seiens fel carwr, ac â swyn ei delynegion a'i ffraethineb di-drai, – yno y swynodd ac y denodd un o rianedd gorau'r wlad i gyfamod ag ef'. Roedd y rhod wedi troi yn gyfan.

Gofynnwyd i mi gan un o gymeriadau'r fro, Harold Williams, Ffynnon-cyff: 'Jones, a ody'ch chi'n graswr?' Hynny yw, a oeddwn yn ddisgyblwr? Penderfynais ar fy mhenodiad, ar ôl fy mhrofiadau annymunol fy hunan yn y peiriant addysg, y byddwn yn ceisio cyflwyno cynllun blaengar a chyfoes. Byddai iaith, bro a chenedl yn graidd – a cheisiwn gyflwyno profiadau i'r plant a fyddai yn eu hysbrydoli i siarad, ysgrifennu a chreu celf, er mwyn creu dinasyddion teilwng yn y dyfodol.

Cyngor y Parchedig T. Tegryn Davies i lawer a oedd yn cychwyn mewn swydd newydd, naill ai yn y pulpud neu mewn dosbarth ysgol, oedd: 'Paid â dilyn eraill, tor dy rych dy hunan!' Ceisiais ddilyn ei gyngor hefyd. A dyma englyn a luniais i 'Llwybr':

> Am fod rhigol i'r olion – ni chaf weld
> Rhych fy oes yn gyson;
> Rhodiaf i lawr hyd fy lôn
> Na ddilynodd olwynion.

Roedd ymroddiad ac arweiniad argyhoeddedig yn ysbrydoliaeth i'r plant. Roeddynt hwythau yn ymateb yn bositif i arweiniad o'r fath, a byddai'r cydweithrediad rhwng yr ysgol a'r cartref yn ennyn gwerthfawr-ogiad a pharch. Daeth disgyblaeth yn rhan o'r patrwm. Ac er imi awgrymu i'r plant fod gennyf becyn o wiail bambŵ (E. J. Arnold) yn y cwpwrdd, ni ddefnyddiais y gansen unwaith. Roedd llygad, ystum a chodi llais yn llawer mwy effeithiol, ac yn talu ar ei ganfed. A thrwy lafur cyson mewn gwaith difyr a diddorol a estynnai allu a chyraeddiadau'r plant nid oedd amser i felltith.

Dyma'r efengyl yn ôl Ysgol y Ferwig:

Yr addysg ddaw o'r priddyn, – yna'r had
chwilfrydig mewn plentyn
wna ganfod trwy'r swildod syn
o ble daw y blodeuyn.

I'r dalent ysbrydoliaeth – byd y cof
a byd cain barddoniaeth;
naws medr ag urddas a maeth
a noddi dinasyddiaeth.

A fues i yn llwyddiannus? Ni allaf ddweud. Ond roedd yn brofiad
hapus a boddhaol iawn.

Un bore daeth galwad ffôn i'r ysgol oddi wrth y Swyddog Addysg, Mr
Dave Williams, brodor o Nanternis, a wnaeth gyfraniad cyfoethog i ddat-
blygiad addysg yng Ngheredigion. Roedd ganddo amser i wrando, a chyngor
a chymorth i brifathrawon ac athrawon dosbarthiadau ieuanc dibrofiad.
Bu'n athro Mathemateg ei hun ac yn rhagluniaethol iawn ar staff Ysgol
Eilradd Henllan (wedi dyddiau'r safle fel carchar rhyfel). Cefais wahodd-
iad ganddo, yng nghwmni rhai athrawon eraill trwy Gymru gyfan, i
ymuno â Chynllun y Porth. Noddwyd y prosiect gan y Cyngor Ysgolion,
gyda Menai Williams yn arweinydd carismatig a Huw John Hughes,
Elfyn Pritchard a Maldwyn Thomas yn swyddogion maes brwdfrydig a
chyfeillgar. Neidiais ar y cynnig, ac yn ystod y blynyddoedd 1974-6
mynychais aml gynhadledd, gan gynnwys Coleg y Normal, Bangor, i
gyfarfod a thrafod y canlyniadau o fewn y dosbarth. Amcanion y cynllun
oedd cyflwyno deunydd crai o ryddiaith, storïau a barddoniaeth wedi eu
hysgrifennu yn arbennig gan awduron cydnabyddedig a fyddai'n gymorth
ffres i geisio gwella safon Cymraeg llafar ac ysgrifenedig yn ysgolion
cynradd Cymru.

Yng nghanol un o'r pecynnau roedd stori'r 'Allor' gan Dyddgu Owen
– hoff stori Menai Williams ac un a gydiodd yn fy nychymyg innau
hefyd. Roedd stori gariad Rhys a Meinir o Nant Gwrtheyrn hefyd yn
boblogaidd iawn gyda'r plant a'i diweddglo syfrdanol yn creu ias i'r
disgybl a'r athro. Ond 'Yr Allor' a ddaeth â'r bendithion mwyaf cyn-
hyrchiol ac annisgwyl, bendithion sy'n parhau heddiw, ddeng mlynedd ar
hugain o flynyddoedd ers ei chyflwyno.

Darllenais stori'r 'Allor' amryw o droeon. Hoffais ei chynllun, ei gwraidd a'i phosibiliadau. Ond ni chefais yr un teimlad, ar y pryd, y byddai rhagluniaeth yn ymyrryd, ac y byddai'r stori yn newid fy mywyd – er gwell.

Yr Allor

Clywais fraslun o'r stori hon gan ŵr croenddu yng nghanol yr adfeilion a adawodd Harri Morgan yn Hen Banama dros ddwy ganrif yn ôl. Mae'r allor erbyn hyn yn eglwys San José yn Ninas Panama, yn llenwi un mur o'r llawr i'r nenfwd, ac yn sgleinio o aur pur.

* * *

Closiodd y tri bachgen at ei gilydd dan gysgod y dail trwchus. Pistyllodd y glaw yn ddidrugaredd. Gwyddent yn iawn mai cysgodi neu golli'r ffordd drwy'r fforest anferth oedd eu hunig ddewis. Onid oeddynt wedi hen arfer â'r 'haul yn wylo'? Digwyddai hyn am ddwy awr bob canol dydd yn ystod tymor y glawogydd. Dwy awr pan oedd y glaw yn rhaeadru i lawr a'u dallu. Fel rheol, dyma'r adeg y byddent hwythau, fel y creaduriaid, yn syrthio i drwmgwsg. Ond nid heddiw!

Na, nid heddiw! Pwy a allai gysgu ar guldir Panama ar ôl clywed bod Harri Morgan a'i fôr-ladron wedi glanio?

Yn sicr, nid Raca, Arno a Mig! Onid hwy, y tri chwim eu traed, a ddewiswyd i ledaenu'r neges?

'Naw wfft i'r glaw ofnadwy yma,' meddai Mig.

'Naw wfft, neu beidio, oni bai amdano byddai'r fforest yn wenfflam, a'r giwed yn tanio eu ffordd o un môr i'r llall,' oedd ateb Arno.

'Tanio a gwaeth,' meddai Raca. 'Glywsoch chi beth ddwedodd y cychwr o'r Caribî? Dyna lle'r oedd o'n crynu, a'i lygaid mawr yn troi fel olwynion wrth ddisgrifio Harri . . .'

'Taw Raca!' Rhoddodd Arno bocrad iddo. 'Nid heddiw yw'r diwrnod o bob diwrnod i godi arswyd arnom.'

Sobrodd Raca. Yffach wyllt! Roedd Arno yn iawn, nid stori i godi gwallt pen o ran hwyl oedd hon.

'Rhaid inni ei symud hi cyn gynted ag y bydd y gawod yn arafu,' meddai.

'A mynd fel corwynt drwy ddinas Panama.'

'A chofiwch eich dau,' rhybuddiodd Arno, ''does dim dal pen-rheswm i fod, hyd yn oed â ffrindiau. Yr allor sy'n bwysig.'

Ochneidiodd y tri. Ie, achub yr allor oedd y broblem.

'Sut yn y byd mae cuddio allor?' holai Raca.

'A honno'n pelydru o aur fel haul mawr,' ychwanegodd Mig.

'A ninnau'n gwybod bod aur fel magned yn denu Harri a'i griw,' meddai Arno.

Gwyddai holl drigolion y culdir am yr allor anferth a oedd yn cael ei hadeiladu yn Abaty Awstin Sant – allor a oedd yn ymestyn o'r llawr i'r nenfwd – pob piler a chornelyn ynddi wedi ei gerfio'n gywrain, a'r cyfan wedi ei orchuddio ag aur coeth. Dyma fu testun pob sgwrs am fisoedd lawer. Oherwydd bod gan y tri llanc berthnasau'n gweithio ar dorri a llunio'r coed mahogani yn barod i'r seiri, buont yn ôl a blaen am wythnosau'n gwylio'r gweithgareddau. Byddent wrth eu bodd yn chwarae yn y siafins, ac yn naddu'r mân frigau. Nid oedd hyd yn oed y ceryddu cyson yn eu cadw draw, a hwyl iach oedd datblygu'r gamp o osgoi bonclust a siglad gan y gweithwyr.

Un diwrnod, a hwythau'n cael mwy nag arfer o flas tafod, daeth yr Abad heibio.

'Mae ar ben arnom!' meddai Raca dan ei wynt.

'Oes rhywbeth o'i le arnoch, fechgyn?' holodd gan edrych arnynt yn llym.

'Nagoes, Arglwydd Abad,' atebodd y tri gyda'i gilydd.

'Bechgyn bach diniwed, ai e?'

Gwridodd y bechgyn, a mwmial, 'Ie, Arglwydd Abad.'

'Os felly, dilynwch fi, mae gen i waith i fechgyn diniwed.'

Mynd oedd raid, dan drwyn y gweithwyr, heibio i weithdai anferth y seiri a'r crefftwyr.

'Rwyf am ichi syllu am eiliad ar waith y Brodyr sydd wedi cysegru pob dydd o'u bywyd er gogoniant i Dduw y Goruchaf,' meddai'r Abad.

Safodd y tri yn stond. Dyna lle'r oedd yr allor, ei cholofnau gosgeiddig yn codi fry, a styllod yma ac acw wedi eu gosod yn gelfydd i ddal y delwau sanctaidd, ac un rhan iddi yn barod wedi ei gorchuddio'n llwyr ag aur.

'Wel?' holai'r Abad.

'O!O!O!' meddai'r bechgyn gyda'i gilydd.

'Dyna i chi beth ydyw gwaith,' meddai'r Abad, 'ac y mae'n bryd i chithau wneud eich rhan.'

'Ni, Arglwydd Abad?' meddent yn wyllt, wedi dychryn am eu bywyd.

'Ie, chi, fy mechgyn diniwed, sy'n meddwl am ddim ond chwarae. Frodyr,' meddai mewn llais uwch, 'Rwyf am i'r tri llanc yma gael cyfrannu at waith yr allor.'

Wel, os oedd y bechgyn wedi dychryn, 'doedd hynny'n ddim i'r arswyd a oedd i'w weld yn amlwg ar wynebau'r Brodyr. Dechreuasant siarad ar draws ei gilydd –

'Arglwydd Abad! Arglwydd Abad! Bechgyn ofnadwy ydynt.'

'Clywais y seiri'n eu galw yn 'gnafon bach drwg'.'

'Dan draed, byth a beunydd, Arglwydd Abad.'

'Newydd ddymchwel tas gyfan o brennau mahogani mae'r tacle bach, a'r rheini wedi eu torri a'u gosod yn barod.'

'Oho!' meddai'r Abad, gan droi at y bechgyn. 'Dyna oedd ystyr y cerydd glywais i, ai e?'

Erbyn hyn roedd Arno, Raca a Mig yn barod i suddo i'r ddaear. Ni wyddent i ble i edrych. Trodd yr Abad at y Brodyr unwaith eto.

'Rhaid denu bechgyn fel yma i weithio trosom.'

'Ond, Arglwydd Abad . . .'

'Ie?'

'Meddeuwch i mi, arbenigwyr ydym ni, bydd y rhain wedi ein cymysgu'n lân.'

'Gall arbenigwyr wneud hefo rhywun i ddal ystyllen, i symud rhywbeth o'r ffordd, neu i negesa. Dyna'r cyfan rwyf yn ei ofyn.'

'Wancos! Hogiau!' sibrydodd Mig. 'Edrychwch ar wep y Brodyr.'

Torsythodd y tri wrth weld bod yr Abad yn mynnu cael ei ffordd ei hun. Ond buan iawn y torrwyd eu crib. Trodd atynt . . .

'Nawr,' meddai, 'dewch gyda mi i'r Capel er mwyn inni gael meddwl yn daer ar i'r Lân Forwyn eich gwneud yn deilwng i gyffwrdd â'r allor.'

Edrychodd y tri ar ei gilydd.

'Wedyn, i ffwrdd â chi i ailadeiladu'r das a ddymchwelwyd gennych. Dyna'ch cosb – chwysu tipyn, chwysu tipyn go lew.'

*   *   *

Ac fe gawsant chwysu, ddydd ar ôl dydd, ond er mawr syndod iddynt, drwy'r holl ymdrech, daethant i hanner-addoli'r Abad, ac i deimlo mai eu hallor hwy oedd yr allor aur.

'Fe hoffwn i roi nythaid o nadredd gwenwynig yng ngwely'r Harri yna,' meddai Mig.

'Miguel!' gwaeddodd Raca, gan ddynwared yr Abad. Chwarddodd y ddau arall. Dim ond yr Abad oedd yn eu galw wrth eu henwau priodol sef Miguel, Urraca ac Arnulfo.

Ar y funud, dyna sgrech aflafar, a fflach o goch a gwyrdd yn melltennu heibio.

'Mae'n llacio,' gwaeddodd Arno. 'Mae'r adar yn gwybod.'

Ond 'doedd dim arafu ar gur y glaw ar y dail. Edrychasant yn ddigalon ar y gwyrddlesni o'u cwmpas. Gwyrddlesni ar wyrddlesni fel cymylau o wyrdd golau, gwyrdd tywyll, melynwyrdd, glaswyrdd, piwswyrdd, pob gwyrdd dan haul.

'Tybed na allai'r hen fforest yma ddiogelu tipyn ar yr allor?' gofynnodd Arno.

'Y fforest?' chwarddodd Mig. 'Paid â siarad dwli da ti, a thithau'n gwybod yn iawn bod pob un o'r lladron yn hen law ar sarnu popeth. Buasent wedi lladd a llosgi eu ffordd drwy'r fforest ymhen dim.'

Ac meddai Raca, 'Wyt ti'n meddwl y buasai trigolion Dinas Panama wedi mynd i'r holl drafferth i baratoi derbyniad erchyll i'r criw pe bai'r fforest yn ddigon o amddiffynfa?'

Peidiodd y glaw yn sydyn, ac er bod y dail yn dal i ddiferu, a niwl poeth yn codi o'r ddaear, gallai'r bechgyn, o leiaf, weld y llwybr. Daeth taw ar bob sgwrs, cael digon o anadl i redeg oedd yn bwysig o hyn ymlaen.

*   *   *

Tri bachgen blinedig iawn a ddaeth maes o law i ben eu taith, eu gwynt yn eu dyrnau, eu traed yn llusgo a'r chwys yn rhedeg i lawr eu gruddiau.

'Yr Abad! Rhaid i ni gael ei weld ar unwaith!' meddent wrth y porthor.

'A chithau'n edrych fel tri babŵn! Dim peryg. Ymaith â chi . . .'

'Mae Harri Morgan ar ei ffordd yma.'

'Waeth gen i pe bai'r Pab ei hun – b-b-be ddwedaist ti, Mig? H-H-

Harri Morgan yn arwain ei fôr-ladron tua dinas Panama.
Deunydd prawf Cynllun y Porth.

Harri Morgan? Santa Maria! Wel, ewch! Ewch! Yn lle sefyll yn y fan yma . . .'

Ond yr oedd y bechgyn wedi diflannu. Daethant o hyd i'r Abad yn ei gell. Gwrandawodd arnynt heb gynhyrfu dim.

'Da iawn, fechgyn, da iawn,' meddai. 'Mae gen i gynllun. Ond inni gael digon o amser, a chan nad ydynt hyd yn hyn wedi cyrraedd Dinas Panama, gallwn, gyda bendith y Lân Forwyn, arbed yr allor. Ewch eich tri i ganu'r gloch fawr i alw pawb ynghyd.'

Ymgroesodd, a phenliniodd o flaen y groes fechan a grogai ar y mur. Aeth y bechgyn allan yn ddistaw.

'Sut yn y byd mawr y gall y Lân Forwyn achub yr allor?' holai Mig.

'Trwy ddanfon tân o'r nefoedd i ddallu'r lladron,' atebodd Raca.

'Twt lol! Tân yn wir! Gelli fentro os bydd rhywun yn danfon tân, Harri Morgan fydd hwnnw,' ebe Arno.

81

'Tân llosg iddo ef a'i griw!' Ciciodd Mig y pridd dan ei draed yn gawod am ben ei ffrindiau.

'Aros di, was!' meddai Raca gan godi ei ddyrnau.

Gafaelodd Arno yn y ddau. 'Y gloch, hogiau! Dowch!'

Druan o gloch yr Abaty! Ni chafodd y fath sioc yn ei dydd, a rhywsut roedd ei thinc fel pe'n teimlo'r ofn a oedd yn meddiannu'r hogiau. Pan gyraeddasant yr ystafell fwyta, y man cyfarfod, roedd yn amlwg fod y newydd wedi mynd fel tân gwyllt drwy'r gweithdai. Galwodd yr Abad am dawelwch.

'Frodyr,' meddai, ''does dim angen i mi bwysleisio ein hargyfwng. Mae arnom ddiolch arbennig i'r bechgyn am eu hymdrech lew i'n rhybuddio. Mae cael digon o amser yn bwysig i weithredu'r cynllun sydd gennyf. Gwn fod trigolion y ddinas yn ffyddiog y gallant wrthsefyll y môr-ladron. Mae'r teirw . . .'

Chwarddodd pawb. Gwyddent fod dinasyddion Panama wedi bod wrthi'n ddyfal yn corlannu cannoedd o deirw yn barod i'w gollwng yn un haid i ganol y lladron.

'Ond,' meddai'r Abad, 'rhaid inni wneud mwy na dibynnu ar y ddinas, ac ar hap brwydr i achub ein hallor! Ofnaf y gallwn gymryd yn ganiataol y daw Harri Morgan yma.'

Dechreuodd pawb siarad yn wyllt drachefn.

'Ond sut?' 'Pa fodd?' 'Pwy a all guddio allor?' 'Mae'n amhosibl.'

Galwodd yr Abad am ddistawrwydd.

'Amhosibl,' meddai sawl un ohonoch. 'Does dim yn amhosibl ond cael bendith yr Hollalluog. Mae'r ateb i 'Sut?' a 'Pha fodd?' yn syml. Gallaf ei roi i chi mewn un gair – GWYNGALCH.'

'Hanner munud,' meddai'r Abad wrth glywed y siarad yn ailddechrau. 'Rhaid gorchuddio pob un modfedd o'r allor â gwyngalch, a gofalu na fydd y tamaid lleiaf o aur yn dangos.'

Sôn am weiddi a churo traed a dwylo. Neidiodd y bechgyn i fyny ac i lawr, wrth eu bodd, nes i Mig lanio ar droed un o'r Brodyr, a chael anferth o fonclust!

*   *   *

Wel, i dorri tipyn ar y stori hon, cafodd yr Abad a'r Brodyr dros dair wythnos i baratoi. Gwyngalchwyd yr allor. Cludodd y bechgyn styllod a phlanciau salw a'u gosod i bwyso arni. Buont hefyd yn plastro naddion a siafins drosti yn dyrrau anniben. Wedi i'r Abad esbonio y buasai'r lladron yn amau Abaty heb drysorau, ni wnaed ymdrech i guddio dim ohonynt.

Cafodd y môr-ladron daith ofnadwy drwy'r fforest drofannol, gan fod y trigolion wedi gofalu na fyddai unrhyw fath o fwyd iddynt. Buont naw niwrnod cyn cyrraedd y ddinas yn ddiflas a blinedig.

Yn disgwyl amdanynt, wele'r milwyr a'r teirw, ond am ryw reswm gwylltiodd y teirw a charlamu'n ôl i ganol y milwyr. Ymhen dwy awr roedd y frwydr drosodd, a Harri a'i griw wedi ennill y dydd, ond yn rhy flinedig i elwa ar eu buddugoliaeth.

Gwelodd Capten Harri Morgan ar unwaith fod y ddinas yn llawn o drysorau gwerthfawr, a rhoddodd orchymyn llym nad oedd yr un o'i griw i gyffwrdd â gwin na diod gadarn, gan fod y trigolion, meddai, wedi eu gwenwyno. Cynllwyn o dwyll oedd hyn i gadw'r morwyr yn ddigon sobr i ladrata, ac i lwytho'r mulod a oedd yn mynd i gario'r ysbail drwy'r fforest.

Do, fe ddaeth Harri Morgan a rhai o'r morwyr i Abaty Sant Awstin. Y morwyr a ddaeth i mewn yn gyntaf gan floeddio.

'Bwyd! Gwin a rhagor o win! Symudwch!'

Rhedodd y Brodyr i lenwi'r byrddau. Pan welodd y lladron y gwin coch, aeth y demtasiwn yn drech na hwy. Cipiasant y costrelau a dechreuasant yfed a lowtio 'cyn i Harri ddod i'r golwg', meddai un.

'Twt-y-baw' â'r Harri,' meddai un arall.

Pan gyrhaeddodd Harri a'r Mêt roeddynt yn feddw gaib a rhai ohonynt yn rhochian chwyrnu.

'Gad iddynt, Seilas,' meddai Harri. 'Cawsant amser caled.'

''Does yna yffach o ddim yn werth ei ddwyn o'r twll llygoden yma,' meddai hwnnw.

'Dim ond cysgod dros nos rhag y fforest felltith yna. Mae hynny'n rhywbeth. Er mwyn popeth gofala bod y rhain ar eu traed yn fore inni gael ei throi hi tua'r môr.'

'O'r gore, Capten,' ebe'r Mêt.

Ar flaenau eu traed aeth Mig, Raca ac Arno fel cysgodion i'r gegin. Anodd iawn oedd cysgu oherwydd y chwyrnu yn yr ystafell fwyta am y pared â nhw. Ond rhaid eu bod wedi hepian hefyd oherwydd fe'u deffrowyd gan lais cras yn gweiddi.

'Pry llwyd i dy weld, Harri.'

Gan fod agen gyfleus rhwng un o'r styllod yn y pared, rhedodd y bechgyn i gael cip ar y 'pry', ac er mawr fraw iddynt dyna lle'r oedd yr Abad yn sefyll yn dawel.

'A phwy wyt ti, bry llwyd?' gofynnodd Harri.

'Myfi yw'r Abad, pennaeth yr Abaty hwn lle cefaist ti a dy griw loches dros nos.'

Dechreuodd y criw symud a throi o gylch y byrddau, eu llygaid yn gochion, a'u gwallt a'u barfau yn anniben iawn.

'Lloches, myn yffach i,' gwaeddodd un ohonynt.

'Creadur pader ydi hwn,' meddai un arall yn gellweirus.

'Beth am weddi fach, hen ŵr?'

'Rwyf eisoes wedi gweddïo drosoch,' meddai'r Abad. 'Gweddïo am wynt teg a mordaith ddibryder i chi gael dychwelyd yn ddianaf.'

Distawodd y criw gan giledrych ar ei gilydd, a gwelodd y bechgyn fod dau neu dri ohonynt yn eu croesi ei hunain yn slei bach.

'Deuthum yma i mofyn y tâl dyladwy am fwyd a gwin.'

Chwarddodd y lladron yn aflafar. Dyma beth oedd hwyl ben bore Gofyn i Harri Morgan am dâl! Harri Morgan o bawb! Gwelwodd y bechgyn. Ond, er mawr syndod iddynt, cododd Harri ar ei draed.

'Dyna ddigon,' taranodd. 'Nid yn aml y bydd unrhyw un yn gweddïo trosom – er,' ychwanegodd yn feddylgar, 'fe wn i am un yng nghyffiniau Llanrhymni hefyd.' Daeth golwg bell i'w lygaid am eiliad. Yna gwaeddodd – 'Seilas, tafl gwd o arian iddo. Be' wnei di gyda'r llond cwd o arian, bry llwyd?'

'Prynu coed i orffen adeiladu'r allor,' atebodd yr Abad ar unwaith.

'Ho! ho!' chwarddodd Seilas. 'Arswyd y byd! Yr allor, wir! Welaist ti yn dy ddydd un 'mor salw, Harri? Pam oeddet ti yn ei gwyngalchu, hen ŵr?'

'I gadw lladron draw,' atebodd yr Abad.

'Chwarddodd y môr-ladron yn groch. Ond bloeddiodd Harri: 'Dim rhagor o loetran. Bant â chi! Dau gant o fulod i'w llwytho a chithau'n whilibawan yma. Symudwch!'

Ar ei ffordd allan moes-ymgrymodd yn ddigon cwrtais i'r Abad, ond esgus gwneud hynny a wnaeth Seilas.

'Hwyl i ti'r cythraul bach!' meddai. 'Y nef a helpo unrhyw leidr fyddai angen lladrata dy styllod a dy siafins di.'

Prin yr oedd y bechgyn yn gallu dal wrth eu gweld yn diflannu'n dyrfa rwgnachlyd i'r fforest. Yn wir, nid oedd y rhai olaf o'r golwg cyn iddynt ddechrau pwffian chwerthin a chwerthin a chwerthin yn un hylabalŵ fawr.

'Y p-p-pry llwyd!' ebychodd Mig.

'St-st-styllod a siafins,' gwichiodd Raca.

'G-g-gwyngalch!' ebe Arno, 'a'r Abad yn dweud y gwir bob gair! Hei fechgyn! Beth am fynd i weld yr allor, ein hallor ni, ein hallor aur ni?'

Ffwrdd â hwy gan redeg a neidio a gweiddi'n orfoleddus, a rhuthro i mewn fel ergyd o wn. Sleidio a stopio'n stond. Ar ei liniau yn y siafins o flaen yr allor, wele'r Abad yn gweddïo'n ddwys. Cripiodd y bechgyn allan.

'I bwy mae diolch?' gofynnodd Mig. 'I'r Lân Forwyn? Neu i'r Holl-alluog? Neu i'r Abad?'

'I'r tri,' meddai'r ddau arall gyda'i gilydd.

*   *   *

Môr-leidr yn gorfod 'cerdded y planc' ar ôl cyflawni trosedd. Pe cwympai i'r môr fe'i gadewid i'w dranc. Ambell waith fe'i tynnid o dan *keel* y llong. Dim ond y cryfaf a fyddai'n goroesi cosb o'r fath. Deunydd prawf Cynllun y Porth.

85

Roedd stori gyffrous am fôr-ladron hyd yn oed yn creu argraff ar y merched. Mewn gwers gelf crewyd lluniau a masgiau trawiadol o fôr-ladron. Gwisgai'r capten het ddu fawr wedi ei haddurno â phlu lliwgar, trowsus pen-glin, byclau arian ar sgidiau sgleiniog a phistolau a chleddyf am ei wregys. Roedd y morwyr cyffredin mewn bandanas, patsys duon dros lygaid, clust-dlysau, cyllyll rhwng eu dannedd gwynion wrth ddringo'r mast, bachyn fel llaw a chistiau gorlawn o drysor. Gwnaethpwyd murlun mawr dros un o furiau'r ystafell.

Cawsom hwyl fawr yn trafod y stori. Roedd digon o gyfleon i'r plant ac i minnau actio – os actio oedd hynny! – a chofiaf amdanaf yn hercian dros estyll yr ystafell â brws dan fy nghesail, parot clwt ar fy ysgwydd, un goes wedi ei thorchi o'r ben-glin dan fy nghot, bachyn mewn un dwrn a chleddyf plastig rhwng fy nannedd. Ofnwn y byddai arolygwr, neu un o swyddogion Cynllun y Porth neu'r rhieni, yn dod drwy'r drws ac yn fy ngweld yn perfformio. Roedd y plant wrth eu boddau, a minnau hefyd, o gael bod yn blentyn unwaith eto. Rhestrais a newidiais yr eirfa dafodieithol anodd ond teimlwn fy mod wedi gwneud cyfiawnder â stori Dyddgu Owen.

Ond ar ddiwedd y gwersi, roedd rhywbeth ar goll. Roedd wynebau'r plant yn ddryslyd ac yn dangos amheuaeth, fel pe baent heb ddeall popeth. Roedd rhyw ddarn o'r stori yn achosi penbleth iddynt ac roeddwn i, fel athro, wedi cymryd un elfen bwysig yn ganiataol. Gwers dda ynddi ei hunan! Pan gaeais y llyfr, fe'm trawodd ar unwaith. Dywedais rywbeth fel 'Dyna stori ddiddorol. Yr Allor. Rydych i gyd, siŵr o fod, yn gwybod beth yw allor?' Ni chlywais siw na miw. Ni chodwyd yr un fraich ac ni ddangoswyd yr un awydd i ateb y cwestiwn – am ychydig. Ni wyddent beth oedd ystyr y gair 'Allor'. Plant o gefndir Anghydffurfiaeth grefyddol oedd y rhelyw – plant o gapeli'r Annibynwyr yn Ffynnonbedr a Chapel Mair, plant o gapel Blaencefn y Methodistiaid a phlant o gapel y Bedyddwyr yn Siloam. Yno hefyd yr âi'r rhan fwyaf o'r plant, gan gynnwys eglwyswyr, lle cadwai Sam Owen ysgol Sul lewyrchus iawn. Yn eu harddegau dychwelent i'w capeli a'u heglwys unwaith eto.

Ymhen tipyn o amser daeth ateb ansicr ei naws o gyfeiriad annisgwyl, a brofodd i fod yn her ac yn gychwyn i'r holl stori ryfedd yma.

''Dwi ddim yn credu, syr, fod allor i ga'l yn ein capel ni!' Fe'm syfrdanwyd gan naturioldeb yr ateb. Roedd yn cynnwys athroniaeth, diwinyddiaeth a gwirionedd mawr. Ond o enau plentyn roedd yn cyfleu

rhyfeddod yn ei ddiniweidrwydd. Daeth rhagor o atebion yn ei sgil . . .
'Bocs mowr yw e ym mhen draw'r eglwys.' . . . 'Mae ffens yn groes yr
eglwys a iet fach ynddi. Mae'r 'ffeiriad yn cloi'r iet â phâr a 'does neb yn
cael ei ddilyn. Mae e owt o bownds.' . . . 'Mae'r 'ffeiriad yn troi ei gefen
ar y crowd ac yn siarad â fe'i hunan wrth y ford. Mae hynny yn ddifaners
siŵr o fod! Roedd neb yn 'i ddeall!' . . . 'Roedd canhwyllau yn llosgi ar y
ford amser y cwrdd diolchgarwch.' . . . 'Wedd llien pert arno.' . . .
'Glywes i sôn am allor yn stori Abraham ac Isaac amser y Pwnc'.

Yr ateb syml fyddai tywys y plant at y geiriadur. Ond ni fyddai hynny
wedi eu disychedu nac wedi egluro'r ystyr. Rhaid oedd cyflwyno prof-
iadau i'r plant a fyddai yn eu hysbrydoli ac yn eu hysgogi i ddefnyddio
eu synhwyrau i siarad, sylwi, ysgrifennu, teimlo a chreu. Trefnwyd taith
addysgiadol i bump o eglwysi – Eglwys y Mwnt; Eglwys Sant Pedrog,
Y Ferwig; Eglwys Gatholig Mair y Tapir, Aberteifi; Eglwys Manordeifi;
Eglwys y Carcharorion, Henllan.

Rhoddwyd sicrwydd i'r rhieni y byddem yn cymryd y gofal mwyaf o'r
plant, a'n bod wedi dewis cerbyd diogel a gyrrwr gofalus. Nid oeddwn
dan ormes a thrymlwyth ffurflenni, yswiriant a goblygiadau Deddf
Iechyd a Diogelwch a goruchwyliaeth yr heddlu – fel mae pethau heddiw!
Trefnwyd pecyn o frechdanau amrywiol, ffrwythau, creision a sudd
ffrwyth i'r plant a ffwrdd â ni ym mws mini Hywel Davies, Gwynfro, yn
brifathro ieuanc, heini a charfan o blant wedi cyffroi i'r byw. Hanfod pob
taith yw cael ychydig geiniogau ym mhob poced i brynu losin a phresant
i mam! Nid oedd y daith a restrwyd yn mynd i gynnig y cyfleusterau
arferol. Ond diau yr aem heibio i siop yn rhywle ac aros!

*   *   *

Deunydd prawf oedd stori Dyddgu Owen, 'Yr Allor'. Profodd y
dafodiaith ogleddol a sialens yr eirfa yn rhwystr i raddau. Ond nid oedd
yn broblem, oherwydd defnyddiais eirfa leol (y Ferwig) yn ystod y
darlleniadau. Roedd geiriaduron y plant wrth law a hawdd oedd aralleirio
ambell ran ac actio golygfa i geisio parhau â rhythm a mwynhad y stori
i'r gwrandawyr.

Roedd geirfa'r stori wreiddiol yn uchelgeisiol, yn enwedig mewn

ysgol wledig lle'r oedd oedran y plant yn ymestyn o 8 i 11 o fewn un
ystafell. Er i mi drefnu gwaith grwpiau, addaswyd y stori. Cawsom fudd
mawr ohoni a chynhwyswyd hi yn y fersiwn gorffenedig o Gynllun y
Porth oherwydd ei phoblogrwydd gydag athrawon a phlant yn ôl yr hol-
iaduron.

∗   ∗   ∗

Y 'sgwlyn' yn ymweld â thraeth y Mwnt ar ôl storm arw ac yn dangos morlo marw
(drewllyd) i'r plant. Roedd yr ymweliadau cyson â gwahanol leoedd yn yr ardal yn
ysgogi dychymyg y plant yn yr ymarferiadau ysgrifennu creadigol a geid yn yr ysgol.

Alun, Ian, Gregory, Helen, Ann, Delyth, Eleri, Siân a Meirion wedi casglu gwrec y storm ar draeth y Mwnt – er mwyn paratoi ar gyfer ymarferiadau ysgrifennu creadigol.

Y prifathro a'i ddisgyblion yn paratoi gweithgareddau addysg astudiaethau o'r amgylchedd y tu allan i eglwys hynafol y Mwnt.

Y Pum Allor

Eglwys y Grog

Eglwys hynaf Ceredigion yw Eglwys y Grog, y Mwnt, ac mae'r adeilad yn deillio o'r bedwaredd ganrif ar ddeg. Bu'n wyngalchog am gyfnod hir, bellach mae'n arddangos gwawr binc yn y machlud. Mae'n swatio fel cwningen fechan o dan gysgod y Foel, bryn symetrig ond beiddgar yn nannedd yr elfennau, a wisgai unwaith groes fawr ar ei gopa. Mae'r twmpathau eithinog fel breichled aur am ei wddf a'i feinciau yn gartref aml i bysgotwyr gwiail môr. Mae mur yn amgylchynu'r addoldy fel hen glas a'r fynwent yn arddangos hirhoedledd trigolion y Mwnt. Cofiaf weld carreg fedd Wil y gwas (99 oed) ac un arall i'w wraig (101 oed). Diau y cysylltir cyfartaledd uchel oedran preswylwyr y fynwent, sydd yn y pedwar ugeiniau uchel (85%), â geiriau un wág o'r fro – 'Daw'r cwbwl lawr i'r cwrw cartre ac awelon y môr'. Gerllaw mae olion hen stabl lle clymid ceffylau'r addolwyr.

Ac yn hongian yn y clochdy mae'r gloch (a fowldiwyd o chwith) wedi i'r un flaenorol ddiflannu am flynyddoedd. Apeliodd y stori yma at y plant a gwahoddwyd T. Llew Jones i'r ysgol i drafod ei tharddiad â'r plant. Ysgrifennodd yr awdur stori arbennig a'i chynnwys yn ei lyfr *Lawr ar Lan y Môr*. Mae'n debyg i wraig fferm gyfagos (y Bigni) ei defnyddio wyneb i waered fel crochan i ddal llaeth enwyn.

Y tu mewn i Eglwys y Grog sylwodd y plant ar y muriau gwyngalchog, y trawstiau cedyrn a'r grisiau a arweiniai i'r hen lofft. Dysgodd y plant hefyd am yr arferion o dderbyn Cymun ar eu sefyll, yn lle penlinio, a hefyd 'rhoddir ceiniog yr un, dim mwy a dim llai, adeg yr offrymiad!'

Lluniodd T. Llew Jones ddau englyn i'r eglwys, 'Yn Hen Eglwys y Mwnt':

> Diysgog gartref crefydd, – hen le'r mawl
> Uwchlaw'r môr a'i stormydd,
> Sêl y saint i'w seiliau sydd,
> Grym y Gair yw'r magwyrydd.

> Addurnwaith celfydd arni – ni welir
> Nac ôl dwylo'r meistri;

Dim ond sylwedd tŷ gweddi
A harddwch ei heddwch hi.

Trwy roi i'r plant y profiad o sylwi ar yr allor a chyffwrdd â hi a
thraethu am bwrpas ac ystyr allor (lle'r aberth), byrlymodd yr eirfa, fe'u
trochwyd mewn geirfa newydd a bu'r gwaith dilynol yn gyfoethog ei
amrywiaeth a'i ansawdd . . . 'Mae'r allor yn oer ac yn llyfn – fel carreg
fedd,' meddai un disgybl.

Cynhelir Gwasanaeth y Plygain o hyd yn yr eglwys fach, am chwech
o'r gloch fore'r Nadolig, yng ngolau canhwyllau. Ac yn yr haf cynhelir
gwasanaethau awyr-agored. Priodwyd y seren 'Becs' yno yng Ngorffennaf
2004. Dychwelwyd i draeth y Mwnt ar amryw o achlysuron – yn enwedig
wedi rhyferthwy storom fawr o'r Atlantig. Cesglid y broc môr oddi ar y
tywod melyn a chynhelid sesiynau o ysgrifennu creadigol yn y fan a'r lle.
Synnais at ymateb y plant.

Eglwys Sant Pedrog

Cyn ymweld ag Eglwys Sant Pedrog, ym mhentre'r Ferwig, gwahoddais
y Parchedig Emrys Jones (tad-cu dau o'r disgyblion, Annette a Lloyd
Jones, a chyn-ficer Llanfihangel-rhos-y-corn a Llandygwydd) i ddod i
gyfarfod â ni. Wedi'r cyfan, onid oedd y plant wedi sôn fod rhaid cael
caniatâd i fynd trwy'r gât yn y ffens yn groes i ganol yr eglwys? Dis-
grifiodd ein tywysydd ystyr ffurf yr eglwys, lleoliad y fedyddfan ac
agorodd y gât a gwahodd y plant ymlaen at yr allor. Cododd y lliain
hardd a chafodd y plant ddringo trwy ei hestyll pren. Dangoswyd llestri'r
Cymun iddynt ac esboniwyd ystyr sacrament y bara a'r gwin a chynnau
canhwyllau. Ni fyddai allor byth yr un peth eto i'r plant nac i'w prifathro.
Meddai T. I. Ellis eto: 'Pedrog yw nawddsant yr eglwys hon, a dim ond
dwy lan arall yng Nghymru sy'n arddel ei enw; Llanbedrog yn Llŷn a St
Petrox yn ardal Castell Martin yn neau Penfro'.

Yr oedd yr eglwys nesaf yn dra gwahanol i'r ddwy flaenorol, ac yn
wahanol iawn i'r addoldai anghydffurfiol a thraddodiadol Cymreig a
fynychai'r plant a'r prifathro.

Eglwys Gatholig Mair y Tapir, Aberteifi

Dyma ddarnau o ddyddiaduron Annette Jones, Carys Davies, Aled Davies
a Gareth Wyn (9 oed, Mai 1976):

91

'Aethom ymlaen i eglwys Gatholig Aberteifi ym mws Hywel Davies, Gwynfro. Roedd y tywydd yn braf a heulog gyda chawodydd. Enw'r offeiriad oedd y Tad Seamus Cunnane. Cawsom groeso cynnes ganddo. Roedd llawer o gorneli i'r eglwys ac roedd y to wedi cael ei wneud o gopor a'r muriau o friciau coch-brown. Wedyn aethom i weld yr allor. Bues yn cyffwrdd â'r llechen, ac yr oedd yn ddu, yn llyfn, yn galed ac yn gynnes. Dywedodd y Tad Cunnane wrthym fod y garreg yn dod o Fethesda, yng ngogledd Cymru, a bod dyrnaid o bridd o Jeriwsalem wedi'i roi rhwng y llechen a'r concrit. Yr allor oedd y peth pwysicaf yn yr eglwys. Roedd lliain gwyn dros yr allor a chwe channwyll arno. Yn y dechrau roedd gan y Tad Cunnane £812, ond roedd yn rhaid gadael yr hen eglwys i adeiladu ffordd newydd. Cyn adeiladu eglwys newydd roedd eisiau rhagor o arian. Ysgrifennodd y Tad Cunnane 25,000 o lythyron apêl a chasglodd £83,000 o arian. Cafodd y cynllunydd swm mawr. Costiodd yr eglwys £92,000 i gyd.

... Ar y chwith i'r allor roedd yna bulpud a ffwrwm ac ar y dde roedd golau coch a chroes bren. Ambell waith mae babanod yn llefen yn y cwrdd, ac mae'n rhaid i'r Tad Cunnane siarad trwy

Cysegr Eglwys Gatholig 'Mair y Tapir', Aberteifi.

feicroffôn. Yn y cefn roedd yr organ o bren cyffredin a channwyll fawr y Pasg wedi ei cherfio o bren mahogani o'r Affrig gan Mr Brunner o Lechryd. Pan oedd rhywun eisiau gweddïo yn dawel byddent yn mynd i'r capel bach tu allan ac yn penlinio o flaen cerflun o Iesu Grist a Mair Forwyn. Roedd cannwyll yn cynnau yno hefyd ond byddai'r Tad yn ei diffodd yn y nos. Os byddai rhywun yn gwneud drygioni byddent yn mynd i'r 'Ystafell Gyffesu' a dweud wrth y Tad beth roeddynt wedi'i wneud. Pen-liniodd Aled ar y clustog a daeth golau coch ymlaen uwchben y drws a'r geiriau – 'Occupied'. Mae cloch yn canu yn ystafell y Tad Cunnane ac mae e'n dod draw i wrando trwy'r 'grill' yn wal yr ystafell. Cyffesodd Aled ei fod wedi pinsio Eleri fel sbort ar iard yr ysgol.

. . . Y tu allan i'r ysgol roedd cwrt i'r bobl gael lle i glonc fach ar ôl y gwasanaeth. Roedd gan y Tad Cunnane sêff i ddal tlysau'r aelodau, a chwpwrdd arbennig i ddal ei ddillad lliwgar yn yr ystafell lle'r oedd yn gwisgo. Ar gefn y dillad gwelais y llythrennau 'I. H. S.', y tair llythyren gyntaf o enw Iesu Grist yn yr iaith Groeg. Y tu allan, mae cerflun pren o Iesu Grist yn cael ei groeshoelio ac arno y mae ysgrifen mewn tair iaith – Lladin, Groeg ac Aramaeg, iaith Iesu Grist. Mae'r Tad Cunnane wedi bod yn Aberteifi am dair blynedd ar ddeg a'i ardal yn ymestyn o Geinewydd i Drefdraeth.'

Hen Eglwys y Plwyf, Manordeifi

Roedd croesi afon Teifi dros bont hynafol Llechryd a'i chynllun unigryw yn fynediad trawiadol i'r gorffennol. Ymlaen o'r newydd i'r hen ac amrywiaeth thema yn gymorth i ddal diddordeb y plant. Aethom heibio i fynedfa Castell Malgwyn a'i gysylltiadau â theulu Gower a chricedwr enwog Lloegr, David Gower. Cyfeiriwyd at wely hen gamlas ar y dde a arferai gario mwyn haearn i'r hen weithfeydd. Y tu hwnt i afon Teifi mae ffordd 'anaddas i gerbydau hirion', ac ar ei glannau gwelir deri cnotiog hen a helyg yn ymgrymu'n ddefosiynol i'r fam afon. Ymhen milltir safai hen eglwys blwyf Manordeifi ar godiad tir ychydig uwchben y dolydd breision ac ar waelod coedwig sy'n rhedeg ar hyd llechwedd y cwm. Mae ei gwneuthuriad o garreg lwydlas chwareli Cilgerran yn ychwanegu at ei ffurf gadarn. Saif ar hen sail eglwys Geltaidd (600 O.C.), a oedd wedi ei chysegru i Sant Llawddog. Fe'i hailgysegrwyd i Sant Lawrence gan y

Y tu mewn i Eglwys Dewi Sant ym Manordeifi, ger Llechryd.

Normaniaid ac yna i Ddewi Sant. Yn y 1960au fe'i hadferwyd o'i chyflwr truenus a achoswyd gan ymosodiadau ystormydd a llifogydd. Adeiladwyd to newydd iddi gan ddefnyddio llechi o eglwys Bridell ar yr ochr ogleddol a llechi cyfan Cilgerran ar yr ochr ddeheuol.

Tynnwyd sylw'r plant at y sticil (camfa) lech wrth y fynedfa cyn ymlwybro ymlaen trwy fynwent ddiddorol. Roedd llawer o'r cerrig beddau hynafol yn gwyro yn ansicr i bob cyfeiriad a rhai colofnau wedi

94

eu hamgylchynu gan reiliau haearn. Ar un adeg cleddid gweddillion dynol y tu fewn i'r eglwys. Ymhlith y cofebau gwelir un i'r bardd a'r llenor Alun (y Parchedig John Blackwell), 1797-1840, a fu'n offeiriad ar Fanordeifi. Taflwyd llygaid i fyny at y clochdy lle crogai cloch arbennig.

Agorwyd y drws deri trwm gan wrando ar ei wichiadau. Arwydd o henaint, meddai'r plant. Cytunais. Ac i mewn â ni i gapsiwl o'r gorffennol . . .

'Pam maen nhw'n cadw cwrwgl wrth y drws mewn eglwys?'

'Mae drysau uchel i'r corau a dwy wardrob fan hyn!'

'Edrychwch! Mae fflags cerrig ar y llawr, 'run peth â'r llaethdy ar fferm dad-cu.'

'Sdim lectric 'ma, a beth yw'r rhain ar ben y corau?'

'Mae rhaff yn hongian o'r twll yn y siling.'

Gwelai'r plant chwilfrydig ryfeddodau ym mhob twll a chornel. Ogof drysorau yn sicr. Ac, wrth gwrs, roedd fy nghyn-ymweliad â'r eglwys wrth baratoi'r daith wedi talu ar ei ganfed, wrth imi geisio ateb eu cwestiynau.

Ganrifoedd yn ôl llifai cwrs afon Teifi yn agos at yr eglwys a llithrai dyfroedd ei llifogydd i mewn i'r eglwys yn aml. Bellach newidiwyd ei chwrs ond eto ym 1987 wedi glaw trwm roedd dan ddŵr unwaith yn rhagor, oherwydd i dirlithriad o dan bont Llechryd atal ei llif a chreu argae a boddi'r dolydd cyfagos. Yn yr hen amser ac o fewn cof, rhoddwyd y llyfrau gweddi a'r Beiblau yn y cwrwgl i'w diogelu. Ac arferai llestr enwog Bernard Thomas, a ddefnyddiodd i groesi'r Sianel rhwng Lloegr a Ffrainc, fod yn yr eglwys, cyn iddo gael ei ddwyn – yn ddiweddar. Cofnodwyd enw Bernard yn llyfr Guinness fel y dyn cyntaf i groesi'r Sianel mewn cwrwgl yn y cyfnod diweddar. Cawsom ymweld â'i dŷ a'i weithdy wrth ddychwelyd.

Adeiladwyd y corau yn unigol gan grefftwyr lleol gan barchu gofynion yr aelodau, ac mae eu cynllun a'u ffurf yn newid yn ôl cefndir a safle cymdeithasol y teuluoedd. A drws oedd y 'wardrob' a ddaliodd sylw'r plant, a hwnnw dros saith troedfedd o uchder, yn arwain i un côr a seddau ar dair ochr yng nghefn yr eglwys.

Ym mlaen y gangell roedd dau gôr gyferbyn â'i gilydd, llefydd tân unigol a oedd yn eiddo i deuluoedd Ffynonnau, Pentre a Clynfiew – ac ar y muriau gwelid cofebau marmor i aelodau teuluoedd Saunders Davies, Lewis a Colby. Cynheuid tanau glo braf yn ystod y gwasanaethau a diau yr âi rhai o'r byddigions i gysgu dan effaith y bregeth, y gwres a'r 'port' wedi cinio sylweddol. A fu rhai yn smygu pib glai cyn i'r offeiriad ymddangos? Rhyfeddodau yn wir, a hanes byw i'r plant. Crewyd drama fer. Darllenwyd o'r pulpud tra oedd y sgweier yn procio'r tân a'r gweision a'r werin yn rhewi yn y cefn. Cawsom brofiadau cyfoethog i'w datblygu yn y dosbarth.

Eglwys y Carcharorion, Henllan

Ac er mor ddifyr fu'r daith, roedd hufen iâ, losin, brechdanau a coca-cola wrth ben rhaeadrau Cenarth yn brofiad ynddo ei hunan.

Teithiwyd ymlaen trwy Gastell-newydd Emlyn, ar ddiwrnod mart, a'r cloc wedi taro naw, heibio i Bentrecagal a Phlas Dolhaidd i gyffordd Henllan. Taith debyg i'r un a gafodd y Parchedig D. Gwyn Evans –

> Dros gulbont afon Teifi,
> Y fro dlos a'i hyfryd li,
> Tua'r carchar y cyrchais
> A hwnnw'n llwm heb un llais.

Yn syllu arnom, yn hanner cuddiedig yn y deiliach, fry ar y graig uwchben y ffordd roedd 'pill-box' concrit yn gwarchod y bont. Yr un benglog â'i socedau duon a ddefnyddid yn y 1940au yn ystod y Rhyfel.

Y 'pill-box' concrit sy'n gwarchod pont Henllan – 'Concrid i barch a choncrid i amarch' (W. J. Gruffydd, Elerydd). Llun o waith Alun Wynne.

A'r un benglog ag y sylwodd y bardd, y Parchedig W. J. Gruffydd, arni. Tynnais sylw'r plant ati. Byddem yn defnyddio'r ddelwedd eto.

O droi'r gornel daeth y 'carchar' i'r golwg. Ac roedd gan y plant syniadau am le felly – muriau uchel, tyrau gwarchod, llifoleuadau a thorchau o weiren bigog dros y lle. Ond nid lle felly oedd e bellach! Roedd y safle, sy'n stad ddiwydiannol ers y chwedegau, yn agored a'r lawntiau porfa cymen yn addurno'r clwstwr o adeiladau bric a choncrit. Ar bwys tŷ'r perchennog roedd bariwns coch a gwyn streipiog fel darn o roc, a thu hwnt, un tŵr cymharol uchel a arferai storio'r dŵr, ynghyd â charafanau a defaid yn pori. Ni ddaeth y plant o hyd i eglwys. Dyma'r lle diwethaf yn eu tyb hwy i weld adeilad tebyg i'w capeli a'u heglwysi.

Tywysais y plant gan sefyll o flaen cefn un adeilad cegrwth ei olwg. Roedd yr elfennau wedi crafangu, bwyta a rhwygo'r muriau ffelt allanol gan greu creithiau hyll. Roedd y to asbestos a'i batrymau o fwswg a chen yn gwasgu'n drwm ar ei furiau blinedig. Cyn dyddiau Bob Thompson, y perchennog, roedd fandaliaid ac anifeiliaid, yn ogystal â'r tywydd, wedi ysglyfaethu arno. Trwy'r ffelt bregus, y tyllau yn y ffenestri a'r gagendor rhwng y lloriau concrit a'r muriau, ymdreiddiai bysedd y drain a'r iorwg. Roedd yn wyrth ei fod ar ei draed o hyd. Cwympodd ei gyd-adeiladau ers blynyddoedd. Pam roedd y caban hwn mor ystyfnig a phenderfynol?

Bu'r safle yn wersyll i garcharorion rhyfel o'r Eidal a'r Almaen rhwng 1943 a 1947. Ac wedi'r rhyfel bu'n ganolfan adfer i gyn-garcharorion Almaenig ac yn ysgol eilraddol i ddisgyblion y bröydd (1949-58). Pan brynodd Bob Thompson y safle disgwyliai i'r 'eglwys fach' gwympo a cholli ei henaid a'i phwrpas i ofynion amser. Nid oedd yn ŵr crefyddol nac yn Gatholig, ond yr oedd yn ŵr sensitif a chydymdeimladol. Teimlai fod yr adeilad wedi bod yn noddfa ac yn gysegr i gannoedd o Eidalwyr yn ystod blynyddoedd anodd eu carchariad. Eto roedd yr eglwys wedi goresgyn y rhyfel ac wedi sefyll yn ddelwedd annisgwyl a rhyfedd gan greu dilema i'w pherchennog. Nid oedd yr Eidalwyr lleol –

> Arhosodd . . . i ffermio yn y dyffryn bras
> Yng Nghenarth a Llechryd;
> Dringodd eraill i lethrau'r Frenni a'r Preselau
> I fagu defaid a gwartheg a hiraeth –

wedi dangos unrhyw ddiddordeb ynddi. Na chwaith y Cyngor Sir, a fu'n berchen arni wedi blynyddoedd y rhyfel – er mawr gywilydd i'r Cyngor.

Eglwys arall a adeiladwyd gan garcharorion rhyfel o'r Eidal, ar ochr y ffordd yng Ngwlad Kenya. Tynnwyd y llun drwy ffenestr y bws gan Nora Morgan (Plwmp).

Dros dalcen blaen yr adeilad tyfai dau rosyn gwyn a'u canopi tor-eithiog wedi dychwelyd i'w gwreiddiau gwyllt gan dyfu'n afreolus dros yr wyneb a chuddio'r brif fynedfa dan eu canghennau pigog. 'Mae'n wyrth fod yr adeilad yma o gwbl,' oedd geiriau Bob Thompson.

Dyfynnais innau eiriau'r bardd, y Parchedig W. J. Gruffydd (Elerydd), wrth y plant cyn iddynt, yn eu hawydd byrlymus, droedio i mewn i'r capsiwl rhyfedd . . .

Sychwch eich traed.
Yn yr ystafell hon bu gweddi ac offeren,
A dyfeisiadau gwyrthiol y carcharor-addolwr. . . .

98

'Rwyf am i chwi fy nilyn a cherdded i ben draw'r adeilad. Yna gorchuddio eich llygaid a throi o amgylch a'u hagor pan ofynnaf i chi.'

Wrth y drws blaen roedd dau lestr concrit i ddal y dŵr cysegredig, ac uwchben y drws arwydd metal rhydlyd â'r geiriau trawiadol canlynol arno: 'Questa e la casa di Dio è la porta del Cielo (Dyma dŷ i Dduw a'r fynedfa i'r Nefoedd)'. Agorwyd llygaid. Tynnwyd un anadl ddofn gan bob un fel côr unsain a safodd y fintai fechan o brifathro, gyrrwr a phlant crynion chwilfrydig mewn syndod a thawelwch. Ni thorrwyd gair am rai munudau. Syllodd y plant i bob cyfeiriad gan ryfeddu ar yr addurnwaith annisgwyl yn ei holl brydferthwch.

Mewn llais cymharol dawel, ond yn llawn o ryfeddod ac awydd, dechreuais gyflwyno'r stori i'r wynebau disgwylgar. Ond ar y pryd ni wyddwn pwy oedd yr arlunydd na sut y cyflawnodd ei waith celfydd. Gwyddwn rywfaint am hanes y carchar ar ôl siarad â phobl leol, cyn-athrawon yn Henllan, a darllen barddoniaeth Elerydd; yn ôl D. Gwyn Evans yn ddiweddarach:

> Bu'n llwyd aelwyd i filwyr
> A gwâl gorchfygedig wŷr . . .

Ansicr a rhwystredig oedd teimladau'r Eidalwyr yn ystod eu carchariad. Ond roedd y caplan brwdfrydig, diwylliedig, uchel ei barch at bawb, Don Italo Padoan, wedi mynnu creu eglwys a chanolfan grefyddol i'r carcharorion trwy eiriau a gweledigaeth, er mwyn llenwi rhywfaint ar eu gwacter ysbrydol mewn gwlad estron, ddieithr.

Cynigiwyd caban pren gwag o wneuthuriad bordiau plaster a tho asbestos i'r Eidalwyr gyda'r hawl i'w addurno a'i ddodrefnu gan y carcharorion eu hunain. Ni roddwyd unrhyw gymorth iddynt. Rhaid oedd iddynt ddod o hyd i ddefnyddiau crai o sbwriel a mater a roddwyd o'r neilltu gan drefn weinyddol y gwersyll. Dim offer, dim paent, dim coed, dim concrit, dim byd – dim ond ffydd ac ewyllys, penderfyniad a chymorth annisgwyl brodorion y fro, a chefnogaeth gallu uwch – Duw ei hun!

Gorchuddiwyd rhes o drawstiau yn nenfwd yr adeilad gan haenau o bapur a sachau simént. Ac fe baentiwyd y cwbl mewn lliw hufen. Ar hyd yr eglwys ac ar bob trawst roedd murluniau o geriwbiaid, y Tad a'r Mab, y Crist croeshoeliedig, y golomen heddwch, y Tabernacl a Chwpan y Cymun. Ym mhen draw'r eglwys y tu ôl i reilen lwydlas roedd allor wedi

99

Disgyblion Ysgol y Ferwig y tu allan i Eglwys y Carcharorion, Henllan, Medi 1976.
Daethpwyd o hyd i lun olew o'r Alpau wrth ochr yr allor.

ei haddurno gan resi o ganwyllbrennau o liw efydd. Ac uwchben roedd murlun trawiadol o'r 'Swper Olaf' wedi ei greu ar fur ceugrwm. Nid rhyfedd i'r arlunydd greu murlun/ffresgo yn seiliedig ar lun enwog Leonardo da Vinci. Mae'r un gwreiddiol i'w weld ar fur eglwys y Santa Maria del Grazie ym Milan ers 1492. Gwelsom ddarllenfa ar ffurf pulpud bychan a grisiau pren syml, gwyn ei lliw, i benlinio o flaen yr allor. Gwnaethpwyd yr allor fechan o focsys pren anrhegion y Groes Goch. Eto ar hyd yr eglwys roedd y pileri wedi eu creu o 'farmor'. A'r olygfa gyfan yn agoriad llygad, yn newydd ryfeddol ac yn unigryw.

Ond y rhyfeddod mwyaf oedd dyfeisgarwch yr addurno. Tuniau 'bully-beef' a jam a phriciau tân oedd y canwyllbrennau yn wreiddiol. Hefyd y pileri 'marmor' – tuniau wedi eu paentio â'r gwythiennau tywyllach fel caws gorgonzola; a'r dodrefn wedi eu gwneud o goed sbwriel, a'r allor a'r reilen o goncrit – yr un defnydd â'r 'pill-box' wrth y bont:

Allor Henllan a ffresgo Mario Ferlito o'r 'Swper Olaf'.

Concrid i barch a
Choncrid i amarch . . .

Welwch chi wyrth y canwyllbrennau
A wnaed o dun bisgedi gan y dwylo celfydd?
Cyllell a morthwyl, ffeil ac amynedd a'u lluniodd.
Ildiodd y metel ufudd ac fe'i hoeliwyd ar bren.

Llifai cwestiynau'r plant yn rhaeadrau diddiwedd, ond ni wyddwn yr atebion i lawer ohonynt, ac yn sicr ni allwn ateb y cwestiwn a ofynnwyd fwyaf. A'r cwestiwn hwnnw a ofynnodd y plant, ac a ofynnais innau i mi fy hun, oedd yr un a ofynnodd W. J. Gruffydd hefyd:

Pwy oedd yr arlunydd-garcharor a roes enaid i'r miwral
A chipio'r Crist a'i ddisgyblion i'r segurdod hiraethus?

A dyna'r union gwestiwn a ofynnwyd gan D. Gwyn Evans:

Dwy enghraifft o waith arlunio Mario ar drawst y nenfwd yn Eglwys y Carcharorion:
'colomen heddwch' a'r 'Tad a'r Mab'.

Piau'r llaw a adawodd
Luniau ar furiau o'i fodd?
Bysedd pwy baentiodd Basiwn
Ei Grist yn y cysegr hwn?

Rhoi mawredd ar y miwral,
Cyfaredd Ei wedd ar wal;
Llunio dwylo a dolur
Briwiau y Mab ar y mur.

Nid oedd gennyf ateb. Ac am gyfnod hir nid oedd gan Bob Thompson
ateb chwaith. Bu'n pendrymu yn hir ac yn gofyn i ardalwyr am wybod-
aeth. Yna, ymwelodd gŵr o'r enw Pio Bobbio, cyn-garcharor, a'i wraig
â'r eglwys, ac addawodd anfon enw'r arlunydd atom. Cadwodd at ei air.
Roedd aduniad wedi ei drefnu ar gyfer cyn-garcharorion Henllan (P.O.W.
70) yn Bologna, a daeth y wybodaeth o'r achlysur hwnnw. Cefais y cyfeir-
iad canlynol gan Bob Thompson:

Mario Ferlito,
Via San Sebastiano 16,
28027 ORNAVASSO,
Novara, Italia.

Roedd y plant yn awyddus iawn i wybod mwy am yr arlunydd-
garcharor ac roeddynt am anfon llythyr ato. Cytunais yn eiddgar. Ond
roedd gennyf amheuon. A oedd Mario Ferlito yn fyw? A fyddai'n awyddus
i ailgysylltu â gwlad ei garchariad? A oedd e'n wrth-Brydeinig neu'n
wrth-Gymreig? A oedd am ateb llythyr y plant? A oedd am anghofio
cyfnod trist y rhyfel?
Ni allwn siomi'r plant. Anfonwyd y llythyr. Yn ddiweddarach dysgais
oddi wrth wraig Mario ei fod wedi wylo yn hidl am ugain munud wedi
derbyn ein cyfarchion. Ni sylweddolodd ei fod wedi gadael y fath gelf
gyfrin ar ôl yng Nghymru. Roedd yn syndod mawr iddo fod plant ieuanc
yr oes faterol hon wedi sylwi ar ei waith ac wedi cael eu cyfareddu gan
naws amgylchiadau ac ystyr y murluniau. A'r rhyfeddod mwyaf – anfon-
wyd ein llythyr yn ddiarwybod ar yr un diwrnod ag yr oedd y cyn-
garcharorion yn dathlu deng mlynedd ar hugain eu rhyddhad o Henllan.
A phlant ysgol y Ferwig oedd y rhai cyntaf o Gymru a Phrydain i

gysylltu â Mario Ferlito ers diwedd y rhyfel. Efallai fod rhagluniaeth wedi ymyrryd wedi'r cyfan. A oedd yr holl rwydwaith o brofiadau i fod i ddigwydd? Mae llinyn arian yn rhedeg trwy'r holl ddigwyddiadau.

Nid oedd parseli oddi wrth 'E. J. Arnold' neu 'Schofield & Sims' yn creu llawer o gyffro ymhlith yr athrawon a'r plant. Ond pan gyrhaeddodd parsel sylweddol ei faint, wedi ei gyfeirio at y plant a stampiau 'Posta Italia' yn glwstwr trawiadol arno, chwyddodd eu hawydd hwythau i'w agor – bron cyn i'r postman ddiflannu trwy'r drws. Parsel oddi wrth Mario Ferlito! Ond hyn oedd y drefn – 'Mathemateg a gêm tablau i ddechrau, a rhestr sillafu am yr wythnos yn dilyn'. Ac o flaen y dosbarth disgwylgar o bump ar hugain o amgylch bwrdd mawr, agorwyd y parsel, gan ei rwygo bron yn ein cyffro. Yng nghanol y ffa polysteirin deuthum o hyd i anrhegion Mario – 'rhywbeth iddynt am sylwi ar fy ngwaith yn ystod fy ngharchariad yn Henllan yn y 40au, ac am ei werthfawrogi'. Gosodwyd y cynnwys allan ar y ddesg:

. . . Llyfr lliw clawr caled yn llawn o luniau Llyn Maggiore a'r glannau;

. . . Casgliad o gerrig ffosil, nodweddiadol o'i fro yng ngogledd-orllewin Yr Eidal wedi eu hollti ac yn arddangos crisialau amryliw;

. . . Pedwar llun dyfrlliw, o waith Mario, yn dangos tirwedd mynyddig a ffermdai;

. . . Llun dyfrlliw o weithwyr yn cynaeafu'r meysydd reis â chrymanau;

. . . Llun ffelt o fachgen a merch y sipsiwn yn canu i sain con-sertina o amgylch y tân, a charafán yn gefndir ysblennydd;

. . . Deugain o fodrwyon metal i ddal allweddi a phob un wedi eu marcio ag arwyddlun carchar 'P.O.W. 70';

. . . Llythyr oddi wrth Mario –

Ornavasso
5-6-1976

Dear Mr Jones,

I am really astonished to receive your letters where you describe your enthusiasm and that of your students. I have also been much flattered by seeing that after thirty years from my return home (1946) – that unpretentious work can still cause such astonishment and enthusiasm to write.

When I painted that small church I was 22 years old. I was one of the youngest or perhaps the youngest. I worked in the fields with your people who were always very kind. For several months I lived at Eglwyswrw in a hostel. Then, for about three years, at Henllan Bridge. I worked at Cardigan, Cilgerran, Boncath, Newport, St. Davids and Fishguard and so on.

Now I am 54 years old and I am employed as a technician in a watch – rubies factory. I always paint because this is my greatest passion. Ornavasso is a small town, close to the Swiss border near Lake Maggiore.

I am married, and have a daughter who teaches in the primary school and is specialized in the education of sub-normal and spastic children. This is in synthesis – my life.

Well, coming to your kind letter, I have to point out your feelings about the impressions you had in visiting the church. From your description, I felt touched and came back with time. They were the years of our youth.

We, ex-P.O.W. of Henllan, have been meeting for six years, once a year, and during these meetings, we always remember the period, your land, and your people with pleasure.

Now you see I am particularly glad to know that something of us remained with you and interests modern children. What an honour!

I thank you and your students very much for the happiness you gave me and for having remembered me. The Russian poet Anton Chekhov said, 'Today, nobody noticed me and I have not lived'. You remembered me and I live.

I shall send you some drawings for your school and some souvenirs we have made for the thirtieth anniversary of our return. To this regard, we ex-P.O.W. of Henllan, have sent to the Mayors of Henllan, Felindre, Llandysul, Newcastle Emlyn, and Carmarthen the enclosed letter. May I ask you the favour to let me know, if possible, how it was received.

I shall be glad to hear from you again if you like.

Many thanks and regards to you and your students.

Yours sincerely
Mario Ferlito.

Nid oeddwn i nac ardalwyr y Ferwig yn ymwybodol fod y cyn-garcharorion wedi anfon llythyron i'r trefi a enwyd na'r ffaith eu bod yn dathlu 30 mlynedd eu rhyddhad o gaethiwed. Nid oeddent hwythau chwaith yn ymwybodol o gynlluniau Ysgol y Ferwig. Wrth edrych yn ôl, caf y teimlad fod elfen o ymyrraeth o du rhagluniaeth yn gysylltiedig â'r hyn a ddigwyddodd wedyn.

Dyma'r llythyr a anfonwyd gan gyn-garcharorion Henllan at feiri'r trefi a nodwyd yn llythyr Mario . . .

I Faer a Phwyllgor Pont Henllan
To the Mayor and Committee of Henllan Bridge

We, the remaining ex-prisoners of war, Camp 70, Henllan Bridge 1943/46, are reunited to celebrate the 30th anniversary of our return to our own country. Now, reliving the memories of youth, passed between barbed wire and working the fields of your country-side, we thought to send, through your Authority, our greetings (let us say official) to the people of Henllan Bridge who may remem-ber us and our stay.

You, on one side with the duty to guard us, we on the other side in dutiful obedience, all to pay a discussable debt to our respective Governors. Above all, we hope that we behaved with dignity and good moral conduct, and that those who remember us may remember us with kind thoughts. It is then with these thoughts in mind that we today send our greetings. The melancholy and delicate landscape of Henllan Bridge and the gentleness of its inhabitants occupies a part of our memories.

We hope that the people of Henllan Bridge recall only good thoughts of us. Thank you and kind regards.

26-5-1976.

A diolch i ystwythder y cwricwlwm, a phenrhyddid i raddau, trefnwyd dilyniant o weithgareddau eang ar amserlen yr ysgol, ochr yn ochr â Chynllun y Porth, stori'r 'Allor' a'r cysylltiad â Mario Ferlito.

Astudiaethau llafar ac ysgrifenedig – traws-gwricwlaidd:

Amserlen yr awyren;
Y cloc pedair awr ar hugain;
Amser cymharol mewn gwahanol wledydd;
Y tywydd yng ngogledd Yr Eidal;
Graffiau o berchnogion moduron (a safle'r 'Fiat');
Astudio'r *lire* (arian Yr Eidal ar y pryd);
Ysgrifennu at Fanc y Midland, Aberteifi, i ofyn am wybodaeth;
Graffiau – uchder mynyddoedd (cymharu'r rhain â'r Wyddfa a'r Alpau);
Baneri (gwaith celf);
Cŵn Sant Bernard. Stori'r ci enwog, Bari;
Ysgrifennu llythyron at Lysgenhadaeth Yr Eidal ac at Fwrdd Twristiaeth Cenedlaethol Yr Eidal. (Derbyn dau barsel mawr o wybodaeth.);
Casglu stampiau;
Casglu llyfrau am Yr Eidal o'r llyfrgell;
Hanes y Rhufeiniaid (milwyr, ffyrdd, tai, baddonau, duwiau, bwyd, dillad, merthyrdod, amffitheatrau, ac yn y blaen);
Hanes Fenis;
Cymharu'r cwrwgl â'r gondola;
Hanes Pompeii a Herculaneum. (Dychmygu byw yno yn ystod y ffrwydrad.);
Hanes y Mona Lisa;
Hanes Sant Paul a Sant Ffransis;
Casglu cardiau post o'r Eidal;
Arddangos anrhegion a rhoddion coffa o'r Eidal.

Gwahoddwyd panel o ddisgyblion ysgol (o'r Eidal, Yr Almaen, Yr Iseldiroedd, Ffrainc, Sweden, Lesotho a Saudi Arabia) i'r ysgol i gymryd rhan mewn fforwm holi ac ateb. Dôi'r plant yn flynyddol i fferm Ffynnon-grog, Mwnt, i aros gyda'r teulu Linfoot am dri mis ar y tro dan nawdd Cymdeithas Gabittas-Thring. Deuai dwy ohonynt o Fenis a bu Delyth Ann Davies, Brynllynan, yn ysgrifennu atynt;

Darllenwyd y nofel *The Silver Sword* (Ian Serraillier), a hanes teulu o wlad Pwyl yn ystod y rhyfel.

Dyma ddarn o waith gan un o'r disgyblion, Delyth Ann Davies (Bryn-llynan, 11 oed ar y pryd):

Guiseppina

Rai blynyddoedd yn ôl yn Yr Eidal, yr oedd teulu bach cysurus yn byw ger rhyw garej ar ffordd fawr brysur. Yr oedd y teulu yn cynnwys Mama, Papa, Guiseppina a 'bambino'.

Yr oedd y gwyliau haf yn boeth iawn a'r haul yn berwi yn y ffurfafen las, heb un cwmwl mewn golwg. Merch fach dawel oedd Guiseppina yn cael gwneud dim ond meddwl, ac yn teimlo fel ei hadar dof wedi eu cau mewn cawell. Fe ofynnodd Guiseppina a allai fynd i'r ffair yn y dref. 'Na.' 'Alla'i helpu gyda'r golch?' 'Na.' 'Alla'i fagu'r babi?' Ond 'Na' oedd yr ateb bob tro. Yn nes ymlaen, daeth sŵn car mawr cyfforddus a'r radio yn bleran i dorri ar y distawrwydd llonydd. Dyma'r car moethus yn stopio o flaen y garej, a phwy oedd yn y car ond gŵr a gwraig o Fflorida heulog yn yr Unol Daleithiau, gan ofyn i Papa, a oedd yn gweithio fel peiriannydd yn y garej, i lanw'r tanc petrol i fyny i'r ymyl eithaf. Dyma'r gŵr, â digonedd o gamerâu yn pwyso ar ei fol mawr, tew, yn tynnu llun o'i wraig, ac yna yn gweld Guiseppina, ac yn tynnu llun ohoni hi, ac yna yn gweld Mama. Ond arhoswch, y mae'n rhaid cael 'bambino' yn y llun. Man a man cael y teulu i gyd! Y mae'r wraig yn tynnu llun ei gŵr ac wrth i hwnnw dalu Papa, y mae'r gŵr bonheddig yn rhoi hwb i sigâr hir i mewn i geg Papa ac yn tynnu ei lun.

Ar ôl i'r miwsig a'r sŵn canu fynd i'r pellter, y mae'r distawrwydd yn ymweld â'r lle unwaith eto, ac y mae Guiseppina yn mynd yn ôl i gicio cerrig sydd yn gorwedd ar y ddaear lychlyd.

Gwyliwyd y ffilm *Guiseppina* ar H.T.V. fel rhan o'r gyfres ardderchog 'Hwb i Greu'. Cyflwynwyd y rhaglenni gan John Gwilym Jones a thrwyddynt cafwyd dimensiwn newydd i ddysgu Cymraeg.

Erys yn fy meddiant ddarn o ysgrifennu creadigol o waith yr un disgybl, Delyth Ann Davies, i 'Eglwys y Carcharorion, Henllan'.

Sŵn! Sŵn! SŴN!
Y magnelau'n powndio . . .
Yn yr Ail Ryfel Byd.

Ond wedyn tawelwch gwersyll y carcharorion, Henllan,
A sŵn y milwyr yn martsio,
Rhythm yr esgidiau hoelion
Ac ieithoedd tramor, estron i ni.
Er cael eu dal mewn carchar
Nid yw'r wynebau'n llwm –
Maent yn meddwl am eu gwlad,
Meddwl am y mynyddoedd,
Y copaon o eira gwyn,
Dyffrynnoedd serth, dolydd gwyrddion
Ac eglwys fechan wyngalchog –
Mario Ferlito, Felicé Ceréda, Luigi Ferrarinni . . .
Ust! Maent yn clywed tinc cloch
Eglwys y dyffryn,
. . . yn Yr Eidal bell.

Maent yn gweithio trwy'r dydd
Ar ffermydd yr ardal.
Ac ar ôl machlud haul
Yn gweithio'n ddyfal
Yn adeiladu eglwys,
Arlunio y Swper Olaf,
Ffresgo o angylion ar y nenfwd.
Canhwyllau –
Allan o dun bisgedi a jam.
Pileri o dun, fel marmor
A bowlen goncrit y dŵr cysegredig.
Eglwys anghyffredin iawn!

Ding! Dong! Ding! Dong!
Cloch plas Syr Marteine o'r Bronwydd
Wedi ei dwyn a'i rhoi yn nhŵr yr eglwys
. . . i alw'r carcharorion
I weddïo am eu teuluoedd 'nôl
Yn nyffrynnoedd yr Alpau.

Maent yn gweld eu pobol.

109

Yn syllu drwy'r weiren bigog –
Ond mae'r weiren fel wal yn eu rhannu.

Adeilad hen ydyw heddiw.
Pren pwdwr,
To asbestos yn fwswm i gyd
A thyllau fel gwydr wedi torri
Yn y muriau.
Drain a rhosys yn tyfu'n wyllt.
Druan ag o!
Fel cwb ieir!

'Sychwch eich traed.
Yn yr ystafell hon bu gweddi ac offeren.'

Hydref 1976

Oni bai i mi gael fy ngwahodd i gymryd rhan yng Nghynllun y Porth
gan Mr Dave Williams, y Swyddog Addysg, ni fyddwn wedi dod wyneb
yn wyneb â stori'r 'Allor' gan Dyddgu Owen. Oni bai i Gyngor yr Ysgol-
ion wahodd Dyddgu Owen i ysgrifennu stori antur, ni fyddwn wedi ei
chyflwyno i ddisgyblion Ysgol y Ferwig. Oni bai am y ffaith na wyddai'r
plant ystyr ac arwyddocâd y gair 'allor', ni fyddem wedi ymweld â phum
eglwys leol. Oni bai imi ymweld ag eglwys y carcharorion, Henllan, ac
i'r plant gael eu hudo gan ei harddwch a'i hynodrwydd, ni fyddwn wedi
clymu'r pumed cwlwm.

Y Chweched Cwlwm

Ardal y Ferwig

Ardal iachus iawn yw ardal y Ferwig. Mae min yr heli ar adain yr awelon a chwyth amrywiaeth o wyntoedd dros y tirwedd digysgod. Ni welais blant iachach na phlant y Ferwig erioed. Nid oedd nemor neb ohonynt yn absennol o'r ysgol trwy annwyd neu fân bethau felly. Roedd iechyd yn y genynnau. Ond wedyn efallai fod y plant yn hoffi dod i'r ysgol!

Enillwn y faner werdd (sirol) yn aml am y ganran uchaf o bresenoldeb dros gyfnod o hanner tymor a'r wobr o hanner diwrnod o wyliau. Un tro, cedwais bentwr o hanner diwrnodau hyd nes adeiladu helem o wythnos gyfan. Gallaf ddweud â llaw ar fy nghalon mai fy nghynllwyn direidus a fu'n gyfrifol am ddiwedd y drefn honno. Ond mae gennyf gof am ddisgyblion mewn rhai ysgolion yn derbyn oriawr neu dystysgrif swyddogol

Hen arwydd pentref (yr A.A.) hollol unigryw ar fur un o adeiladau Gwynfro.
Daeth Hywel Davies o hyd iddo yng nghanol trugareddau'r hen 'Tanners Arms',
sydd wedi cau ers blynyddoedd.

111

am bresenoldeb di-dor trwy gyfnod eu haddysg gynradd. Roeddynt, siŵr o fod, wedi dal y dwymyn frech goch, y doben, y clefyd melyn a'r pâs efallai – yn ystod gwyliau. Druan ohonynt! A'r rhelyw yn cael aros yn y gwely yn ystod oriau'r ysgol heb wneud syms!

Cwlwm tyn iawn oedd cwlwm cymdeithasol y Ferwig. Heblaw'r teulu-oedd niferus a'u perchnogaeth hwythau ar diroedd amaethyddol y fro, roedd ymdeimlad o agosatrwydd a naws gynnes, garedig yn rhedeg trwy'r ardal. Hanai disgyblion yr ysgol o gartrefi breintiedig ac roedd y newydd-ddyfodiaid yn cael eu rhwydo i mewn i'r gymdeithas yn fuan iawn.

Trwy lythyru, gwyddai'r rhieni am y stori, y cynllun, ac, wrth gwrs, am yr ymweliad â'r pum eglwys. Ond roedd y plant yn parhau i holi ac yn awyddus iawn i wybod rhagor am yr arlunydd a fu'n gyfrifol am addurno Eglwys y Carcharorion yn Henllan. Er gwaethaf hanes diddorol eglwys y Mwnt, er gwaethaf adnabyddiaeth o eglwys Sant Pedrog, y Ferwig, er gwaethaf pensaernïaeth a newydd-deb cyfoes yr eglwys Gatholig, er gwaethaf hynodrwydd eglwys Manordeifi, Eglwys y Carcharorion, Henllan, a gydiodd yn eu dychymyg fwyaf, gan greu awydd ynddynt i wybod rhagor. Nid oeddwn wedi fy synnu. Yn wir, roeddwn mor frwd-frydig â'r plant, efallai yn fwy chwilfrydig. Roedd yn ddyletswydd arnaf i ateb cwestiynau'r plant a chynnig profiadau newydd iddynt. Ac wrth dderbyn y parsel a'r llythyr oddi wrth Mario, agorwyd drysau eraill.

Cyfeiriai Mario yn aml yn ei lythyron at ei ddyled i'r Cymry am eu hymddygiad gwâr a'u caredigrwydd yn ystod blynyddoedd ei garchariad. Mor wahanol oedd ei sylwadau o'u cymharu â phrofiadau Cymry a fu dan drefn greulon y Nippon yn y Dwyrain Pell yn ystod yr un cyfnod. Carcharwyd fy ewythr, Capten John Etna Williams, am bedair blynedd a hanner yn Sumatra, Borneo a Changhi, Singapôr. O fod yn ŵr talsyth, cyhyrog ac yn pwyso pymtheg stôn a rhagor, dychwelodd i Gwmtydu yn sgerbwd o ddyn, bron chwe stôn. Cryfhaodd a dychwelodd i'r dwyrain, heb goden y bustl, a bu fyw am ddeng mlynedd ar hugain arall.

Awgrymai Mario hefyd yr hoffai ddychwelyd i Gymru eto, a thua diwedd 1976 roedd ei gynlluniau yn bendant ond nid oedd ganddo gyswllt parod ar y pryd i ymgymryd â'r trefnu yng Nghymru. Roeddwn un cam o'i flaen.

Gwahoddais rieni'r plant i'r ysgol un noson a chyflwynais iddynt hanes a manylion y prosiect a hefyd ddyheadau a breuddwydion Mario a'i gyd-garcharorion.

Mario Eugenio Ferlito, yr Eidalwr hoffus a diwylliedig, o
Oleggio Castello ar lannau Llyn Maggiore, yn ymweld â
Henllan eto wedi 30 mlynedd, ar wahoddiad disgyblion,
athrawon ac ardalwyr y Ferwig. Y plant oedd y cyntaf
i ysgrifennu ato ers y rhyfel. Wylodd yn hidl
pan dderbyniodd eu llythyr.

'Beth fyddai eich ymateb pe byddem fel ysgol ac ardal yn estyn gwahodd-
iad i Mario Ferlito a'i ffrindiau yn ôl i Gymru y flwyddyn nesaf?'
 Roedd yr ymateb yn bositif iawn, a phawb yn gefnogol dros ben i'r
syniad. O'r llawr daeth y cynnig canlynol – 'Gan mai yn Ysgol y Ferwig
y dechreuwyd y cynllun, hoffwn gynnig ein bod yn eu gwahodd i'r ardal.'
 Cynigiodd amryw o deuluoedd lety yn rhad ac am ddim i'r Eidalwyr,
ac i goroni'r cwbl awgrymodd y Gymdeithas Rhieni-Athrawon y dylid
teithio i Lundain i gyfarfod â'r Eidalwyr. Trosglwyddwyd dau gan punt i
gronfa'r ysgol i dalu am fws a lety i'r plant mewn gwesty ar y dyddiad
penodedig. Ni allaf ond edmygu'r rhieni a'r ardal a diolch iddynt am eu
cefnogaeth dwymgalon a rhadlon. Ymhen yr wythnos roeddwn wedi llanw
dau fws mawr o eiddo T. S. Lewis, Penrhiwpal, trwy gydweithrediad
agos ag Alun Jones, Garnwen. Bwriad Mario oedd cyrraedd Caerfyrddin

Elfair a Brian Gooch, Talar Wen, yn
dangos llun o waith Mario Ferlito a
gyflwynwyd iddynt. Amser a dreigla yn
araf, bron yn anweledig! Gweler y
ddelwedd o falwoden yn dringo'r mur ac
yn gadael llysnafedd (amser) ar ei hôl.

Alun, Megan, John a Dylan Davies,
fferm Trecefn Uchaf, y Ferwig, yn
dangos llun o waith Mario Ferlito a
gyflwynodd yr arlunydd iddynt gyda
diolch am eu croeso i'r fro. Mae'r teulu
wedi cadw mewn cysylltiad â Mario
yn gyson ers 1976.

Alun a Bethan Jones, Heolgwyddil, a'r llun uwchben y lle tân
a gyflwynwyd iddynt gan Mario Ferlito.

114

ar Awst 20-21, yn garfan o wyth o ddynion a chwe menyw. Ond wedi i ni anfon ein gwahoddiad ato, cofnododd mewn llythyr: 'Estynnais un llaw, a rhoesoch imi ddwy. Diolch yn fawr iawn. Mae eich trefniant yn anhygoel. Rwy'n ddiolchgar i chi ac yn werthfawrogol o'ch agwedd agored. Medraf ddiolch yn well yn Llundain. Roeddwn mewn penbleth, tynasoch y pwysau oddi arnaf. Syniad da yw ichi ddod i gyfarfod â ni yn Heathrow mewn bws. Bydd yn brofiad arbennig yng nghwmni'r plant a'r rhieni.'

Yn ddiarwybod i mi, roedd Mario Ferlito a chymdeithas cyn-garcharorion gwersyll Henllan wedi anfon llythyr o gyfarchion at feiri trefi dyffryn Teifi. Ac yn dilyn y cysylltiad ymunodd Mrs Brynmor Williams a Miss Nora Isaac â charfan y Ferwig a bu Cyfarwyddwr Addysg Dyfed, Mr Henry Thomas, a'r Cynghorwr D. G. E. Davies mewn cysylltiad â'r ysgol gan gynnig cymorth a dymuniadau da.

Owen Edwards, pennaeth B.B.C. Cymru, yn cyflwyno tlws *Hyn o Fyd* i Gareth Wyn Jones ar ran Ysgol y Ferwig. Enillwyd y tlws am greu prosiect a oedd yn seiliedig ar hanes lleol. Crewyd gwaith ysgrifenedig, celf, arlunio a ffilm arbennig am hanes ardal y Mwnt a'r Ferwig. Enillwyd y tlws mewn cystadleuaeth rhwng holl ysgolion cynradd Cymru. Yn y rownd derfynol hefyd yr oedd Ysgol Bod Alaw ac Ysgol Eifion Wyn, Porthmadog. Strocen a hanner!

115

Hefyd, bu Ysgol y Ferwig yn cystadlu yng nghystadleuaeth teledu'r B.B.C., *Hyn o Fyd* (gan ennill y Tlws i ysgolion cynradd trwy Gymru gyfan), ac yn cyflwyno hanes lleol trwy ddrama, celf, ysgrifennu creadigol a gwaith ymchwil y dosbarth ger bron y cynhyrchydd, R. Dilwyn Jones. Yn ystod un o'i ymweliadau â'r ysgol, yn ffilmio *Dydd Sul Coch y Mwnt*, dysgodd am ein cysylltiad â Mario, a chan ei fod yn bwriadu ymweld â Rhufain, penderfynodd alw yng nghartref Mario yn Ornavasso i baratoi ffilm ar ei waith a'i fywyd. Darlledwyd y rhaglen fel rhan o'r gyfres *Trem*, ychydig ddyddiau cyn y Nadolig, 1977.

Parhaodd llif y llythyron rhwng Ornavasso a'r Ferwig. Dyma ddyfyniadau ohonynt:

'. . . Diolch am y pleser a roesoch i mi trwy barhau i ysgrifennu llythyron. Gobeithio y byddwn yn ffrindiau agos. Rwy'n cofio'r ffilm *How Green Was My Valley*. A yw Cymru'n wyrdd o hyd er gwaetha'r sychder?'

'. . . Mae'r orioriau digidol yn boblogaidd ac yn bygwth fy ngwaith . . .'

'. . . Beth yw ystyr y gair 'eisteddfod'?'

'. . . Yn ystod fy arhosiad yng Nghymru, sylwais fod gan bob tŷ biano. Nid yw hyn yn wir am Yr Eidal. Ychydig o bobl sy'n medru canu offeryn. Ni fedraf i, ond rwy'n hoff iawn o gerddoriaeth delynegol a symffonig.'

'. . . Derbyniais farddoniaeth W. J. Gruffydd oddi wrthych. Fe'i darllenais a gwnaeth imi wylo.'

'. . . Rwy'n anfon llun olew atoch chi yn anrheg.'

'. . . Rhaid imi gofio mai Cymry ydych chi. Da iawn. Mae llawer o gymunedau bychain wedi diflannu am fod y llywodraeth ganolog yn eu llyncu. Trueni mawr. Ger Ornavasso roedd cymuned a ffurfiwyd gan fewn-fudwyr Albanaidd yn yr Oesoedd Canol, ond bellach mae wedi diflannu. Cyn y Rhyfel roedd yn ffynnu.'

'. . . Rwy'n hoffi hanes. Beth yw Llyfr Du Caerfyrddin, Llyfr Gwyn Rhydderch a Llyfr Coch Hergest?'

'. . . Wythnos diwethaf trechodd Caerdydd dîm Yr Eidal mewn gêm rygbi.'

'. . . Y dyddiau hyn mae popeth yn cael ei wneud yn enw rhyddid. Pa ryddid?'

'. . . Druan o'r Eidal. Rydym wedi torri record y byd am ddyddiau ar streic!'

'. . . Mae hanes yn ein dysgu na allwn ddatblygu heb egwyddorion. Faint o bobl ieuanc sydd wedi dewis ffordd arall – cyffuriau, rhyw a therfysg?'

'. . . Chwarddodd Maria a minnau yn uchel wedi i chi ein cymharu â Rossano Brazzi a Pier Angeli.'

'. . . Derbyniais lun o'ch teulu a golygfeydd o'r tirwedd. Maent o ddiddordeb mawr imi oherwydd maent yn fy atgoffa am fy nghyfnod yng Nghymru.'

'. . . Derbyniais eich parsel o gasét Côr Meibion Treorci, mapiau a chardiau post. Rwy'n cofio enwau'r ffermydd lle y casglwn datws a betys melys a hefyd lle bûm yn dyrnu. Mae lleisiau'r côr yn arbennig. Maent yn canu gyda theimlad a sensitifrwydd. Mae gennyf beiriant Philips i'w chwarae gyda diamwnt miniog.'

*　　　*　　　*

Pe na bai am y ffaith fy mod wedi mynnu cyflwyno profiadau addas i'r plant er mwyn eu galluogi i ddeall ystyr y gair 'allor', ac wedi ennill cefnogaeth garedig y rhieni i'r prosiect, ni fyddai'r chweched cwlwm wedi cael ei greu. Oni bai i mi ddilyn dyheadau'r plant i gysylltu â'r arlunydd-garcharor Mario Ferlito, ni fyddai'r cynllun (prosiect) wedi datblygu. Oni bai am hynawsedd a chydweithrediad y rhieni a'r fro, ni fyddwn wedi mentro gwahodd Mario i Gymru am y tro cyntaf ers deng mlynedd ar hugain.

Disgyblion, rhieni, ardalwyr, y prifathro a chynghorwyr ar iard yr ysgol cyn taith y prifathro i'r Eidal i gyflwyno swfenirau o'r Ferwig. Cyngor Sir Dyfed a theuluoedd i Gymdeithas y Carcharorion (P.O.W. 70). Ymhlith yr anrhegion roedd tarian wedi ei gwneud o un o hen ddesgiau'r ysgol.

Y Seithfed Cwlwm

Mario Eugenio Ferlito

Cyfarfod

Roedd un drws llydan ac uchel yn ein rhannu 'ni' a 'nhw'. A'r unig ffordd i'w agor oedd gydag allwedd brawdgarwch ac ychydig gymorth o du'r awdurdodau. Roedd yn ddeng munud wedi pedwar yn y bore ar 18 Awst, 1977, ym maes awyr Luton. Dyna'r lle olaf y byddwn wedi ei ddewis i gyfarfod â pherson mor arbennig â Mario Ferlito. Roedd mintai flinedig y Ferwig newydd ddihuno o drwmgwsg ac wedi ymlwybro trwy'r lolfa, a'r cadeiriau a'r bordydd llawn poteli gweigion, y cwpanau plastig brwnt a llwch sigarennau, tuag at fynedfa'r tollbyrth. Nid oedd y criw glanhau wedi cyrraedd eto. Tu draw i'r llen roedd carfan flinedig arall – cyngarcharorion Eidalaidd a'u gwragedd yn ymlwybro trwy'r tollbyrth tuag at yr un drws. Eto, er gwaethaf y lleoliad diramant, mae'r cyfan yn aros yn y co'. Roedd elfen o ragluniaeth yn perthyn i'r aduniad, a hefyd roedd yn benllanw i freuddwydion a dyheadau ac ysgogiad nifer o blant bychain.

Dyma ddisgrifiad Norah Isaac o'r digwyddiadau.

'Y pwyslais hwn oedd cyfrinach llwyddiant y dathlu yng ngwersyll y carcharorion yn Henllan fis Awst 1977. Oddi wrth y plant y daethai'r ysgogiad, a phan fo athro ysbrydoledig yn dilyn dychymyg a didwylledd ei blant, mae gobaith am bethau mawr.

Mi ges i'r fraint o fod yn aelod o'r cwmni llon a aeth ar y daith ddisgwylgar honno i gwrdd â Mario Ferlito a'i gyfeillion yn Awyrenfa Luton. Daeth pawb ohonom ar y ddau fws yn gyfeillion, ac erbyn yr hwyr, wrth fynd ar wibdaith ar draws Llundain roeddem yn un teulu mawr, tair cenhedlaeth. Amser brecwast, fore trannoeth, llenwid ystafell fwyta'r gwesty â lleisiau'r Cardi Cymraeg, ac roedd yn bleser gweld pawb yn ufudd i'r sgwlyn ac yn cyrraedd eu seddau yn y bws yn brydlon. Ymglywid ag elfen o antur wrth droi trwyn y bws tua'r gogledd, ar draffordd yr M1, ac eto, cadw'u

Plant, rhieni, ardalwyr a ffrindiau o'r Ferwig gyda dau fws T. S. Lewis a'u gyrwyr ar sgwâr Gwynfro, y Ferwig, ar eu ffordd i Lundain i gyfarfod â'r Eidalwyr.

Disgyblion a chyn-ddisgyblion Ysgol y Ferwig a aeth i Lundain (a Luton) i gyfarfod â Mario Ferlito a'i gyd-wladwyr. Hefyd yn y llun mae Mr Henry Thomas, Cyfarwyddwr Addysg Dyfed, y Cynghorwr D. G. E. Davies a Mrs M. Brynmor Williams. Daeth y Cyfarwyddwr draw i gyffordd Abergwili i ddymuno'n dda i bawb.

Rhieni, athrawon, ffrindiau a gyrwyr mewn grŵp ar gyffordd Abergwili.

llygaid ar y tir a'i bethau a wnâi ffermwyr y Ferwig. Yn eu sylwadaeth clywid – 'Nid felna y'n ni'n cywen; drycha wir ar hwnco, 'na ti gymennu dethe; ma'r un pella' 'co yn 'i blyg ac yn drabŵd o 'hwys, gwlei'.'

. . . Rhyfeddod i lawer ohonom yn Luton oedd gweld y cannoedd gweithwyr yn arllwys o ffatri Vauxhall ganol dydd Sadwrn, a rhyfeddod mwy oedd gweld awyren foethus rhyw arab breiniol ar darmac yr awyrenfa. Ond disgwyl am awyren o Filan oedd ein diddordeb ni, awyren a gludai atom gyn-garcharorion rhyfel! 'Doedd hi ddim yn syndod ein bod yn gynnwrf i gyd! Erbyn canol y prynhawn byddem yn troi am Gymru a'r ymwelwyr a ninnau wedi bwrw ein swildod tuag at ein gilydd.

. . . Ond nid felly y bu! Buwyd yn disgwyl a disgwyl am oriau lawer. Neges gadarnhaol yn cyrraedd ac yn cyflym gael ei dilyn gan neges nacaol. Roedd y sefyllfa yn ddryslyd a'r trefniadau yn ddyrys a'r nos yn disgyn ar yr awyrenfa. Rhoddodd y prifathro gyfle i lond bws o'r cwmni ddychwelyd i Gymru. 'Dwylo lan,' medde fe, 'pob un sy am fynd 'nôl i'r Ferwig nawr. Ddaw'r awyren ddim tan wedi tri o'r gloch bore 'fory, ac mae nawr yn naw o'r gloch. Dwylo lan gyfeillion.' Chododd neb ei law! Naddo, mynnodd teulu'r Ferwig fod yn uned glòs. Croeso cant y cant neu ddim o gwbl oedd hi i fod.

. . . Tua chanol nos, gwelid pawb ohonom yn chwilio am rywfaint o gwsg. 'Doedd dim gwahaniaeth gan neb ohonom sut olwg oedd arnom na chwaith pwy oedd yn gywely inni! Bod gyda'n gilydd i gynrychioli'r Ferwig, Henllan, ie, a Chymru, oedd yn bwysig, ac nid ystyriaeth gymdeithasol gydnabyddedig. Diffoddwyd golau'r bar anferth lle gorweddwn i, a syrthiais i gwsg hyfryd, yn ymyl, – wir, dwy' i ddim yn cofio pwy!

. . . Dihunwyd rhai gan y prifathro. Roedd yr awyren ar gyrraedd. Dim rhagor o siom gobeithio, a ffwrdd â ni'n un haid i sefyll o amgylch y porth y dôi'r Eidalwyr drwyddo. Yn wir, wrth edrych ar wynebau llon pobl y Ferwig, gallech feddwl mai new-ydd fod yn torheulo ar draeth y Mwnt yr oedd pawb! 'Doedd neb ohonom erioed wedi gweld un o'r Eidalwyr, a 'doedd dim sicrwydd y byddem yn eu nabod ymhlith y teithwyr . . . 'Nid rheina, ta beth,' meddai'r cwmni, 'na'r rheina, na hwnna, na honna . . . na . . .'

123

'HWRE! HWRE!' Oedd, roedd Eidalwr hardd yr olwg yn wên i gyd yn sefyll o'n blaen a'i lygaid yn llaith a llon. MARIO FERLITO. Mae'r prifathro ac yntau yn cofleidio'i gilydd. Mae pobl y Ferwig i gyd dan deimlad . . . ''Sdim bagal da fi dana i,' medde dyn yn fy ymyl. Na, roedd grym y profiad hwn yn gwanhau'r coesau i gyd. 'Nôl â ni i'r bws yn y tywyllwch gefn-nos a throi am Gymru, a'r ymwelwyr Eidalaidd dieithr yn cyflym dyfu'n gydnabod. Cyn bo hir, roedd y wawr wedi torri a phopeth yn haws.

. . . 'Gwawr yn torri! Popeth yn haws!' Oedd, am fod cymuned fechan o blant a'u prifathro wedi mynnu deall ystyr y gair 'allor' – lle'r aberth. I Mario Ferlito, Gwersyll 70 y Carcharorion yn Hen-llan oedd hwnnw.'

Wedi'r cofleidio diddiwedd, a chyfarch ein gilydd mewn Eidaleg bratiog o'm hochr i a Saesneg cyffelyb oddi wrth Mario, cyflawnodd Mario weithred nas anghofiaf. Nid aeth at y rhieni, ond yn hytrach, aeth at y plant – y rheswm am ei ymweliad. O'i boced fewnol tynnodd allan amlen a charden y Pasg a anfonwyd ato o Ysgol y Ferwig ac arni lofnod pob

Norah Isaac, a deithiodd gyda'r plant a'r ardalwyr i Luton i gyfarfod â Mario Ferlito a'i gyn-gyd-garcharorion. Bu Norah yn gefnogol iawn i'r prosiect, trwy ymweld â'r Ferwig amryw o weithiau ac ysgrifennu am y profiad.

disgybl, pob athro a phob aelod o'r staff. Aeth o gylch y plantos a'u cydnabod y naill un ar ôl y llall gan ddilyn y rhestr. Yna, wedyn, aeth i blith y rhieni a'r ffrindiau. Roedd yn weithred drawiadol ond hollol nodweddiadol o natur sensitif a gonest Mario. Yn wir, drwy gydol yr wythnos, byddai'n arddangos rhagor o'i ragoriaethau fel gŵr hynaws, cynnes a charedig.

Bro Mebyd

Mae ardal y llynnoedd yng ngogledd yr Eidal gyda'r prydferthaf yn Ewrop, os nad yn y byd. Heblaw am Gwmtydu, efallai! Mae llynnoedd hirfain Maggiore, Garda a Como yn llawn o ddŵr glân, croyw sydd yn cael ei adnewyddu'n gyson gan afonydd a dardd o'r mynyddoedd a'r rhewlifoedd. O fewn ei fframwaith, trwy ein golygon, gwelwn ganghennau o gymoedd dyfnion, llechweddau coediog a chopaon sy'n wyn yn ystod llawer o fisoedd y flwyddyn. Ychwanegwch yr hin garedig a balm ei hawelon ym mhoethder haf a deallwch yn fuan pam mae olion cynhanesyddol wedi eu darganfod oddeutu'r llynnoedd, yr Wmbriaid a'r Etrwsciaid i'r gogledd a hefyd lwythau Gaul o'r gogledd. Adeiladodd y Rhufeiniaid ganolfannau dinesig, ffyrdd, pontydd a chaerau a chyflwyno llongau masnachol. Ymledodd Cristnogaeth yno ac mae'r ardaloedd yn frith o olion eglwysi cynnar.

Magwyd Mario Ferlito ym mhentref bychan Oleggio Castello, ychydig filltiroedd o bellter i ffwrdd o gyrion deheuol Llyn Maggiore. Fel y dywedodd un crwtyn ysgol: 'Mae'r pentre hwnnw ar waelod llyn Maggiore!' A heddiw, nid nepell i ffwrdd, mae Mario yn byw gyda'i wraig Maria yn Ornavasso – pentref bychan arall sydd yng nghwm afon Toce ac yn gorwedd yn gysglyd yng nghesail yr Alpau mawreddog ac ar bwys priffordd 33 a'r 'auto-strade' tuag at Fwlch y Sempione (Simplon) a'r Swistir. Bu Napoleon Bonaparte yn defnyddio'r bwlch, ac ef a fu'n gyfrifol am ei ledu yn ystod ei ymgyrchoedd. I'r gogledd-orllewin mae'r Monte Rosa (mynydd ucha'r Eidal) a chymydog agos i'r Matterhorn enwog (Monte Cervino). Uwchben Ornavasso mae cribau danheddog carreg galch yn brathu'r awyr a chreithiau mwyngloddio marmor ar hyd y llechweddau. Oddi yma y daw'r garreg wen, lefn orffenedig i gynnal ac ailwisgo eglwys gadeiriol Milano – y Duomo.

Uwchben Llyn Maggiore, yr ail lyn mwyaf yn Yr Eidal, mae mynydd Il Mottarone (1491m), ac o'i gopa ceir golygfa ysblennydd o saith o

Llyn Orta ger tref Omegna a chartref cyntaf Mario Ferlito. Gweler yn y llun Ynys San Giulio a'i *basilica*, a adeiladwyd rhwng y nawfed ganrif a'r unfed ganrif ar ddeg.

lynnoedd enwoca'r ardal: D'Orta, Maggiore, Mergozza, di Monate, di Canabbio, di Varese a Lugano. Cerfiwyd y llynnoedd gan rewlifoedd gorffennol pell y Toce a'r Ticino. Mae llyn Maggiore yn 85 milltir sgwâr, yn 41 milltir o hyd (o Aberteifi i Aberystwyth), a 22 milltir o led. Yn y mannau dyfnaf mae'n 1.240 o droedfeddi o ddyfnder.

Ers y Canol Oesoedd perchnogwyd y tiroedd o amgylch y llyn gan deuluoedd cefnog, yn enwedig y Borromeo. Hyd heddiw gwelir olion cestyll ac olion amddiffynfeydd ar hyd glannau'r llyn. Cyfeirir at yr ynys-oedd prydferth Isola Bella, Isola Madre ac Isola Pescatori, sydd ar liain saffir ac emrallt y llyn, fel Isoli de Borromeo. Mae'r anheddau a'u mur-iau gwynion a'u toeau cochion yn glynu wrth y glannau a'r llechweddau i gyfleu panorama baradwysaidd.

126

Mae'n rhaid crybwyll cyfoeth celfyddydol yr ardal. Gwelir adeiladau Romanésg, yn gapeli ac eglwysi a chysegr-leoedd bychain, hyd at balas baróc y Borromeo ar Ynys (Isola) Bella. Mae tai mawrion (*villas*) wedi tyfu yn ystod y ganrif ddiwethaf gan arddangos gerddi o flodau isdrofannol a choed palmwydd. Mae fel petai pob pentref yn arddangos elfennau o gelf, megis arlunwaith, ffresgo, gwaith stwco, gwaith cerrig a haearn, a cherfiadau o bren, gan roi elfen o geinder a bywiogrwydd i'r ardal. Bu'r ardal yn atyniad i enwogion fel Dickens, Dumas ac aelodau o deuluoedd brenhinol Ewrop gyfan.

Isola di Pescatori (Ynys y Pysgotwyr) ar Lyn Maggiore ger cartref Mario Ferlito.

Yn ardal Llyn Maggiore mae'r ddaearyddiaeth yn troi'n farddoniaeth goeth ac yn gelf i'r cyfanfyd.

Ar 22 Mehefin 1922, pan anwyd Mario Eugenio Ferlito ym mhentref Oleggio Castello, roedd y tiroedd trawiadol yn bur debyg i'r hyn ydynt heddiw, ond heb y boblogaeth niferus, y diwydiant, y creithiau ffyrdd a rheilffyrdd a'r lliaws o dwristiaid sy'n ymweld â'r ardal, haf a gaeaf. Ac yn sicr roedd gwead y gymdeithas, a gwleidyddiaeth aelwyd, pentref a gwlad, yn wahanol iawn. Yn dilyn y Rhyfel Mawr (1914-1918) roedd llawer o ddiweithdra a thlodi yn bodoli'n y wlad, ac nid hawdd oedd buddsoddi arian i wella cymdeithas a safon byw y werin. Roedd llywodraeth ganolog Rhufain yn rhy bell oddi wrth Oleggio Castello i fod o unrhyw gymorth i'r bobl. Ac roedd y sefyllfa dorcalonnus a fodolai yn Yr Eidal ar ôl blynyddoedd y rhyfel yn berffaith, fel yn Yr Almaen, i esgor ar ffasgiaeth, wrth i wleidyddion ffasgaidd addo gwaith a thai a gwell safonau byw i'r bobl, gan addo adfer hunan-barch unigolyn a chenedl fel ei gilydd ar yr un pryd. Llwyfan i Benito Mussolini a'i ddilynwyr.

Dyma'r hyn a oedd gan Mario i'w ddweud yn y cyfnod y buom yn sgyrsio ac yn llythyru â'n gilydd:

'Mae dy gwestiynau yn fanwl ac yn uniongyrchol. Nid wyf wedi wynebu hyn o'r blaen, er fy mod wedi myfyrio wrthyf fy hun amryw droeon. Yn fy ieuenctid roedd fy mywyd yn llwyd ac yn ddi-raen ac roeddwn o hyd ac o hyd yn cuddio y tu fewn i'm hanhysbysrwydd. Roeddwn yn naturiol swil, ac yn ddihyder. Ni wyddwn ddim am Narsisws. Eto yn fy meddwl roeddwn y rebel mwyaf, a gwrthwynebwn yn arbennig gamddefnydd o gyfiawnder, grym, dulliau llawdrwm o weithredu a dioddefaint, a phryderwn am fy anallu i yn bersonol i gyweirio pethau.

. . . Ac am fy mhentref bychan i, Oleggio Castello, roedd pawb yn plygu'n ufudd i'r tir-feddiannwr, math o iarll neu sgweier a reolai bopeth. Etifeddodd ei eiddo oddi wrth ei gyndeidiau, a rheolai ei stad a'r werin dlawd fel petai yn rhan o hyd o gyfundrefn y Canol Oesoedd. Gwasgai ddyheadau'r werin. Roedd yn berchen ar bopeth – adeiladau, tiroedd, a hyd yn oed y cyflenwad dŵr. Roedd y bobl gyffredin yn hollol ddistadl. Ni chaent unrhyw anogaeth ac ni chynigid iddynt unrhyw weledigaeth i'w symbylu i fod yn greadigol.

. . . Roedd yr iarll yn unben ar y 1,200 o bentrefwyr. Trigai ef a'i deulu mewn castell aruchel gyda dau fynediad llydan, 'Seisnig' eu naws a'u harwyddocâd. Y tu mewn yr oedd byd y teyrn, a bariau haearn y gatiau yn ddelwedd o hunanoldeb, a'r dwrn caeëdig yn pwysleisio'r syniad o arglwyddiaeth lwyr ar y werin dlawd. Ni ddôi'r un elfen o drugaredd, na chymorth na charedig-rwydd o'i fewn. Nid oedd y syniad o berthyn i gymdeithas yn rhan o'i fyd. Anfarwoldeb yr iarll oedd cael ei weddillion wedi eu gosod dan gofeb farmor ddrudfawr yn ei fynwent deuluol gaeëdig, ymhell oddi wrth y fynwent gyhoeddus ac ar wahân iddi yn llwyr. Cyflogai garfan luosog o weision a morynion a hefyd wardeiniaid a beili i warchod ei eiddo a'i barc tri chilomedr sgwâr oddeutu'i gastell. Roedd ganddo hyd yn oed bac o gŵn hela, a meistr yr helfa, hyn eto yn adlewyrchu ffordd o fyw'r bonheddwr cyfoethog o Sais.

. . . Cofiaf un digwyddiad penodol. Roeddwn yn saith oed, ym 1929, ac roeddem yn dlawd iawn fel teulu. Adeg y 'Dirwasgiad Mawr' oedd hi ac roeddem yn brin iawn o danwydd i gadw'n gynnes yn oerni'r gaeaf hwnnw. Es gyda fy mam-gu i weld y beili a chofiaf amdani yn begian, yn ymbil ar ei phengliniau arno am gymorth, sef cael caniatâd i gasglu'r briwydd mân oddi ar lawr y parc mawr wedi iddynt gwympo o'r canghennau mewn storm. Taflai'r tameidiau trwy gryn ymdrech dros y muriau uchel, a chasglwn innau'r 'manna' oddi ar y ffordd y tu allan a'u gosod yn ofalus yn fy nghert llaw. Gallaf ei gweld yn awr, druan ohoni! Roedd yr holl weithred a'r grwgnach ac amharodrwydd y beili wedi eu serio ar fy enaid. Mae'r elfen o'i bychanu yn llosgi o hyd yn fy mron. Mor boenus yw'r cof er llif y blynyddoedd.'

Magwyd Mario Ferlito dan gyfundrefn Ffasgaidd. Roedd y propaganda yn ymdreiddio drwy'r holl gymdeithas – trwy'r papurau dyddiol, trwy'r radio, mewn sgyrsiau ar y 'piazza', a hyd yn oed uwch pryd o fwyd teuluol. Anghofiodd y bobol ifanc am yr hyn a oedd yn digwydd yn y byd y tu allan, a buan y daethant yn ysglyfaeth i argraffiadau a byrbwylltra Ffasgiaeth. Roedd rhwydwaith y 'Parti' hyd yn oed yn cyrraedd pentref Mario. Trigai ofn yng nghalonnau'r bobl a daeth cario clecs a gwneud esiampl o wrthwynebydd yn rhan o fywyd beunyddiol. Edrychai pawb dros ei ysgwydd. Roedd hyd yn oed plant ysgol elfennol, yn ogystal â myfyrwyr prifysgol, dan ordd y gyfundrefn ac yn gaeth i'w breuddwyd-ion.

Mewn pentref bychan, ar ôl derbyn addysg gynnar, gobaith mawr y rhai breintiedig oedd y gallent ddianc oddi yno. Rhaid oedd i Mario gymryd pob cyfle trwy ei fenter ei hunan i ddarllen llyfrau neu astudio gweithiau'r clasurwyr. Roedd dawn fel sgetsiwr ac arlunydd ganddo yn gynnar. Ceisiodd ei ddifyrru ei hun a hogi ei dalentau heb unrhyw gym-helliad allanol.

Meddai Mario ymhellach: 'Torrais fy llwybr fy hun, ac fe'i troediais er gwell neu er gwaeth. Gadawodd fy nhad ein haelwyd pan nad oeddwn ond pump oed. O'r funud honno peidiodd â bod. Gadawodd y profiad graith ddofn ar fy mywyd. Mae fy natur a'm diffyg hyder yn gysylltiedig â'r digwyddiad trawmatig hwnnw. Fy mam, gwyn ei byd, oedd popeth i mi. Fe'i magwyd yn unig ferch ac yn chwaer i chwech o frodyr. Cafodd fagwraeth galed a chariai iau cyfrifoldeb a phwysau gwaith corfforol yn ifanc iawn. Er hynny, magodd dri ohonom yn llwyddiannus, dau fab a merch'.

Roedd bywyd pentref Oleggio Castello ar gyrion Lago Maggiore ymhell o gyrraedd cadarnle Ffasgiaeth a realiti'r byd. Roedd pawb yn oddefol. Gair dieithr oedd democratiaeth. Eto roedd bywyd cynnar Mario yn ddigonol. 'Ond wedi deunaw mlynedd o gael Ffasgiaeth wedi ei gwthio a'i gorfodi arnom, nid oedd gennyf farn bersonol wreiddiol ar y byd a'i bethau,' meddai Mario. 'Nid oedd dim, y pryd hynny, i beri i feddwl chwilfrydig yr ieuanc amau'r gredo. Chi, y Cymry o Ynysoedd Prydain, oedd fy ngelyn i'w ddinistrio. Ni wyddwn yn wahanol. Dyna oedd neges y propaganda a'r cyfryngau torfol. Yn ddiweddarach, deallais a chlywais am 'syniadau cwsg' a oedd yn lefeinio ym meddyliau'r dos-barth canol. Oherwydd yr atgofion hynny ni allaf dderbyn pob agwedd ar heddychiaeth. Ambell waith mae rhyfel yn gyfiawn. Oni bai am yr Ail Ryfel Byd, beth fyddai wedi digwydd i mi? Roedd holl feddylfryd pentrefol ein cymdeithas ar i waered'.

Ai'r Rhyfel a laciodd y gorthrwm parhaol? Ai'r Rhyfel a fu'n gyfrifol am ryddhau'r werin o'i chadwyni? Ymdrechodd Mario, y tu fewn i'w gymdeithas ffiwdal, i geisio ennill lle iddo'i hun. Trwy ddefnyddio ei ddeallusrwydd a thrwy ei ddarbwyllo ei hun fod angen iddo frwydro'n galed i sicrhau na châi ei sathru gan gymdeithas, ceisiodd fod yn flaenaf

ymhob dim, fel y gallai ddringo'n uwch o hyd. Roedd yr elfen gystad-
leuol honno yn gydnaws â'i anian. 'Darllenais doreth o lyfrau o'r llyfrgell
i agor celloedd fy chwilfrydedd, a dechreuais ddeall seicoleg y byd o'm
cwmpas. Dyna oedd fy nod, ond roedd yn anodd iawn cyflawni hynny
mewn pentref diarffordd,' meddai.

Wedi gadael yr ysgol yn ifanc iawn, aeth Mario i weithio mewn ffatri
emau fechan yn ei bentref genedigol. Dysgodd egwyddorion tynnu llun
ac arlunio yn ei amser hamdden. 'Er fy mrwdfrydedd a'm parodrwydd i
weithio'n galed, roedd yn anodd iawn tynnu sylw at fy ngwaith arlunio, i
dderbyn hyfforddiant proffesiynol,' meddai.

Rhyfela

Mae rhyfel yn ein dysgu i gasáu. Mae casáu yn blino'r corff a'r enaid.
Mae casáu yn ceryddu cariad ac mae casineb parhaol yn diddymu'r gallu
i garu.

Y Sul olaf o Awst, 1942. Roeddwn i yn chwech a hanner oed ar y
pryd, yn Gymro uniaith Gymraeg, heblaw am yr ychydig eiriau a ddysg-
ais gan Joseff, yr ifaciwî o Lerpwl a ddaeth i letya ar aelwyd Mam-gu.
Roedd fy nhad yn gapten ar y *Pendeen* ac yn tramwyo'r byd am gyfnodau
o ddwy a thair blynedd. A hwythau'r perchnogion yn llanw'u pocedi ag
elw o'r fasnach tra oedd yntau yn osgoi llongau tanfor llechwraidd y
gelyn. Roedd Mam a ninnau i gyd fel teulu yn byw o ddydd i ddydd ar
ddogni bwyd a'r gobaith na ddôi'r frysneges felen fondigrybwyll â
newyddion 'gwael' o'r môr. Ac euthum innau yn gyfeillgar iawn â char-
charor rhyfel Eidalaidd o'r enw Gino, a oedd yn was ar fferm gyfagos,
sef Garnwythog, Blaencelyn. Roedd ganddo ystafell gysgu uwch y beudy
a'r sgubor (gweler ei hanes yn yr wythfed cwlwm).

Yn y cyfamser roedd effaith y rhyfel yn rhwygo'r gymdeithas ym
mhentref bychan Oleggio Castello ar lannau llyn Maggiore yn Yr Eidal.
Meddai Mario: 'Roedd y postmon yn brysur iawn ers hydoedd a'i sach
lwythog yn gwegian dan bwysau'r cardiau cofrestru. Daeth un trwy
ddrws ein cartref ni. Daeth yr alwad i fynd i ryfel. Aeth Mam yn dawel a
newidiodd awyrgylch yr aelwyd. Roedd pawb yn dawedog. Teimlwn
innau gymysgedd o emosiynau. Ofn a chyffro a'r ymdeimlad o ddigwydd-
iad tyngedfennol yn fy mywyd, ond hefyd penderfynais fwynhau'r
ychydig amser a oedd gennyf ar ôl cyn fy ymadawiad. Cefais ychydig
gysur o'r ffaith fod miloedd wedi fy rhagflaenu!'

Mario Eugenio Ferlito – y milwr 'newydd'.

Pladurwyd ardaloedd cyfain. 'Yr hen a ŵyr a'r ifanc a dybia'. Dyna fel yr oedd hi. Yr hynaf, y profiadol, y cyn-filwyr yn ymwybodol o'r hyn a oedd o'u blaenau, a'r ifanc brwdfrydig yn drwm dan ddylanwad y propaganda diddiwedd. Roedd llawer wedi ymadael â'r pentref eisoes pan ddaeth yr alwad i Mario.

Ac ar ddydd Sul olaf Awst 1942, aeth Mario yn llefnyn ugain oed ar gefn ei feic i ymweld ag eglwys brydferth Sanctuario de Monte San Salvatore. Saif yr adeilad cysegredig ar wefus clogwyn fry uwchben Llyn Omegna. Roedd ganddo dueddiadau Cristnogol ar y pryd. Teimlai fod yr ymweliad fel gwibdaith yn y wlad ac arhosodd y profiad da gydag ef trwy'r dydd.

Yna daeth cyfnod anodd y ffarwelio i'w ran, rhywbeth nad oedd wedi ei brofi o'r blaen. Dan olau'r cyfnos daeth yr amser i ffarwelio â'i gariad, merch y bu'n ei chanlyn yn gyfrinachol ers tro. Cafodd honno gymorth ei thad-cu, a gadwai lygad ar yr hanner chwaer a oedd yn erbyn y berthynas, i gynnal y garwriaeth gudd gyda Mario. Daeth cyfle iddo i bellhau oddi wrth y tŷ ar gefn ei feic a diflannu i'r wlad ddiogel â'i chysgodion caredig i ddwyn cusan bach swil a chael medal lwc dda ganddi. Anos fyth oedd ffarwelio â'i deulu agos. 'Roedd ein llygaid i gyd yn llawn dagrau. A Mam yn fwy ymwybodol o bwysedd y sefyllfa drist na neb,' oedd sylwadau Mario.

Ar y Llun, ffarweliodd Mario â'i deulu a'i fro am y tro cyntaf erioed. Aeth ymaith ar drên arbennig a oedd yn llawn o wŷr ieuainc fel yntau. Roedd yn ddechreuad newydd iddo yn ogystal ag i'w ffrindiau newydd o'i flaen yn y 'compartment' – Enzo Sacrista, Cesarino Mussolini a Mario Massin. Wrth i'r trên stêm ymlwybro i gyfeiriad Novara roedd peth wmbreth o gwestiynau yn corddi yn ei feddwl . . . 'A fyddai'n adnabod rhywun? . . . A gâi ddychwelyd i'w dir tlawd ac annwyl? . . . A gâi weld ei fam a'i deulu eto? . . . Beth oedd Rhyfel? . . . Rhyfel pwy oedd e? . . . Sut rai fyddai'r gelynion? . . . A fydden nhw'n debyg iddo fe? . . . Sut y gallai ladd bechgyn eraill? . . . A oedd rhywun yn mynd i ddangos iddo sut? . . . Yn ôl y propaganda roedd y gelyn yn bygwth Yr Eidal. Pam? . . . Ai dyna'r rheswm iddo gael ei ddrafftio i mewn i fyddin Mussolini?' Nid oedd ganddo atebion parod.

Yna, trwy fwg sigarennau a mwg ac anwedd y trên, gwelodd gopa eglwys San Gaudenzio ac adeiladau Novara yn ymdreiddio trwy niwl diwedd Awst. Roedd yn wynebu realiti ac ofn, ac roedd yn llawn cyffro wrth feddwl am yr hyn a oedd o'i flaen.

Y Mario ieuanc – newydd ymuno â'r fyddin, yn groes i'r graen.

133

Bu bron i Mario syrthio ar ei hyd wrth i'r trên gyrraedd gorsaf Novara. Fe'i sgubwyd gan y dorf fel boncyff mewn afon lawn wrth i'r teithwyr lifo allan o'r trên yn sŵn treiddgar y chwiban. Roedd ar goll yng nghanol yr holl gyffro, ond glynodd wrth garfan o filwyr, a cherddodd heb ddweud gair yn fwyfwy ofnus tuag at y gwersyll milwrol. Ymhlith y darpar-filwyr roedd un bachgen ffyslyd a fynnai wybod popeth. Ond fe'i llyncwyd yntau hefyd wrth i'r bechgyn anelu at adeilad â'r faner Eidalaidd yn cwhwfan uwch ei ben. Cerddodd i fyny grisiau ac aeth i mewn i ystafell enfawr. Teimlai Mario, fel y rhelyw, yn lletchwith ac yn nerfus gyda'r cwestiynau a ofynnwyd iddo wrth i'r bechgyn gael eu dosbarthu i'r adrannau mwyaf addas iddynt fel unigolion. Roedd holl ffrâm ei fywyd yn mynd i newid. Arhosodd yn amyneddgar trwy'r trefniadau biwrocrataidd milwrol cyn ymuno â charfan. Fe'u harweiniwyd gan fath ar 'petty officer' i wersyll milwrol Passalacqua yn aelodau o'r 54edd gatrawd, gan esgus gorymdeithio yn drefnus ddisgybledig, eto'n aflêr ofnadwy, o flaen y cyhoedd. Ond yn fuan sylwodd y garfan ar ddifaterwch y bobl a oedd wedi diflasu'n llwyr ar weld cymaint o filwyr. Roedd tri gwersyll yn Novara'n unig, ac weithiau roedd y milwyr yn ymddwyn yn ddiurddas.

Yn ôl Mario: 'Fe'm danfonwyd i'r llawr uchaf a'r gwelyau heb eu gosod. Roeddwn wedi blino'n llwyr a bron â marw eisiau bwyd. Dim ond dwy rôl drwy'r dydd! Ond wrth aros am wybodaeth bellach, daeth y cyfle i ni i ddod i adnabod ein gilydd. Dieithriaid llwyr oeddem yn holi ein gilydd – beth oedd ein gwaith, ym mha ran o'r wlad yr oedd ein cartrefi – rhwng ambell jôc, ond nid oedd yn amser i chwerthin. Wrth eistedd ar y gwelyau gwag, dechreuodd y bechgyn deimlo'n anniddig ac yn anesmwyth wrth weld eu rhyddid yn diflannu gyda chyfnod o hyfforddiant yn eu hwynebu'.

Yn sydyn daeth 'syrjiant' uchel ei gloch i mewn a gwaeddodd ar Mario:

'Cer i 'nôl dŵr i mi yn y botel 'ma!'
'Na!' atebodd Mario mewn llais clir.
'Rwyt ti yn y barics nawr, cofia!'

Rhoddodd y botel wag i rywun arall. Syllodd y syrjiant eto ar Mario fel petai'n ceisio cofio'i wyneb am byth. Syllodd y milwyr hefyd ar Mario, wedi eu synnu gan ei 'styfnigrwydd a'i anufudd-dod. Bu Mario yn poeni'n ddirfawr am ei ymddygiad, ond gwyddai fod ei 'styfnigrwydd a'i duedd i sefyll yn erbyn awdurdod o unrhyw fath yn deillio o'r cof am ormes y tir-feddiannwr yn ei bentref ar y werin a'r rhai llai ffortunus yn y gymdeithas.

Yn ystod hwyr y prynhawn bu Mario a'i ffrindiau newydd yn cael hwyl mewn trasiedi – 'tragicomica'. Buont yn ffitio eu dillad milwyr newydd – llewys byrion, coleri tynion, trowsusau yn hongian fel pebyll amdanynt, sanau rhyfedd a neb yn medru eu gwisgo, capiau rhy fach, a phâr o sgidiau hoelion fel cychod am eu traed. Ond rhywfodd daethpwyd o hyd i ddillad cymharol gyfforddus. Ac fe'u rhoddwyd mewn unedau o ugain, a Mario gyda'r rhai mwyaf deallus mewn 'platoon' o'r 'battalion commando'. Dôi pawb, bron, o'r gogledd, rhai o Novara, a chant o'r de. Tebyg at ei debyg oedd hi, a 'bois y de' yn heidio at ei gilydd. Ond fe'u rhannwyd eto, yn garfan fechan mewn 'dorm', lle cawsant y cit i gyd. Ac yn eu plith roedd dryll a bidog. Dim ond yr edrychiad balch oedd ar goll nawr!

O'r diwedd daeth galwad i gael bwyd. Ar iard enfawr mewn sgwâr wedi ei hamgylchynu gan adeiladau barics pum llawr, daeth y syrjiant (â'r llais uchel) i nodi'r rheolau – y pethau y caent eu gwneud a'r pethau nad oedd ganddynt hawl i'w gwneud. Ond 'doedd dim i'w wneud â rhesymeg wedi'i adael o'r neilltu. Roedd yn y fyddin nawr. Cyrhaeddwyd y gegin a phawb yn eu dillad milwyr newydd ac yn sefyll fesul dau gan ddal eu tuniau bwyd o'u blaenau, yn barod am y cawl 'minestrone' a'r llysiau. A'r darnau dieithr ('foreign bodies') yn y cawl! Diflannodd y diflastod a gwagiwyd pob tun – 'doedd e ddim mor wael â'r disgwyl! Wedi iddo eistedd, daeth hen ŵr o'r enw Carletti ato a honni ei fod yn ei adnabod, gan ei fod yn dod o'r un pentref â Mario. Teimlai Mario ei fod yn ei adnabod yntau hefyd. Gweithiai a chysgai yn un o'r stordai tabŵ, a chynigiodd ragor o fwyd i Mario. Roedd hyn fel manna iddo. Profodd yr un gymwynas yn ddyddiol. Roedd ei holl fywyd bellach yn un o ufudd-dod llwyr, heb fawr ryddid, i'r rhai uwch eu safle – 'Ie, syr'. A chyn cysgu bob nos wedi galwad y corn tawelwch, rhwng ambell gais am jôc fach neu ddwy, gofidiai Mario yn ddwys am y syrjiant yr oedd wedi codi ei wrychyn ef ar y diwrnod cyntaf hwnnw.

Bob bore, ar alwad y corn swnllyd dros y 'tannoy', roedd y 'dorm' yn Dŵr Babel o regfeydd a chwynion oherwydd i'r milwyr gael eu dihuno o'u trwmgwsg, yn enwedig y rhai a fu allan yn hwyr y noson flaenorol. Aeth ei ddau ffrind, Mario di Casale a Luigi di Rhio, i ddilyn cwrs corpral. Ac yntau Mario, yn un o ddeg, fe'i gorchmynnwyd i ymdeithio â llwyth llawn, i orymdeithio, i redeg, ac i ymarfer yn y gampfa. Byddai mor ystwyth ag ewig, yn gryf fel ceffyl, yn berchen ar yr egni a'r nerth i wrthsefyll yr ymarferion corfforol afresymol . . . ac yn fyddar fel post wrth ddioddef gweiddi (dros 200 desibel) parhaol y syrjiant. Parhaodd yr hyfforddiant o Fedi 1942 hyd at fis Mawrth 1943.

Ond nid oedd chwe mis yn ddigon o amser i'r meistri rhyfel ar gyfer creu byddin effeithiol. Eu bwriad hwy oedd creu unedau a chatrodau a fyddai'n toddi i mewn i'w gilydd i greu peiriant hyderus, peiriant a fyddai'n symud ac yn meddwl fel un grym. Nid oedd ganddynt amynedd gyda syniadau a 'styfnigrwydd unigolion. Fe'u gwesgid gan rygn y meddylfryd militaraidd.

Er i rai honni eu bod un ai'n fyddar, yn ddall neu'n gloff, ychydig a gâi eu traed yn rhydd. '. . . Roedd un bachgen o'm pentref i, Virgilio di Arona, wedi esgus bod yn fyddar ac wedi cael sawl prawf,' meddai Mario.

'Codwn yn gynharach bob dydd a byddai'r lifftenant, Rosario di Palermo, gŵr tal ac ifanc newydd ddod allan o'r brifysgol (ond yn ŵr hynod o bryd golau o ystyried mai *Siciliano* ydoedd), yn ein dihuno o flaen neb arall ar gyfer rhyw ymarfer newydd. Rhaid oedd dringo rhaffau a pholion a neidio dros ffosydd. Roedd pawb yn casáu hyn a minnau, heb fod yn athletaidd iawn, yn cael trafferth i godi 'nhraed o'r llawr! Cosb wedyn a'm hanfon yn ôl i ddechrau'r rhes i drio eto! Cofiaf am y llwydrew ar y rhaffau a'r rhew ar ein dwylo a chwerthin sarcastig Rosano yn gwneud y tasgau'n fwy anodd. Ond daeth llwyddiant i mi ar y bwrdd 'spring' – a neidiais i fyny i'r awyr fel cangarŵ.

. . . Dydd Sadwrn oedd ein hoff ddiwrnod. Diwrnod tâl, a'r pum *lira* yn cadw pawb yn hapus am ddeng niwrnod. Yn y prynhawn dilynwn fy ffrindiau allan ac âi rhai i'r puteindai lleol yn Novara. Roeddwn yn llawn chwilfrydedd a busnes! Dewisent yr adeilad rhrataf a lleiaf moethus wrth gwrs. Âi pawb i mewn yn llawn embaras y tro cyntaf! Roed rheolwraig lem yn cadw trefn ar y rhes ddiddiwedd o filwyr a'r lolfa yn llawn – milwyr ar un ochr, yna'r puteiniaid yn gwenu o'r ochr arall. Roedd y graddau prisiau

136

yn cael eu pennu yn ôl y gwasanaeth a'r amser. Newidid y dewis o ferched bob wythnos er mwyn osgoi ffafriaeth. Roedd yr holl beth yn drist i mi, ac yn dangos pa mor ffals oedd bywydau'r milwyr a hwythau yn ceisio dianc rhag amgylchiadau creulon ac anodd.

. . . Roedd y diwrnod canlynol – y Sul – yn ddiwrnod addoli – dim ymarferion! Gorymdeithiem yn blatŵn trefnus a smart yn ein siwtiau, ac esgidiau glân am ein traed, i'r eglwys gadeiriol, y Duomo. Ac un Sul, yn ystod ymweliadau perthnasau, daeth fy mrawd i'm gweld, ar ôl teithio 30 cilomedr ar gefn ei feic i osgoi talu tocyn trên. Daeth â thair gellygen i mi, a'r rheini wedi cael eu dwyn o berllan tŷ moethus. Roedd ganddo storïau difyr o'm pentref, ac roedd Mam a'r teulu yn cofio ataf.

'Rwyt ti wedi tewychu,' ebychodd fy mrawd.

'O, cawl Carletto, siŵr o fod!' atebais.

Roeddwn yn falch o'i weld er nad oeddem yn cytuno â'n gilydd bob amser.

. . . Oerodd y tywydd gyda throad y flwyddyn. Teimlai bechgyn y de – y *meridionali* – yr oerfel yn waeth na ni, fechgyn 'caled' y gogledd. Rhaid oedd ymolchi allan yn yr iard a'r eira'n drwch ar hyd y llawr. Ac un bore bu cynnwrf mawr. Cwynodd un o'r bechgyn, Canio Tantotero, nad oedd y syrjiant (â'r llais uchel) yn ei drin fel bod dynol, ac fe glywodd e'r cwbl. Y canlyniad oedd cosb lem (*decimazione*) am gyfnod hir.

. . . Yn nes ymlaen aethom i ymarfer saethu yn y maes arbennig. Roedd fy nryll i wedi ei wneud ym 1891! Brensiach y brain! Roedd y safn wedi ei losgi ac wedi gweld sawl rhyfel, rwy'n siŵr. Eglurodd y capten, fel rhyw Napoleon, beth i'w wneud, ond nid oeddwn, fel llawer o'r bechgyn, wedi saethu erioed o'r blaen. Tair gwaith y bûm yn saethu, yng nghanol yr eira, a methu'n lân â sgorio yr un trawiad. Nid yw'n syndod, wrth edrych yn ôl, na saethais neb yn farw yn ystod y rhyfel! A'r gosb am fy anallu? Pum diwrnod arall o aros yn y gwersyll – ond roedd cwmni gennyf!

. . . Parhaodd yr eira a'r oerfel a daeth sôn am ymadael i ymladd ar y ffrynt Rwsiaidd. Dychwelai rhai o'r ffrynt gan sôn am yr oerfel, 20 gradd dan bwynt rhewi, dim digon o fwyd na dillad, a cholledion niferus. Roedd pawb yn parhau gyda'r rwtîn o ymarferion, a Luigi yn dal i gwyno am y corpral. Roedd e'n casáu codi'n gynnar! Yn ystod misoedd y gaeaf, cynyddodd yr ymarferion, a minnau yn rhan ohonynt wrth baratoi am ymadawiad posibl i Rwsia bell. Unwaith bob wythnos aem ar ymdaith troed ar gyrion Novara – naw cilomedr i ddechrau ac yna hyd at 40 cilomedr (25 milltir). Âi rhan gyntaf y daith yn ddigon hwylus, ond tua'r diwedd teimlem flinder ofnadwy er inni orfod canu a chadw trefn wrth ddod yn ôl. Dôi cerbyd y Groes Goch i estyn cymorth i rai, ond cosbwyd y rhai diog drwy eu gorfodi i gerdded rhagor! Weithiau collem y ffordd oherwydd anallu rhai swyddogion i ddarllen y map!

. . . Yn ystod y teithiau dôi'r meddyliau rhyfeddaf imi. Canwn emynau milwrol un funud, yn llawn hwyl, yna'r funud nesaf, byddai blinder yn fy meddiannu, a gwacter poenus, ynghyd ag wyneb diystum a'r anallu i ganolbwyntio. Clywn Luigi yn gweiddi bob hyn a hyn – 'Porco guida! Porco guida!' (y blydi tywysydd yffarn). Ond gallaf ddweud â'm llaw ar fy nghalon, er iddynt fy ngwthio, ni ofynnais unwaith am y Groes Goch. Wedyn cefais gynnig swydd fel cyfrifydd mewn swyddfa gynnes glyd. Ni allwn aros i ddweud wrth fy nheulu a'm cariad. Nid oeddwn wedi clywed oddi wrthi ers sbel, a thybiwn ei bod, efallai, yn dal i gael problemau gyda'i hanner chwaer. Roedd y swydd yn wych, ond roeddwn o hyd yn gorfod rhedeg can medr drwy ffosydd o ddŵr oer a dringo muriau dwy fedr o uchder. Cynyddodd fy hyder fel cyfrifydd ond roedd clywed y lleill yn ymarfer y tu allan yn yr oerfel yn fwynhad pur!'

O'r diwedd daeth llythyr oddi wrth ei gariad – o Trieste. Ni wyddai llyschwaer ei gariad am y cyfeiriad newydd.

'Roeddwn wrth fy modd nawr, a gallwn ysgrifennu'n rhydd heb boeni. Es allan i brynu stampiau yn Novara ac ysgrifennais lythyr at fy nghariad mewn heddwch perffaith ym mharc y castell.'

Parhaodd hefyd y bygythiad i'w anfon i'r ffrynt Rwsiaidd. Daeth yn amser i gael chwistrelliadau yn erbyn twymyn yr ymysgaroedd (*typhoid*) a chlefydau tebyg.

'Daeth y nyrs ataf â'r nodwydd a'r dôs mwyaf posibl. Ceisiais fod yn ddewr a'u derbyn nhw i gyd – rhag ofn. Ac wedyn cefais fraich dost iawn a gwres uchel. Ond y diwrnod hwnnw cawsom sioc fawr. Ehedodd chwe awyren Brydeinig dros y maes a'n straffio â bwledi. Neidiodd pawb i guddio o dan ddrysau mawrion. Camgymeriad oedd y cyfan ond ni chafodd neb niwed. Roeddynt ar eu ffordd i Milano. Anghofiodd pawb am y pigiadau.'

'Amlygir gorau a gwaethaf dyn ar adeg o ryfel,' meddai Mario ymhellach. Byddai rhai syrjiants yn aml yn agor pacedi post (oddi wrth deuluoedd milwyr y de), ac yn eu helpu eu hunain i'r bwydydd a'r rhoddion a geid ynddynt gan roi'r bai ar y post! Ai direidi neu greulondeb oedd hyn? Y diawled!'

'Roedd yr awydd ynof i ddianc adref yn gryf iawn. Ac un penwythnos, yn ystod absenoldeb y swyddogion, rhentais feic ar brynhawn hwyr o Sadwrn a dechrau pedlo i ryddid ffals. Hen racsyn o feic ydoedd, ni allwn fforddio dim arall, a dôi'r tshaen bant trwy'r amser.'

Bant â Mario, a'r haul yn tywynnu'n gynnes ac yntau yn llawn cyffro i arddangos ei wisg filwrol. Dod yn ôl yn fyw ac yn iach am y tro cyntaf ers pedwar mis. Curai ei galon fel gordd gan na wyddai neb ei fod yn dod. Cyrhaeddodd y tai cyntaf ar gyrion y pentref, yn dioddef o flinder, oherwydd y tshaen. Mor dawel oedd popeth a dim ond rhai o'r menywod hŷn yn cerdded yn drist ar hyd y stryd.

'Roedd y teulu i gyd gartref. Roeddwn mor falch o'u gweld, Mam yn enwedig. Dôi cwestiynau mawr o bob cyfeiriad. O na allwn aros a therfysg rhyfel a'r holl ladd yn cael eu dileu! Es draw i weld modryb imi a holais am fy nghefnder Piero Bulchin, a oedd yn ymladd ar y ffrynt Rwsiaidd. Cysgais yn ei wely y noson honno a chefais ddydd Sul hamddenol a braf a chysgu ymlaen!
. . . Roedd ffarwelio yn haws y tro yma, ar ôl y ffarwelio cyntaf anodd hwnnw. Teimlai'r daith yn ôl yn fyrrach, ac roedd meddyliau yn mynd a dod wrth imi bedlo ar fy mhen fy hun yn ôl i fywyd nad oeddwn wedi ei ddewis.'

139

Aeth dyddiau'r gaeaf ymlaen yn ddiddiwedd a dioddefodd Mario yn ddirfawr o'r oerfel. Cofiai iddo fynd un Sul gyda'i ffrind Constanta di Brescia a chyrraedd sgwâr y dre a oedd yn orlawn, gyda channoedd o filwyr yn ei lenwi. Agosaodd un syrjiant ifanc newydd atynt, ond parhaodd Mario a'i ffrind i siarad heb ei gyfarch.

'Rydych yn haeddu cosb am beidio â chyfarch eich syrjiant. 'Dwi'n mynd i'ch riportio chi. Dewch gyda fi,' gwaeddodd arnynt.

Taw oedd piau hi yn y fath sefyllfa yn nhyb Mario, ond agorodd ei gyfaill ffôl ei geg. Tywyswyd y ddau'n ôl i'r gwersyll o flaen y 'Tenant'. Achubwyd eu crwyn, ond yna ceisiodd un corpral fanteisio ar y sefyllfa a cheisio dwyn swydd Mario oddi arno.

Erbyn troad y flwyddyn roedd hanesion erchyll yn cyrraedd Mario, trwy'i gefnder, am erchyllterau a cholledion enfawr ar y ddwy ochr ym mrwydr ffyrnig Stalingrad ar lannau afon Don.

'Gyda hyn,' meddai Mario ymhellach, 'ces fy symud i wersyll arall – catrawd milwyr troed y '68fed'. Cefais fy nhraed danaf yn sydyn, a chefais swyddfa newydd a gwely bach i mi fy hunan yn y stordy i warchod y stoc. Collais brydau bwyd ychwanegol yr hen wersyll, ond awn i lawr i'r llaethdy i gael ambell beth bach fel '*panino*'. Dechreusom ymgartrefu yn well, ond ni allai pawb ddygymod â'r sefyllfa. Taflodd un o'r '*richiamati*' ei hun o'r pedwerydd llawr wedi ei alw'n ôl i'r fyddin. Druan ag e!'

Ond un diwrnod, cyrhaeddodd llythyr o Trieste. Meddyliodd am ei gariad ac roedd ei ffrind Giovanni di Domo yn ysu am weld ei gynnwys. Roedd rhannu geiriau cariadus mewn llythyron yn medru cysuro llawer yn y dyddiau unig hynny. Ond arswyd a deimlodd Mario. Ysgrifen ddieithr ydoedd, a ffrind ei gariad yn adrodd ei hanes.

'Bu fy nghariad yn darllen fy llythyr yn ystod gwers ysgol. Cafodd ei dal ac anfonodd y prifathro sadistig am ei llyschwaer, a gwaharddodd hithau, yn ei chwerwder, ei chwaer rhag cysylltu â mi byth eto! Wylais wrth ddarllen y llythyr. Darllenais y geiriau creulon dro ar ôl tro. Methwn gredu'r peth. Collais bob gobaith am y dyfodol a sylweddolais ei phwysigrwydd imi a minnau'n methu gwneud dim ynglŷn â phenderfyniad y llyschwaer – yr hen ast!

. . . Llifodd dicter trwof am fisoedd. Ofnwn y byddai torcalon am fy nghariad yn effeithio ar bob perthynas â merch a gawn yn y

dyfodol. Ceisiais beidio â phoeni, ond methais guddio fy nheim-
ladau. Roeddwn yn ddig wrth bennaeth yr ysgol a'r llyschwaer am
ddinistrio fy mywyd.'

Yn ystod y cyfnod hwnnw, diflannodd blancedi o'r stordy a phoenai
Mario, pe ceid ymchwiliad i'r mater, mai ef a gâi'r bai. Dechreuodd amau
un milwr slei o Bergamo a oedd yn cysgu yn yr ystafell ar bwys y stordy.
Aeth Mario â'r blancedi coll yn ôl un noson, pan oedd y stordy heb ei
gloi, gyda'i galon yn ei wddf ac yn crynu rhag ofn y câi ei ddal.
　　Ond ar 2 Chwefror 1943, daeth cylchlythyr i'r swyddfa. Roedd yn
rhaid i'w gatrawd a'r 84ydd bataliwn baratoi i fynd i'r ffrynt Rwsiaidd ar
ôl pythefnos o hyfforddiant yng ngwersyll gaeafol Romagnano Sesia.
　　Gŵr swil, deallus o natur gyfeillgar oedd y Mario ifanc ugain oed. Er
ei ddeallusrwydd nid oedd ganddo'r bersonoliaeth na'r cysylltiadau
gwleidyddol i arwain dynion. Fe'i rhoddwyd eto mewn swyddfa arall am
gyfnod, a gweithiodd fel clerc i'w gatrawd. Ond ar 1 Mawrth 1943, daeth
maes y gad yn nes. Fe'i symudwyd i ynys Sicilia, ac ar 20 Mawrth,
teithiodd mewn awyren ymhlith miloedd o'i gyd-wladwyr i Tunisia yng
ngogledd yr Affrig.
　　Roedd Reich General Edwin Rommel wedi symud ei fyddinoedd yn ôl
i Tunisia wedi colli cyfres o frwydrau ers El Alamein. Collwyd yr holl dir
a oedd unwaith yn eiddo i'r Almaen (a'r Eidal), a phenderfynodd wneud
un safiad cadarn yn erbyn byddinoedd y gorllewin. I'r de-ddwyrain o
bentir trawiadol sy'n ymwthio allan i'r Môr Canoldir roedd tir uchel
ger trefi Enfidaville (Takruna) a Sousse. Yno, ger dwy dref strategol, y
byddai cadarnleoedd olaf yr Almaenwyr a'r Eidalwyr. Ond roeddynt wedi
eu cau mewn pinswrn ar dair ochr. Gwasgai byddinoedd America, Ffrainc
a Phrydain a'r Gymanwlad arnynt. Gwyddai Rommel y byddai'r Eidal o
fewn cyrraedd i'r gorllewin pe byddai'n colli'r tir hwn.
　　Ac yng nghanol y gyflafan roedd Mario Eugenio Ferlito, yr hogyn
ugain oed, diniwed o lannau Llyn Maggiore. Mor wahanol oedd popeth.
Nid oedd yno wyrddlesni na thyfiant ffrwythlon na balm awelon y llyn i
fwytho a chlaearu ei wyneb a'i ofnau. Nid oedd yna fryniau, na chribau
gwenwisg yr Alpau yn gefndir o sicrwydd. Dim ond anialdir. Milltiroedd
ar filltiroedd o ddiffeithwch diddiwedd. Dim ond daear hesb o raean,
tywod cwrs, cerrig rhydd a phrysgwydd (*scrub*) a choed bychan yn tyfu
yn afreolaidd. Codai ucheldir, 300-500 troedfedd o garreg galch, i wynebu'r

gogledd, a threiddiai darnau creigiog caletach i'r wyneb fel creaduriaid anfodlon yn chwilio am oleuni o'u carchar tanddaearol. Allan yn y môr i'r gogledd-ddwyrain roedd ynysoedd Melita a Sicilia. Mor agos ond mor bell hefyd.

Roedd Mario mor ddigalon. Roedd popeth yn ei erbyn ac mor annealladwy iddo. Ond roedd ymhlith ei gyd-wladwyr, a llawer ohonynt, fel yntau, yn ieuanc ac yn ddiymadferth o gael eu llyncu gan fwystfil rhyfel. Yn eu tro, gorweddent yn eu ffeuau yn disgwyl am eu prae anweledig. Ar eu pennau roedd helmed galed, yn eu dwylo ddrylliau annigonol, a bysedd crynedig, chwyslyd ar bob triger. Roedd eu sgyrsiau yn afreal ac ymdrechent i ddweud ambell jôc yng nghanol ambell chwa o fwg sigarét a llond ceg o dywod a chwipid i fyny gan y trowyntoedd. Uwchben, yn yr awyr las, gwibiai'r awyrennau fel gwenyn meirch gan ollwng eu bomiau gwenwynllyd a'u straffio â bwledi. Deifient i gyd i mewn i'w tyllau pan ddeuent yn rhy agos. Taniai'r gynnau mawrion atynt. Ond parhau i ddodwy a wnaent ddydd a nos. Roedd mor annioddefol o boeth o fore tan nos. Disgynnai'r gwyll yn sydyn fel llenni opera i gyfeiliant Natur. A dôi'r oerfel yn gwmni iddo. Rhaid oedd gwisgo'n addas mewn dillad cynnes. Roedd yn ddigon cynnes i ffrio ŵy ar y creigiau yn ystod y dydd, ond yn y nos roedd fel petai'n rhewi.

Islaw yn y dyffrynnoedd gwelai Mario linellau hirion o lorïau fel llongau masnach yn cludo offer ac arfau. Roedd adrannau o'r byddinoedd yn symud fel afonydd ar fôr o anialwch. Codai'r llwch yn gymylau uchel yn eu wêc. Llywio i gwmpawdau a chytserau'r sêr a wnaent. Rhoddai'r diemwntau disglair gysur i Mario. Roeddynt mor bell ond mor agos hefyd, ac yn gwmni iddo, fel petaent yn anfon negeseuon ato neu'n siarad ac yn cynnal sgwrs ag ef. Wedi'r cyfan roedd wedi dechrau prentisiaeth mewn ffatri emau cyn cael ei alw i faes y gad. Ond iddo ef, yng nghanol uffern rhyfel, roeddynt mor brydferth, mor bell o afael lladd a dinistr. Eto roedd un llygad ar ddyfodiad ei elyn anhysbys ac anweledig. Beth roedd e'n ei amddiffyn, dan dragwyddoldeb a difaterwch y sêr? Pa bryd y dôi Armagedon? Ai yma mewn gwlad ddieithr y byddai ei ddiwedd? Un ergyd annisgwyl, efallai, a'r cwbl ar ben. Ond roedd y sêr yn parhau i wenu. Rhoddai hyn ffydd iddo. Yn wir, dychmygai, gydag arddeliad, fod yr un sêr yn gwenu ar ei elyn hefyd.

Ond trwy gydol nos a phob nos goleuid y gorwelion gan fellt y tanio diddiwedd. Anghofiwyd y sêr. Dôi atsain y gynnau mawr fel cynddaredd cawr yn griddfan yn ei boenau. Clywai danciau yn rhygnu yn y pellter a cholofnau o lwch a phatrymau eu gwythiennau yn cuddio'r tiroedd. Newidiai'r darnau fel gêm fawr o wyddbwyll.

Cofnododd Mario'r manylion isod yn ei ddyddiadur:

'Ar 2 Ebrill 1943, bu raid i ni ymadael ar frys. Y bws yn llawn dop gyda phethau o'r gegin a milwyr. Cyrraedd Enfidaville i'r gogledd. Lle bach modern a lle delfrydol i ymestyn y coesau, a Luigi a minnau yn cuddio bwyd a oedd wedi rowlio o dan y sedd rhag llygaid y cogyddion. Llawer yn ymweld â'r tŷ puteiniaid, a golygfa ddoniol iawn, pan oedd y bws ar fin ymadael, oedd gweld un milwr bach ar ôl yn ceisio dal y bws gyda'i drowsus yn ei law. Roedd cael rhywbeth i chwerthin amdano yn hwb i'r galon. Llawer o ganu yn y nos, drwy'r nos, a hyn yn helpu Luigi a minnau i dorri darnau o gaws o'r cosyn anferth, y '*grana*', gyda bidog a chuddio'r darnau yn ein bagiau cefn. Dwyn pum cilogram o jam hefyd! Cyrraedd Kelibia a chodi pebyll mewn maes o goed olewydd. Eisteddodd Luigi a minnau ymhell oddi wrth y lleill, er mwyn bwyta'r caws, nes ein bod yn sâl ofnadwy. Clywed y cogyddion yn diawlio! Codi drannoeth â bola tost ofnadwy. Wythnos hamddenol iawn yno. Ymweld â'r 'Kasbah'

. . . 9 Ebrill: Galwad 'nôl i'r de a gwersylla ger *plateau* mawr Enfidaville a Saouaf. Sŵn y bomio o'r awyr yn nes. Swyddog Almaenig yn ymweld â ni ac yn trafod sgiliau rhyfel gyda ni . . . cawsom ein hyfforddi i'n hamddiffyn ein hunain, ac i'n hamddiffyn ein hunain rhaid oedd lladd y gelyn, neu gael ein lladd. Fe'm cyflyrwyd i gredu hyn, sef y ddysgeidiaeth filwrol. Llyncais y propaganda nes peri inni orfod wynebu a deall ein gwrthwynebwyr. Yna gwelsom wendid yr athroniaeth a ffwlbri'r unben a'i gynllun i reoli'r byd. Ond 'doedd ynfydrwydd yr arweinwyr ddim wedi croesi ein meddyliau ar y pryd. Gorchmynnwyd inni symud eto i'r mynyddoedd. Seibiant ambell noson. Ond methu cysgu dim noson arall oherwydd y 'tân gwyllt'. Dim sôn yn unman am awyrlu'r Eidal.

. . . Yn y mynyddoedd teimlwn fel dafad ar goll. Cerddwn yn groes i'r cyfeiriad y dôi sŵn yr ymladd ohono. Ai dianc yr oeddwn neu chwilio am y ffrynt? Roeddwn eto i ddefnyddio gwn. Aros am hoe mewn pentref a neb ond pennaeth y platŵn ar ôl ynddo.

Roedd y lleill wedi mynd i gyfeiriad arall. Antur fechan wrth
ddarganfod pwll glo a Luigi a minnau yn teimlo'n ddewr ac yn
darganfod haenau o anthraseit ar hyd y twnel. Roedd y tirwedd fel
wyneb y lleuad. Darganfod balconi yn y graig a chysgu oddi tano
drwy'r nos heb orfod codi pabell. Pawb yn teimlo'n ddiflas ac yn
hiraethus. Roedd yn wyth mis ers i ni ymadael â Novara!

> Yng nghysgod mwyn y nos
> Daw gweddi fach i mi . . .
> Dros y rhai sy'n ymladd a'r rhai sy'n marw . . .

. . . Buom yn siarad am oriau a dôi'r atgofion yn rhwydd yn y
tawelwch. Crwydrem trwy'r dydd, heb bwrpas, gan ddarganfod
pyllau dŵr i ymolchi ynddynt. Dim blewyn glas nac anifail i'w
gweld yn unman. Newyn yn parhau ac ambell ddydd heb fwyd o
gwbl.
. . . 21 Ebrill 1943. Galwad i symud eto, ond pwy oedd yn
gorchymyn hyn? Roeddem fel defaid coll eto, ond y pedwar cyfaill
gyda'i gilydd o hyd – Luigi, Costante, Maro di Casale a minnau.
Dringais dir uchel a chlywais sŵn bomio yn dod o gyfeiriad y lle
yr oeddem ni newydd ei adael. Anodd cysgu ar y tir anwastad.
Disgyn eto, a gweld criw o Eidalwyr eraill yn trafod y *'bag post'*.
Penderfynu arllwys ei gynnwys i'r llawr. Cefais syndod mwyaf fy
mywyd pan welais gerdyn post oddi wrth fy nghariad o Trieste, ac
arno lun a'r geiriau 'San Antonio, rho fendith ar ein milwyr' dano.
Ai ffawd oedd hyn neu gyd-ddigwyddiad? Teimlais iwfforia a
gobaith mawr. Dringais dir uchel eto – yno cefais orig fechan i
dorri fy mlinder yng nghanol coedwig fechan o goed oleander.
Ailymuno eto â'r platŵn, y *Prima Compagnia*. Cysgu dan gysgod
carreg enfawr ar bwys amffitheatr naturiol!
. . . Dechrau Mai 1943 – 43 o filwyr yn y cwmni – cymysgaeth
o droseddwyr a milwyr a oedd ar goll. Dechrau gwastraffu bomiau
llaw a'u taflu er mwyn defnyddio'r alwminiwm i greu bocsys
sigarennau. Yna daeth y trychineb cyntaf i'm hwynebu. Ffrwydrodd
chwech o fomiau llaw yng nghôl un milwr nes bod darnau o'i
gorff ym mhobman. Roedd pawb yn syfrdan fud ar ôl cael y fath
sioc. Adroddodd y *Major* weddi. Problem arall oedd y pryfed, y

llau gwallt a'r chwain – roeddynt ym mhobman ac roedd yn rwtîn dyddiol i'w trin! . . . Sylwais un dydd ar awyrennau Americanaidd uwchben – achos i boeni – ac ar un tro cefais ofn dychrynllyd. Ni chlywais yr awyren yn agosáu o gwbl, ac o fewn eiliadau roedd yn hedfan ychydig fedrau yn unig uwch fy mhen. Gollyngais sgrech nerth fy mhen. Meddyliodd Luigi ei fod wedi colli ei bwyll, ond wedyn sylwodd ei fod wedi llosgi ei goes â'i sigarét!

. . . Mwy o *'fortezza volanti'* (grym o'r awyr) yn mynd tua Sicilia ac weithiau yn dod yn ôl gydag un awyren ar goll. Arwydd clir o wir ddechreuad y rhyfel yno.

. . . 13 Mai 1943. Y dydd tyngedfennol. Dyddiad nad oeddwn i na neb arall yn mynd i'w anghofio. Diwedd y rhyfel yn Tiwnisia. Nid oedd yn sioc 'chwaith. Taflwyd taflenni o'r awyrennau yn gofyn i'r Eidalwyr fynd at swyddogion y Cynghreiriaid. Roedd y platŵn yn ddifater ar y dechrau, nes i'n swyddogion ni sylweddoli pa mor enbyd oedd y sefyllfa. Taflwyd y gynnau o'r neilltu. Ceisiais dorri fy nryll innau. Aeth eraill i dorri til arian a dwyn rhywfaint o'r arian a oedd ynddo. Rhoddais fy mhabell a'm blanced yn fy mag, a dwy rôl o fara i bawb. Galwodd Luigi bawb at ei gilydd,

Gogledd yr Affrig: milwyr o'r Eidal yn ildio drwy chwifio defnyddiau gwynion yn yr awyr wrth redeg yn ddiolchgar at y milwyr Prydeinig. Daliwyd 38,000 o Eidalwyr ym mis Rhagfyr 1942, a Mario Ferlito yn eu plith. Llun o waith Jane Evans.

145

22 ohonynt (*Commando di Novara*), a chlymodd isddilledyn gwyn
ar gefn y milwr talaf i ddangos ein bod yn ildio.

. . . Disgynnodd y criw i lawr y llechwedd, a rhoddem yr argraff
nad oeddem yn poeni am ddim. Ond y gwir oedd ein bod ni i gyd
yn poeni am bopeth ac roedd yr ymdaith ar i waered o'r llechwedd
yn debycach i angladd. Cyraeddasom yr heol mewn tawelwch an-
naturiol a phawb ohonom yn benisel. Yn y fath sefyllfa hurt, roeddwn
yn ddig eto tuag at y rheini a oedd wedi 'dwyn' ein bywydau, fel
petai. Roedd cwestiynau heb eu hateb. Teimlwn anobaith ac ansic-
rwydd. Pa obaith a'n disgwyliai ar waelod y mynydd?

. . . Cyrraedd y gwaelod yn llwglyd, yn flinedig ac ar goll yn
llwyr. Cefais syndod o weld cymaint o filwyr a fu'n cuddio yn y
mynyddoedd. Clywsom si y byddai'r Saeson yn ein cyrchu mewn
bysiau, ac ymhen awr dyna'n union beth a ddigwyddodd. Roedd
cannoedd ar gannoedd o filwyr wedi ymgynnull ac yn cerdded
yn un rhes hir ar igam-ogam i'r pellter, fel un o afonydd cysglyd
gwastadoedd dyffryn y Po yng ngogledd yr Eidal.'

Meddyliai Mario wrtho'i hun: 'Newydd ddod o groth ein mamau yr
ydym a nawr rydym wedi cael ein cipio gan rai na wyddom ddim byd
amdanynt, a gorfod bod ar eu trugaredd'. Daeth atgofion melys am
ddyddiau ei blentyndod iddo, a chofiai am y breuddwydion a'r gobeith-
ion syml a goleddai gynt. Ond yn awr roedd ei freuddwydion ef a
breuddwydion ei gyd-filwyr wedi cael eu chwalu'n llwyr. 'Cawsom ein
twyllo gan eiriau fel 'cariad at dy wlad'. Bellach nid oeddem yn deall yr
hyn a oedd o'n blaenau'.

Arhosodd y platŵn gyda'i gilydd fel petai arnynt angen ymdeimlad o
amddiffyniad a pherthyn. Teimladau cryfion iawn. Ond nid oedd neb yn
crio er gwaethaf yr iselder ysbryd. Rhygnodd y confoi bysiau ymlaen yn
y tywyllwch. Roedd pawb yn dawel. Pawb wedi ildio mewn diymadferth-
edd llwyr. Methai Mario ddarllen wynebau'r lleill ond yna daliodd lygaid
Luigi. Teimlodd y ddau eu llygaid yn dyfrhau yn eu tristwch. Sylweddol-
odd y ddau fod diwedd i'w gobaith.

'Fore trannoeth roeddem yn un o 30,000 mewn gwersyll anferth!
Byddai Mussolini yn falch iawn o weld y fath dyrfa,' meddai Mario.

Rhoddwyd gwaith i Luigi yn y gegin a bu Mario druan yn paentio
arwyddion yn wyn cyn rhoi geiriau Saesneg arnynt – mewn coedwig o

goed olewydd. Yno bu Corporal o Sais yn garedig iawn wrtho, yn ei fwydo â tharten, te a roliau bara – ac yn ei drin yn gydradd.

'. . . Roedd y gwaith yn helpu ychydig i liniaru'r ymdeimlad o golled. Colli ffrind ac adnabyddiaeth. Weithiau mae'r atgofion yn aneglur a'r dyfodol yn creu ofn. A ph'run bynnag – roedd gwaith yn well na diogi a diflastod.

. . . Bore wedyn, martsiodd dau gant ohonom allan o'r gwersyll, yn griw trist ond heb hunan-dosturi ac yn sefyll ar ein traed ein hunain. Cerddasom am gilomedrau ar hyd ffordd fawr ac ambell 'jeep' Americanaidd yn pasio. Roedd y gwres yn llethol ac yn ofnadwy a minnau bron â llwgu er gwaethaf bwyd y 'Brits'. Cyrraedd gwersyll arall. Cysgu fel twrchod a blinder yn drech na bola gwag. Dihuno eto a chael y dwsin bisgedi arferol. Ond y sialens fwyaf oedd ceisio berwi dŵr mewn tuniau i goginio'r 'lentils' a'r ffa a roddwyd inni. Bwytasom y cyfan, bron yn amrwd.'

Dridiau yn ddiweddarach, trosglwyddwyd yr Eidalwyr i ddwylo Lleng Estron (*Foreign Legion*) y Ffrancwyr.

'. . . Dyna wahaniaeth, a phawb yn gweld eisiau goddefgarwch a chwrteisi'r 'Brits'! Dôi swyddogion o gwmpas gan ein taro â phastynau i sicrhau ein bod wedi diffodd pob golau! Sylwais ar groen pawb. Er gwaethaf lliw naturiol ein hil – rhyw fath o ocr melynaidd – sylwais fy mod wedi colli fy lliw naturiol, oherwydd y tywydd, y blinder a'r bwyd!

. . . Ymlaen eto, y tro hwn mewn deg bws Americanaidd i Gaergystennin (*Constantinople*). Cyfarfod â fy hen ffrind, Constante di Brescia. Yntau yn oeraidd iawn. Roedd hyn yn fy mrifo i a Luigi. Y rhyfel wedi newid pobl. Gyrrwr gwyllt, dienaid bost – a hewlydd peryglus. Ond roedd yn garedig. Rhoddodd sigarennau a siocled i ni, ond am amser byr yn unig y parhaodd y danteithion – 'Niente dura per sempre'. Tu allan i Gaergystennin, profais storm dywod am y tro cyntaf. Llosgai fy wyneb a daliwn hances o'm blaen i amddiffyn fy llygaid. Bûm yn casglu cerrig ac yn golchi gwifren bigog – i osgoi diflastod. Ymguddiodd Luigi i osgoi'r tasgau. Ar 11 Gorffennaf 1943, fe'n symudwyd i Algiers.'

Teimlai Mario a phawb arall ar goll a'r gorffennol ymhell iawn o'u meddyliau. Byw i'r dydd yr oeddynt. O'r trên, gwelent diroedd ffrwythlon wrth agosáu at y môr. Ac ar ambell orsaf, sawl Iddew yn crwydro gyda seren felen Dafydd ar eu dillad. Arhosodd y trên yn nhref Setif.

Yn ôl Mario eto: 'Roedd y lle yn llawn o Arabiaid. Gofynnodd un imi am gyfnewid fy nghrys am docyn o fara a jam. Ac fel twpsyn – cytunais. Rhedodd yr Arab i ffwrdd gyda phopeth. Ond bum munud yn ddiweddarach, dychwelwyd y cwbl i mi gan filwr o Loegr. Teimlais gasineb tuag at Arabiaid, oherwydd y digwyddiad bach yna. Ceisiodd yr Arab ddod o hyd imi eto ar y daith. Collais fy fflasg ddiod wedyn. Cafodd ei dwyn gan aelod o'r Lleng Estron. Teimlwn hefyd fod sawl cenedl yn casáu Eidalwyr oherwydd cysylltiadau Mussolini â Hitler. Gobeithio fod rhywun yn rhywle yn gweddïo drosom'.

Ond yn ddiarwybod i Mario a'i gyd-filwyr roedd y frwydr ar y gwastadeddau yn fethiant llwyr o safbwynt yr Eidalwyr. Parhaodd yr Almaenwyr i frwydro'n ddewr a dygn. Ond roedd hyd at 36,000 o Eidalwyr yn cael eu dal bob mis. Cyflawnwyd gwrhydri unigol ymhlith yr Eidalwyr, ond methiant ar raddfa eang fu rheoli trefniadaeth enfawr. Gwasgai'r Americanwyr, y Prydeinwyr a milwyr y Gymanwlad, ynghyd â'r Ffrancwyr, o bob ochr.

Pan ddaeth gorchymyn i uned Mario a'r rhai cyfagos i adael eu hamddiffynfeydd ac i ddianc o'r mynydd-dir tuag at dref Kairouan, yng nghanol yr anhrefn daeth rhyfel Mario i ben. Nid oedd wedi tanio yr un ergyd yn erbyn ei elyn. 'NID OEDD WEDI LLADD NEB'.

A phan lithrodd i lawr y mynydd ar hyd llwybrau llychlyd a charegog sylweddolodd ei fod yn garcharor rhyfel. Roedd ymhlith 130,000 a ddaliwyd hyd at 13 Ebrill ac yn un o'r 240,000 y bu iddynt lwyr ymildio ('General Surrender' – 13 Mai 1943).

'Roedd popeth yn digwydd mor gyflym, a'r cwestiwn ar wefusau pawb oedd – beth nesaf? Yn sicr, gweddïai pob un ohonom na chaem ein trosglwyddo i ofal yr Awstraliaid. Crewyd myth trwy rengoedd yr Eidalwyr fod yr 'Anzacs' yn hynod o rymus ac yn enwog am eu ffyrnigrwydd a'u creulondeb. Dywedid y byddent yn torri bysedd y clwyfedigion a'r meirwon i ffwrdd er mwyn dwyn modrwyon a thlysau. Roeddwn yn crynu yn fy esgidiau, fel llawer o'm cyd-filwyr. Llwyddais i yrru llythyr at fy mam annwyl o Algiers ac yna cyfres o gardiau wedi eu paratoi ar ein cyfer – 'I am well. I am a prisoner'. Rhoddwn fy llofnod ar y gwaelod. O leiaf fe wyddai fy mam, fy mrawd a'm chwaer am fy nhynged.'

Roedd gan yr Almaenwyr hefyd gardiau tebyg ar gyfer carcharorion Prydeinig. Anfonai'r Capten John Cyril Lewis y canlynol at ei fam yn Llanarth: 'I am well. How are you? How is the cat?'.

Meddai Mario ymhellach: 'Cyrhaeddodd y newyddion fy mod i a llawer o'm cyd-filwyr i dreulio gweddill y rhyfel yn *Inglaterra (England)*. Rhyddhad mawr iawn i mi, oherwydd clywais fod llawer o Eidalwyr i fynd i'r India a'r Aifft, Kenya, De Affrica – a thros yr Atlantig i'r Unol Daleithiau a Chanada. Teimlwn yn ddiolchgar iawn.'

Cadwent eu hurddas. Dangoswyd disgyblaeth. A bu Mario yn ffortunus iawn. Dywedodd Gaetano Rago: 'Fe'm clwyfwyd gan 'shrapnel' a threuliais bum niwrnod yng ngofal y Groes Goch. Ond yna fe'm hanfonwyd yn ôl i'r llinell flaen i ymladd am 65 diwrnod arall. Ar ôl inni gael ein dal fe'n taflwyd i mewn i lori a'n harllwys allan ohoni fel llwyth o gerrig. Amhleserus iawn!'

Cludwyd Mario a channoedd o rai eraill i harbwr cyfagos. Fe'u gosodwyd mewn rhengoedd disgybledig a'u martsio i fwrdd y llong *Otranto* a oedd wedi angori yn y Porto di Algeri, ac yno y buont am ddau ddiwrnod.

'Ofnwn syrthio dros y gangwe. Ni fedrwn nofio. Ofnwn y môr hefyd a methais gysgu dim. Cawsom ein trosglwyddo eto i long arall, y *Nea Hellis*, llong bleser 25,000 tunnell a oedd wedi cael ei haddasu i gario milwyr. Roedd hyn ar 14 Gorffennaf 1943. Roeddem mewn byncs, 6-8 ymhob ystafell a'r bwyd a'r drefn yn dderbyniol. Caem ymarfer trwy gerdded ar y deciau ar adegau arbennig. Hwyliasom am 'Inglaterra' – *Veni, Vidi* ond nid *Vici* y tro hwn. Cofiaf i'r llong angori ger craig a phorthladd Gibraltar. Syllwn trwy'r 'port-hole' fel pysgodyn aur mewn powlen wydr – yn llygaid i gyd. Yn fy wynebu roedd y Llynges Brydeinig a rhesi o ynau pwerus. Rhoddais binsaid i'm braich. A oedd hyn yn digwydd i mi?'

Hwyliodd y *Nea Hellis* trwy grochan berwedig Bae Bisce a chyrraedd glannau afon Clyde yn Glasgow ar 24 Gorffennaf 1943. Ac fe'u symudwyd eto i wersyll dros dro gerllaw Glasgow am dair wythnos.

'Ac wedi teithio ar drên ager ddydd a nos heibio i Derby, Caerloyw, Caerdydd a Chaerfyrddin, cyraeddasom Henllan, rywle yng nghanol 'Inglaterra'. Ai yma y byddai carchar y gaethglud am flynyddoedd? Am oes? Roedd meddwl am y fath warth a diffyg urddas yn rhy frawychus. Roedd yr holl beth yn annealladwy. Saith mis o hyfforddiant, tri mis o ryfel a blynyddoedd o gaethiwed. Trychineb llwyr oedd y rhyfel o safbwynt Yr Eidal. Roedd heb bwrpas, heb ystyr, a phan ddaeth terfyn ar yr ymladd, roedd hynny nid yn unig yn rhyddhad personol i'r milwyr ond yn ollyngdod hefyd i'w rhieni ac i'r werin-bobl yn gyffredinol. Ac i'r gwleidyddion a'u polisïau ffasgaidd, nid oedd ond trychineb a gwarth dan arweiniad a syniadau afresymol yr ynfytyn Mussolini.'

I ddeall y rhesymau am ddechreuad a pharhad yr Ail Ryfel Byd, rhaid edrych yn ôl ar batrymau gwleidyddol dechrau'r ganrif a thu hwnt i hynny, yr arweinwyr a chanlyniadau'r Rhyfel Byd Cyntaf.

Bu Benito Amilcare Andrea Mussolini yn llywodraethu'r Eidal fel unben, a Chesar cyfoes, o 1922 hyd at ei ddiorseddiad yng Ngorffennaf 1943. Fe'i cofir heddiw fel jacal balch ac ymffrostgar. Ond eto, yn y 1920au roedd yn un o'r gwleidyddion mwyaf ofnadwy a dychrynllyd, ac yn un a edmygid gan lawer. Ac efallai, oni bai am Mussolini, ni fyddai Hitler wedi ymddangos ar lwyfan gwleidyddol Yr Almaen ac Ewrop. Roedd yn ffigwr delfrydol i'r cartwnydd. Fe'i gwelid fel ffigwr comig o opera, wedi ei or-wisgo ac yn hongian wrth gynffon Adolf ac yn ei ddilyn fel ci bach. Ond nid clown mohono. 'Il Duce' oedd tad ffasgaeth fodern, ac arno y seiliodd Hitler ei freuddwydion i esgyn i rym.

Yn ei ieuenctid roedd Mussolini yn cefnogi'r asgell-chwith, ond yna daeth yn arweinydd mudiad y dde, gan osod patrwm i unbennaeth trwy'r ugeinfed ganrif. Eto roedd yn erbyn rhyfel, ac yn wrthwynebus i'r Eidal fod â rhan yn y Rhyfel Byd Cyntaf. Adeiladodd fyddin a llynges yn y 1920au. Rhoddodd i'r byd y syniad o ffasgaeth. Mussolini oedd tad y gred newydd.

Ar 23 Mawrth 1919, cyhoeddodd fod y 'Fasci di Combattimento' (Uned Brwydro) wedi cael ei sefydlu. A bu'n ddigon doeth i ddefnyddio hen symbolau ynadon yr Ymerodraeth Rufeinig – sef bwndel o frigau. Cafodd y mudiad gefnogaeth frwd gan gyn-filwyr a oedd am gael rhywfaint o iawndal am y gwaed a gollwyd yn y Rhyfel Mawr. Tyfodd y blaid yn gyflym gan sefydlu unedau trwy'r Eidal. Drylliwyd swyddfeydd y sosialwyr a'r undebwyr, llosgwyd argraffdai ac ymosodwyd ar wrthwynebwyr gyda phastynau, cyllyll a drylliau. Ac yn Hydref 1922, gorymdeithiodd 30,000 o gefnogwyr Mussolini o Napoli i Rufain. Arhosodd Mussolini yn Milan. Roedd yr aden dde, gan gynnwys y Fatican, gohebwyr papurau newydd, tirfeddianwyr, deallusion a diwydianwyr, yn ei gefnogi. Roeddynt am roi siawns i'r ffasgwyr ddifetha'r wlad, gyda'r gobaith y dôi'r ffasgaeth newydd hon i ben. Ond fel y mae'n digwydd hyd heddiw, bu cweryla ymhlith y pleidiau eraill a llithrodd Il Duce i'r gagendor rhwng y pleidiau gan ei wneud ei hun yn bennaeth ar y fyddin, y llynges, a'r awyrlu, yn Weinidog Cartref, yn Weinidog Tramor ac yn Brif Weinidog. Roedd Adolf Hitler yn gwylio pob symudiad o'i eiddo.

Gyda threigl y blynyddoedd daeth Mussolini yn fegalomaniac. Torsythai yn gyhoeddus fel rhyw geiliog dandi-do. 'Mussolini ha sempre ragione' – 'Mae Mussolini bob amser yn iawn'. Ac wrth i'r berthynas â Hitler gynhesu, cyfarfu Mussolini â'i feistr a chysgod gwan o Hitler ydoedd yn ystod ail hanner y tridegau a thrwy gyfnod y Rhyfel. Ond enillodd edmygedd Hitler oherwydd ei gefnogaeth i'r Führer.

Cynlluniodd Mussolini i ymosod ar wlad dramor gyda'r bwriad o'i sefydlu ei hun a'i fyddinoedd fel arweinwyr grymusaf y byd. Gwlad dlawd, sych, lychlyd, heb olew na mwynau naturiol ganddi oedd Ethiopia (neu Abyssinia ar y pryd). Nid oedd ganddi draddodiad milwrol. Roedd bwyd yn brin oherwydd y sychder a holl drefn amaethyddol y wlad yn ffiwdal. Goresgynnwyd y wlad mewn amser byr a chondemniwyd Mussolini am ei ormes, yn enwedig gan Brydain. Yn yr 'antur' defnyddiodd Yr Eidal awyrennau a nwyon gwenwynig, a phrofodd yr ymgyrch pa mor anghymwys oedd 'Il Duce' i wthio'i rym ar y byd cyfan.

Ar 22 Mai 1939, llofnodwyd cytundeb Rhufain-Berlin, yr '*Axis* Dur'. Nid oedd Mussolini yn barod i fynd i ryfel tan 1943, ac felly aeth Hiter ymlaen â'i gynlluniau heb Yr Eidal.

Ymosododd Mussolini wedyn ar Ffrainc gyda 32 o adrannau'r fyddin ond fe'u gwthiwyd yn ôl gan chwe adran. Trodd y 'jacal' ei olygon at Groeg. Cawsant golledion enfawr yn y mynyddoedd yn Albania, a daeth Yr Almaen i'r adwy. Fe'i trechwyd yn Yr Aifft, yn ardaloedd y Balcan, yng ngogledd yr Affrig ac ar y môr. Cymerwyd miloedd ar filoedd o Eidalwyr yn garcharorion rhyfel.

Caethiwed

Golygfa ryfedd a chyffrous oedd gweld cannoedd o garcharorion rhyfel o'r Eidal yn gorymdeithio trwy bentref cysglyd Henllan i'r gwersyll ar y chwith uwchben y bont ac afon Teifi. Roedd rhai wedi cyrraedd eisoes ac wedi cysgu mewn pebyll. A bu rhai o'r carcharorion cyntaf i gyrraedd yn cysgu am gyfnod byr ar lofftydd yr hen felinau gwlân yn Nhrefach.

Fe'u cyfeiriwyd i mewn trwy'r gatiau a'r rholiau o weiren bigog i'r sgwâr mawr lle y cyfarchwyd hwy gan swyddogion y gwarchodwyr gyda chymorth cyfieithwyr swyddogol a swyddogion Eidalaidd. Anfonwyd amryw ohonynt yn syth i'r cabanau.

Hostel Eglwyswrw fel yr oedd, yn cadw 35 o garcharorion rhyfel a weithiai ar y ffermydd cyfagos. Yma y daeth Mario Ferlito gyntaf.

Ond nid oedd Mario druan i aros yma wedi'r cyfan. Ynghyd â 34 arall fe'u cludwyd yr un diwrnod i hostel Eglwyswrw yn Sir Benfro. Oedd 'na ddiwedd i fod i'r symud? Adeiladwyd yr hostel o friciau coch a tho asbestos ar dir fferm y Frochest ym 1941-42 ar gyfer cadw carcharorion rhyfel a'u defnyddio i weithio ar ffermydd de-orllewin Cymru. Roedd cynllun yr hostel ar ffurf U-bedol gydag ystafelloedd cysgu, ffreutur, lolfa, sied feiciau, toiledau, garej a gardd yn y canol. Rhannai Mario ystafell gyda Guiseppe Ceresa o Casale Monferrato, Alessandria.

A'r bore trannoeth anfonwyd Mario i weithio ar fferm gyfagos. Credir mai yn y Frochest yr oedd. Pan gyrhaeddodd fe'i cyfarchwyd gan y forwyn. Ni fedrai air o Eidaleg ac nid oedd ganddi ychwaith lawer o Saesneg, ac yntau Mario yn Eidalwr uniaith . . . "Dyw'r boss ddim 'ma nawr. Mae e wedi mynd i'r mart i Aberteifi'. Crafodd Mario ei ben gan edrych yn hollol hurt . . . 'Boss not here. Boss . . . gone . . . Boss come back'. Cawl oedd y cwbwl i Mario, ond roedd y gair 'boss' wedi aros yn y co'. Gyda llaw, math ar goeden yw 'bosso' yn Eidaleg. Parhaodd y ddrama am chwarter awr a rhagor. Dechreuodd Mario fwmian Eidaleg yn ofnus, ac erbyn i amynedd y forwyn ballu, gwthiwyd hof (chwynnogl) i ddwylo Mario a chododd y wraig ei llaw a'i bys i gyfeiriad yr ardd. Ac yno y bu yn esgus chwynnu am oriau cyn i'r 'boss' ddychwelyd. Dysgodd Mario ddau beth. Roedd y bobl leol yn medru dwy iaith, rhywbeth na wyddai am 'Inglaterra', a 'boss' oedd y bós.

A thrwy'r wythnosau a'r misoedd dilynol bu'n gweithio yn lleol, yn Llandudoch, Aberystwyth, Caerfyrddin, Aberaeron, Crymych, Trefdraeth, Abergwaun a Nanhyfer. Cyflawnodd waith megis codi muriau, bricio, torri ffosydd, dyrnu, carthu beudái a chynaeafu. Yn fuan iawn dysgodd gasáu gwaith fferm a gwirfoddolai i wneud unrhyw waith arall ond ffermio. Dywedodd un ffermwr wrtho: 'Dim ond Cymraeg sy'n cael ei siarad trwy'r byd. Rhaid i bawb siarad Cymraeg. Rhaid i chi ddysgu'r iaith Gymraeg' . . 'Che cosa? Cos'e?' A phan ddywedodd un ffermwr o Gilgerran wrtho: 'I want you to speak English here, no Welsh,' – gwaethygodd y sefyllfa eto fyth.

Ond gydag amser sylweddolodd mai yng Nghymru yr oedd a bod gan y wlad ei hiaith ei hun a'i diwylliant ei hun. Roedd ei phobl yn wahanol i'r Saeson a'r werin yn debyg iawn i werin Yr Eidal, yn ei chynhesrwydd, ei charedigrwydd a'i hoffter o blant a theulu a cherddoriaeth.

Yn ystod yr wyth mis profwyd amryw byd o droeon trwstan a doniol. Un diwrnod anfonwyd Mario i weithio ar fferm fechan ger pentref Cilgerran. Dewisodd weithio yn yr ardd yn hytrach na dyrnu. Ac wedi esgus chwynnu am ddwy awr, fe'i gwahoddwyd gan wraig y tŷ i gael cinio . . .

'Eisteddwn gyferbyn â'r wraig, a chefais gawl tenau, ac yna pryd o gig tun, bara a thatws a llysiau. Yn sydyn, crychodd ei gwefusau fel petai yn gofyn am gusan. 'Tîth', meddai wrthyf sawl gwaith. Gwridais at fy nghlustiau. 'Tîth . . . Tîth . . . Tîth,' ychwan-

egodd eto. Nid oedd neb i'm helpu. Ond o'r diwedd ebychodd
'Tîth . . . natural?' Suddais mewn rhyddhad. Roedd eisiau gwybod
a oedd gennyf ddannedd naturiol. Roedd yr ynganiad 'tîth' yn
debyg iawn i 'kiss' i mi. Ond roedd yn fenyw bert a'r 'boss' bant
am y dydd!

   . . . Gweithiai fy ffrind, Guiseppe, yn siop y ffermwyr yng
Nghrymych. Wedi'r rhyfel dychwelodd lawer gwaith i weld Margaret
Jones, Brondesbury Park, Aberteifi, merch y perchennog W. H.
Jones, a sefydlydd y cwmni enwog 'Riverlea'. Siaradai pawb yn
dda amdano.

   . . . Gweithiwn ochr yn ochr yn aml â 'Merched y Tir'. Un
diwrnod anfonwyd un ferch i 'nôl pot mawr o de gyda llaeth
powdwr. Ond wedyn, dymchwelwyd y tebot gan rai o'r Eidalwyr
(o'r de) a'i gymharu â biswel. Bu chwerthin mawr am ben y ferch
ifanc a hithau yn ei dagrau. Teimlwn drosti ac ymddiheurais iddi
ar ran y lleill. Ond fe'n hanfonwyd i gyd yn ôl i'r hostel gan y
'boss'.

   . . . Daw un digwyddiad difyr arall i'm co'. Dychwelodd un o'r
bechgyn â darn o fawn *galena* (*lead sulphide* – PbS) a chyn bo hir
roedd Giovanni Forcella o Bologna wedi creu set radio grisial.
Ymhen ychydig roeddem o'i hamgylch fel gwybed, ac yn wir i
chi, clywsom Eidaleg. Trwy'r llais aneglur a'r cleciadau aflafar,
daethom i ddeall fod talaith Ossola, o Gravellona i Domodossola,
lle'm magwyd, wedi ei chyhoeddi ei hun yn weriniaeth anni-
bynnol. Cododd hyn ein calonnau. Cofiaf y dyddiad yn dda –
9 Medi 1943. Mae carreg fawr i'w gweld ar ochr y ffordd hyd
heddiw i ddynodi'r cyhoeddiad hanesyddol. Gwyddwn fod Yr
Eidal yn ailennill ei hannibyniaeth, fesul centimedr.

   . . . Cofiaf amdanaf yn cael gwers sut i ddefnyddio pladur gan
Mr Benjamin Thomas James, y Frochest. Dangosodd sut i'w dal,
sut i symud fy nghorff a'm breichiau mewn rhithm arbennig, sut i
daro'r lled a sut i rwymo. Es at y borfa uchel yn hyderus â gwên ar
fy wyneb. Roedd sawl aelod o'r teulu yn gwylio. Trewais y llafn i
mewn i'r ddaear yn swrth a thorrodd ei choes yn y fan a'r lle.
Dyna sefyllfa letchwith! Chwarddodd pawb ac rhoddodd Mr Ben
James ddarn swllt gloyw ar gledr fy llaw. 'Cer 'nôl i'r hostel i
wneud unrhyw beth ond pladuro!' meddai.

. . . Daeth fy nyddiau i ben yn hostel fach Eglwyswrw. Roedd y rheolau yn deg iawn. Caem gerdded yn ein hamdden ar hyd y ffordd at groesffordd, ond dim pellach. Ni chaem fynd i'r pentref. Aem heibio i'r pistyll lle câi rhai pentrefwyr a phreswylwyr yr hostel eu dŵr yfed. Cronnid y dŵr y tu ôl i dir Tyddyn Castell, a llifai wedyn drwy bibell asbestos i fan addas lle gosodwyd pwmp i'w godi lan i'r hostel. Credaf i'r cynllun gael ei weithredu hyd at y 1960au. Roeddwn wedi helpu i'w adeiladu a gosod sail o goncrit i'r man casglu. Rhaid oedd bod i mewn yn yr hostel cyn wyth o'r gloch bob nos a diffodd y golau. Roeddem yn chwarae cardiau a drafftiau yno yn aml. Dôi pyliau o hiraeth. Meddyliem am ein teuluoedd a breuddwydiem am yfory'r rhyddid. Ond un diwrnod gwlyb ofnadwy, bu raid i bump ohonom gerdded yr holl ffordd yn ôl o Aberteifi. Ac yn disgwyl amdanom yr oedd y syrjiant crintachlyd. Albanwr o Gatholig ydoedd, a hoffai regi a gweiddi a threulio cryn dipyn o'i amser yng nghwmni John Barleycorn. Gorchmynnodd, yn ei feddwdod, i mi weithio yn yr ardd – yng nghanol y glaw. Gwrthodais, fel y pedwar arall. Fore trannoeth, 4 Ebrill 1944, daeth ciwed o swyddogion militaraidd o Henllan i'r hostel ac fe'm cludwyd mewn 'jeep', os cofiaf yn iawn, yn ôl i Wersyll Henllan a oedd yn dal bron i 1,000 o garcharorion. Fe'm dygwyd o flaen fy ngwell: 'Come in, prisoner, 252286!' Ni chaniatawyd i mi ddweud llawer. Ac ni theimlais gymaint o warth na siom na chynt nac wedyn.

. . . Fe'm dedfrydwyd i fyw ar fara a dŵr yn unig mewn cell ar fy mhen fy hun (y 'calaboose') am saith niwrnod. Cymerwyd i ystyriaeth y ffaith fod y syrjiant yn feddw neu mi fyddwn wedi cael 28 diwrnod o gosb. Roeddwn mor ddigalon. Teimlwn yn brudd ac yn ddiflas. A minnau'n garcharor rhyfel, yn awr roeddwn yn is-garcharor yn fy ngharchar fy hun. Ni allai pethau fod yn waeth. Siaradai'r gwarchodwyr â mi. Roedd hynny'n newid. Ond prin oedd y cysylltiad â'r carcharorion eraill. Gofynnais am bapur a phensel, ac fe'u cefais. Dechreuais sgetsio. Roedd y ddawn yn fy anian, ac yn fachgen ifanc yn ôl yn fy annwyl bentref, Oleggio Castello, fy uchelgais oedd datblygu i fod yn arlunydd llwyddiannus. Mor bell oedd yr enfys. Daeth gŵr o'r enw Aldo Redamanti i'm gweld a sylwodd ar y lluniau amrwd. Yn ddiarwybod i mi,

155

dywedodd wrth y prif weithredwr, ac uwch-syrjiant, Franco Crescini, fy mod yn gallu arlunio. Eisoes roedd y caplan, Don Padoan, a'i *sacristan*, wedi trafod y posibiliad o greu eglwys yn y carchar a dod o hyd i arlunydd i addurno'r adeilad. Trwy ragluniaeth neu beidio, fi oedd yr unig arlunydd o unrhyw fath yn y gwersyll. Ac ar ddiwedd y saith niwrnod fe'm dygwyd o flaen y *Commandant*, Mareschiallo Melfo Pizzotte. Roedd yn ŵr cywir, caredig ac urddasol. Fe'm gwahoddwyd i arlunio Eglwys y Carcharorion yn Henllan. Wrth imi ymateb yn negyddol i orchymyn, daeth gwedd gadarnhaol iawn i'm bywyd. Gofynnaf i mi fy hun yn aml – pe buaswn wedi gweithio yn yr ardd yn y glaw, beth fyddai wedi digwydd? Rwy'n sicr fod llaw rhywun uwch na mi yn fy nhywys.

A rhoddwyd pleser mawr i mi wrth weld fod yr Albanwr wedi colli ei streips a'i fod yn ôl bellach yn aelod cyffredin o'r gwarch-odlu yn Henllan. Roeddwn yn falch ryfeddol. Cyfiawnder wedi'r cyfan, efallai.'

Un o'r rhai mwyaf dylanwadol ymhlith y carcharorion oedd Franco Crescini. Ef oedd y ddolen gyswllt rhwng yr Eidalwyr, y swyddogion a'r gwarchodwyr. Ef oedd y disgyblwr. Roedd ei gysgod ymhob man, ei fys ymhob briwes a chyfrinach, ac roedd ennill ffafriaeth ganddo yn fantais. Ac oherwydd i Mario dderbyn comisiwn i greu murluniau yn yr eglwys, daeth o dan adain warcheidiol Crescini. Rhoddwyd Mario i weithio yn y llyfrgell ac i weini wrth y byrddau yn y ffreutur. Roedd gwaith fferm cyn belled bron â'r Eidal – ac roedd hynny yn rhyddhad mawr iddo. A'r weithred greadigol gyntaf wedi'r cyfnod yn y 'calaboose' oedd creu murluniau mewn rhan o'r theatr. Paentiwyd cyfres o ferched yn y dull 'vaudeville' a'u gwên a'u hosgo awgrymog yn ffordd i godi hwyl ymhlith llawer o'r carcharorion, a oedd heb weld menyw ers cyfnod maith. Cyfrannodd y lluniau at awyrgylch a mwynhad y theatr. Ond ar ôl un cyngerdd daeth y caplan a'r *sacristan* i weld Mario. 'Rydym yn credu fod gormod o noethni yn eich lluniau,' meddent. 'Hoffem pe baech yn cuddio ychydig ar yr ysgwyddau. Mae'n cael effaith anffodus ar y dynion. Hefyd beth am roi cuddlen dros y llygaid a'r gwefusau awgrymog?'

Cododd gwrychyn Mario, a daeth ei styfnigrwydd i'r wyneb eto. Y fath ragrith! 'Mae yna noethni sanctaidd a noethni bydol, lleyg. Mae'r llun-iau yn naturiol ac yn rhoi hwyl i'r bechgyn. Rwy'n gwrthod eu newid.'

Ni ddaeth y caplan a'r *sacristan* i'r un cyngerdd wedi hynny. Ac mae Mansel Jones (Troedrhiw gynt, y Garreg Lwyd, Rhydlewis, bellach) yn cofio gweld y lluniau pan oedd yn ddisgybl yn Ysgol Fodern Henllan yn y pumdegau. Roedd yn cario cadeiriau allan o'r stordy pan welodd yr arlunwaith trwy gornel ei lygaid mewn man na châi ei ddefnyddio gan y plant fel arfer.

'Questa e la casa di Dio e la porta del Cielo'. Dyna'r arysgrifiad o waith Mario Ferlito ar ddarn o dun, a welir uwchben y drws mewnol wrth fynediad Eglwys y Carcharorion. 'Dyma dŷ i Dduw a'r fynedfa i'r Nef-oedd'. Roedd gwaith fferm, bellach, wedi'i garthu allan o'i gyfansoddiad. Ac er bod ei orwelion yn gyfyngedig ac yntau'n ddihyder, gan bwyso ar ei natur annibynnol, cuddiodd ei ofnau a chwiliodd am ysbrydoliaeth. Ni chwaraeai bêl-droed, dim ond ambell gêm o denis yn yr haf a phing-pong. Rhaid oedd mynd ati i gasglu defnyddiau i greu paent. Nid oedd 'Dulux' na phaent 'Crown' ar gael yn y dyddiau hynny. Yn wir, 'doedd dim cymorth o gwbl i'w gael gan yr awdurdodau.

Trwy'r fasnach gudd, cludwyd tabledi lliw o ffatri wlân Drefach, growns te a choffi o'r ceginau, glud o esgyrn pysgod, crwyn winwns, mwyar a ffrwythau'r hydref, pwlp moron, bresych coch, mefus a blodau'r ysgaw. Creodd Mario gymysgaeth eang o liwiau a sylfaen trwy eu cymysgu â dŵr ac eisin 'glass' (hylif piclo).

Nid oedd ganddo bren mesur na chwmpawd, dim ond cortyn i fesur ac i osod cynsail i berspectif a graddoli. Nid oedd ganddo bapur i amlinellu cynllun arno. Rhaid oedd defnyddio greddf. Ond meddai Mario: 'Teim-lwn fod rhywun arall yn fy helpu!'

Mae tyndra naturiol yn bod rhwng Eidalwyr y gogledd a'u cydwlad-wyr o'r de. Cyhudda'r naill garfan y llall o fod yn hunanol, yn snobyddlyd ac yn gybyddlyd, ac mae'r gogleddwyr yn aml yn cyhuddo'r deheuwyr o fod yn ddioglyd ac yn israddol, a'u bod hefyd yn dueddol o ddod i'r gogledd i ddwyn swyddi. Mario oedd yr unig ogleddwr a weithiai ar yr eglwys. Yn ei olwg ef roedd y gweithlu o'r de yn gwmni gwael a dueddai i fod yn anghymdeithasol.

Yn un ar hugain oed, ac yn ei unigrwydd a'i flinder wedi gwaith dyfal yn y ffreutur drwy gydol y dydd, aeth ati i baratoi ar gyfer y gwaith o addurno'r eglwys. Roedd yn weithiwr caled, a'i frwdfrydedd yn deillio yn bennaf o'r ffaith y câi aros yn y gwersyll. Dim rhagor o'r gwaith fferm bondigrybwyll. Derbyniodd dudalennau o bapur ysgrifennu o fferm gyf-

Arlunwaith gwreiddiol Mario Ferlito, cyn iddo addurno'r eglwys yn Henllan.
Daeth Mr Thompson o hyd iddynt yn nenfwd yr eglwys yn ystod
y nawdegau pan oedd yn atgyweirio'r adeilad.

agos – trwy ddwylo cudd. Dechreuodd sgetsio ei gynlluniau. Âi'r seiri
coed a'r seiri maen ymlaen â'r gwaith o baratoi sail a chorff i'r allor. Un
o'r Eidalwyr a baratôdd y sail i'r allor oedd Gaetano Rago. Un arall
ohonynt oedd Romo Miggiano, a oedd flwyddyn yn iau na Mario. Roedd
yn saer maen crefftus ac yn weithiwr deheuig. Ymwreiddiodd yn y fro ar
ôl y rhyfel, a'i gartref olaf oedd La Bella Vista, Llan-tud. Bu farw ar 11
Mai 2005, gan adael gweddw, Amelia, a dau fab, Claud ac Andrew.
Cynhaliwyd ei wasanaeth angladdol yn Eglwys y Carcharorion, a dyna'r
unig dro i wasanaeth angladdol gael ei gynnal yno (gwasanaeth yng
ngofal y Tad Jason Jones, gyda Dewi Maelor Lloyd yn cyfeilio). Crewyd
mur ceugrwn y tu ôl i'r allor a'i orchuddio â phlaster. Paratowyd 'pileri'
ar hyd yr eglwys i guddio'r trawstiau a ddaliai'r to, a lluniwyd y rheini
allan o duniau 'bully-beef' gan y seiri. Câi Mario ambell dro ei esgusodi
o'i waith arferol i ganolbwyntio ar greu'r murluniau. Dyna lle'r oedd yn
pwyso ar risiau ysgol, yn ei gwrcwd neu ar ei gefn ar ystyllen dros
sgaffaldiau garw yn creu lluniau gwyrthiol fel Michael Angelo gynt yng

Nghapel y Sistine. Dechrau gyda brasluniau mewn golosg (*charcoal*). Yn ei ddychymyg, yr awen gudd, greadigol, ac yn ei law, dau neu dri brws, cortyn i fesur a phalet o liwiau'r enfys wedi eu paratoi o ffrwythau'r berllan a llysiau'r meysydd ynghyd â sborion cegin y carchar. Ac wrth ei

al Cuore Sacretissimo di Gesu
Via Verita e Vita di tutte le Genti
i Prigionieri Italiani
a Testimoniaza di Fede Dedicato.
      70 P.O.W. Camp – 3/9/1944

IN LOVING MEMORY
of

Romo Miggiano

La Bella Vista, Llantood

Passed away on Wednesday, May 11th, 2005
aged 82 years

❖❖

Beloved husband of Amelia,
and dear father of Claud and Andrew

Cerdyn angladdol Romo Miggiano. Cynhaliwyd yr offeren angladdol yn Eglwys y Carcharorion, Henllan – y gwasanaeth angladdol cyntaf erioed yno. Bu Romo yn gweithio ar adeiladu'r allor.

benelin, teimlai fod rhyw rym yn ei gyfeirio i gwblhau'r gwaith ac yn llywio ei ddwylo. Ai lwc ydoedd, ai jôc ar ran ffawd, neu ai rhyw rym ysbrydol annealladwy a oedd wedi goroesi'r canrifoedd o fyd y Mabinogion? Roedd mor gryf â hynny! Ond erys y cwestiynau. Meddai Mario: 'Maent heb eu hateb. Ac yn fy mhoeni! . . . Cofiaf weld cysgodion ar y mur pan oeddwn yn gweithio yn yr eglwys. Roeddynt fel bwganod fy ngorffennol yn chwarae yng ngolau'r gannwyll. A heddiw wrth imi gofio, gwelaf swigod o'm blaen a phob un yn cario lluniau o'r gorffennol. Wrth imi ymestyn atynt i'w dal maent yn ffrwydro a'r cyfan yn diflannu'.

Dros fwa'r mur uwchben yr allor creodd Mario ffresgo lliwgar o'r Swper Olaf. Beth arall a ddisgwylid gan Eidalwr ond darlun a oedd yn drwm dan ddylanwad llun enwog Leonardo da Vinci? Mae deuddeg disgybl y tu ôl i fwrdd hir y swper yn y murlun wedi eu gwisgo mewn mentyll brown, llwyd a choch-frown. Mae pedwar ar eu traed yn amau'r cyhuddiad fod un ohonynt yn fradychwr, ac mae golwg syfrdan arnynt wedi iddynt ddeall fod Crist i'w gadael. Mae Iwdas Iscariot ar wahân i'r lleill, a'i euogrwydd yn amlwg yn ei osgo. Ac yn y canol mae'r Crist mewn gwisg wen a chwpan cymun y Swper Olaf yn ei ddeheulaw a'r bara wedi ei dorri. Mae'r llun trawiadol yn tynnu sylw'r ymwelydd a'r addolwr o bob cornel o'r eglwys ac yn cyfeirio ffocws llygad a meddwl at yr allor – lle'r aberth.

Ar bob trawst ar hyd yr eglwys mae cyfres o luniau eraill a phob un wedi ei fframio mewn cylchoedd o liwiau eurfelyn a hufen ac yn eu tro yn cael eu hanwesu gan fysedd estynedig y winwydden. Sail lliwiau'r addurniadau ymylol yw'r brown cryf a grewyd o rowns te.

Ar un trawst ac ar arwynebedd a grewyd o sachau siment papur gwelir 'glân geriwbiaid a seraffiaid' yng nghwmwl gwyn y tystion, a Duw ar ffurf brenin yn gwisgo coron aur a dillad oren a glas yn eistedd ar ei orseddfainc. Gellir teimlo naws Llyfr y Datguddiad yn y llun. Wedyn, ar drawst arall, gwelir colomen wen (heddwch) yn hedfan tuag at y canfuwr. Mae'r brown a'r hufen golau a'r cefndir tywyll yn gwrthgyferbynnu'n drawiadol â'r lliwiau ysgafnach. Ar drawst arall gwelir y Tad mewn mantell frown yn anwesu'r baban noeth mewn lliain glas ar ei luniau. Cyfleir cariad y Tad a'r Mab. Y tu ôl i'r llun hwn mae llun arall o'r Crist yn noeth ei fynwes heblaw am fantell dywyll dros un ysgwydd a choron ddrain ddirmygus ar ei ben. Wrth agosáu at yr allor gwelir llun o'r cwpan aur sanctaidd, ac yn gefndir iddo, goleuni byd ysblennydd. Oddi tano mae tusw o ŷd a chwlwm o rawnwin ar gefndir glas. A'r wyrth ryfeddaf yw fod y lluniau a'r ffresgo wedi cadw eu hansawdd a'u lliwau dros gyfnod o drigain mlynedd a thrwy ddegawd pan oedd y talcen cefn yn agored i'r elfennau. Mewn awyrgylch llaith pan oedd y muriau bordiau plaster yn gwegian a bysedd y drain yn ceisio ysbeilio'r tawelwch cysegredig a'r arlunwaith, dim ond ychydig iawn o'r disgleirdeb gwreiddiol sydd wedi ildio dan orthrwm amser. Yn y nawdegau, datgymalwyd rhai o'r bordiau a oedd wedi crymu drwy'r blynyddoedd, ac fe'u gosodwyd dan bwysau ar y llawr concrit am gyfnod i'w hystwytho'n ôl i'w ffurf wreiddiol. Ymgymerodd Bob Thompson a'i fab â'r gwaith a gwahoddwyd myfyrwyr o Goleg Coffa a Chrefft Caerfyrddin i adfer ychydig ar y lluniau a oedd wedi eu niweidio gan leithder. Gwerthfawrogir gweledigaeth y perchennog a fwriodd ati i adfer ansawdd y lluniau mewn pryd a'u cadw o leiaf ar gyfer cenhedlaeth arall neu ddwy.

Yr 'Allor' wreiddiol cyn i Mario greu ei ffresgo o'r Swper Olaf. Mae ei chynllun fel yr allor orffenedig. Ond hefyd sylwer ar y *thurible* (i greu arogl-darth) a'r *baldacchino* (canopi a phelmed). Byddai defnydd o'r canopi ar yr allor barhaol wedi cuddio ffresgo Mario. Sylwer ar y llun ar y blaen o'r 'Pieta', ac un arall o'r Fair Fendigaid ar y chwith.

Eglwys y Carcharorion, Henllan, 1944, newydd ei haddurno. Sylwer ar waith Mario Ferlito ar drawstiau'r nenfwd ac uwchben yr allor, yr allor addurnedig, a'r canllawiau concrit. Mae dau gerflun mewn dwy alcof ar y blaen bob ochr i'r allor. Ar y dde mae cerflun o Grist – y Galon Gysegredig – ac ar y chwith cerflun o'r Fair Fendigaid. Ar ochr yr eglwys wedi eu hanner cuddio mae dau bedestal, un i Sant Joseff ar y dde ac un i Sant Antoni, ar y chwith. Benthyciwyd y cerfluniau gan Encilfa y Santes Fair, Caerfyrddin.

Lluniau mewnol ac allanol o Eglwys y Carcharorion. Sylwer ar y *campanile* yn y llun bychan. Yno bu cloch Plas y Bronwydd i alw'r carcharorion i'r offeren, yn union fel y galwai'r morynion a'r gweision o'r meysydd yn nyddiau'r plas.

Wedi i'r seiri maen gwblhau'r reilen siment o flaen yr allor a'r pileri tun a'r pulpud bychan allan o flychau a gludai anrhegion y Groes Goch, fe'u paentiwyd â chynllun a greodd effaith o farmor ffug gan Mario Ferlito. Gosodwyd dau lestr i ddal y dŵr sanctaidd ar y mur y tu fewn i'r brif fynedfa. Paentiwyd lectyrn a stondin benlinio, a grewyd o flychau pren, yn wyn. Yng nghefn chwith yr eglwys adeiladwyd clochdy a dyg- wyd hen gloch Plas y Bronwydd i'w gosod yno. Dringodd carcharor o'r enw Sauli, gŵr o Rufain, dŵr yr hen *campanile* ym mhlas gothig y Bronwydd, a'i chludo i mewn i'r gwersyll dan ei glogyn *sou-wester*. Lle gynt y bu'r gloch yn galw'r gweision a'r morynion i mewn o'r meysydd, byddai bellach yn galw addolwyr a charcharorion rhyfel i wasanaethau crefyddol a chymun o flaen 'Swper Olaf' Mario a'r allor o goncrit.

Cwblhawyd y gwaith mewn tri mis. Yna gwahoddwyd swyddogion ac uchel-offeiriaid, gan gynnwys yr Esgob o esgobaeth Gatholig Abertawe,

Allor Henllan a'r ffresgo o'r Swper Olaf (o waith Mario Ferlito) ar 3 Medi 1944, pan gysegrwyd yr Eglwys gan yr Esgob Daniel Hannon. Ar yr allor gwelir y groes, canhwyllau, angylion, y tabernacl, lliain arbennig, penwisg yr esgob, a'r *monstrance*. Hefyd ffon fugeiliol yr esgob yn pwyso arni. Oddi tani ac yn y blaen mae lliain â brodwaith o 'Oen Duw'. Dros y canllaw concrit mae lliain gwyn i ddynodi cysegriad o'r allor a'r eglwys.

Cysegru Eglwys y Carcharorion, Henllan, 3 Medi 1944. Yn y blaen rhwng y ddau
swyddog mae'r Esgob Daniel Hannon (Wrecsam), ar y dde, ac offeiriad o Encilfa
y Santes Fair, Caerfyrddin, ar y chwith. Y tu ôl iddynt mae carfan o'r
carcharorion a fu'n gweithio ar yr adeilad ac yn cymryd rhan yn y gwasanaeth.
Yn y cysgodion ar y dde mae'r arlunydd, Mario Ferlito.

a hefyd swyddogion y Fyddin ac aelodau o'r staff, i wasanaeth arbennig
ar 3 Medi, 1944, i gysegru'r adeilad. Trefnwyd yr achlysur gan y caplan,
y Tad Don Italo Padoan. Ond trwy chweched synnwyr sylweddolodd fod
pawb pwysig yno ond yr arlunydd. Anghofiwyd yn llwyr am Mario
Ferlito! Eisteddai yntau ar gornel ei wely yn ei gaban – yn gwpse i gyd!
Roedd golwg ddiflas arno. Defnyddiodd y caplan bob ymdrech a phob
ffug gymhelliad i'w ddenu i ymuno â'r seremoni swyddogol. Ac wedi
cryn berswâd, hanner cytunodd, ond dangosai ei wynepryd ei fod yn
bwdlyd ac yn anfodlon o hyd. Ymunodd â'r gwahoddedigion ar gyfer
tynnu'r llun.

Wedi'r gwasanaeth swyddogol, galwodd y caplan, y Tad Don Italo, ar
Mario draw ato, gan ddweud: 'Diolch iti am addurno'r eglwys fach. Bydd
yn gyrchfan ysbrydol pwysig i ni. Dyma rodd i ti am dy waith'. Agorodd
Mario gledr ei law. Arni rhoed tair sigarét. Teimlai Mario fod y weithred

yn sarhad ac mae'r digwyddiad wedi ei serio ar ei gof. Ond, yn ddiar-wybod iddo ar y pryd, daeth y wobr fwyaf iddo pan sylwodd disgyblion ieuanc Ysgol y Ferwig ar ei waith ddeng mlynedd ar hugain yn ddiwedd-arach. Mynnent ei adnabod a'i wahodd yn ôl i wlad ei garchariad, a thrwy'r weithred honno tynnwyd sylw at ei waith.

Ond parhaodd Mario i arlunio yn y gwersyll. Creodd ganfasau trawiadol o olygfeydd gwledig a rhamantus ar gyfer cefn y llwyfan pan berfformid operâu a phan gynhelid cyngherddau yn y theatr. Yng nghwmni Arturo Calogero, Franco Crescini a Masetti, lluniai gartwnau yn gyson i bapur y gwersyll – '4 per tutti'. Derbyniodd waith comisiwn i greu lluniau olew i un 'lieutenant' o Sais. Ac o ganlyniad i'r sylw a gafodd ei waith, anfon-wyd un o'i luniau, *Paesaggio Marino*, i arddangosfa o waith carcharorion rhyfel dan nawdd y Groes Goch ym Mhalas Sant Iago yn Llundain ym 1944. 'Erthyliad o lun,' meddai Mario. Ymhlith ei eiddo pan ryddhawyd Mario yng Ngorffennaf 1946 roedd un llun, 16 brws a 139 o diwbiau o olew lliw. Cymharer hyn â chyflwr carcharorion rhyfel a ryddhawyd o ddwylo'r Siapaneaid flwyddyn yn ddiweddarach.

Heddiw, wedi ei osod ar fur uwchben y fynedfa fewnol, gwelir y plac gwreiddiol a osodwyd yno ym mhedwardegau'r ganrif ddiwethaf i gof-nodi cysegru'r adeilad:

Actorion, côr a cherddorion y band yng ngharchar Henllan.

165

al Cuore Sacretissimo di Gesu
Via Verita e Vita di tutte le Genti
I Prigioneri Italiani
A Testimoniaza di Fede Dedicato.
70 P.O.W. Camp 3.9.44

Yno dwylo Eidalwr – â'i bwyntil
A baentiodd Waredwr;
Hysbys waith anhysbys ŵr,
Cain foliant y cyn-filwr.

Gwyn Evans

Nid oedd y syniad o ddianc yn rhan o feddylfryd y mwyafrif helaeth o'r carcharorion. Iddynt hwy roedd y rhyfel yn ddiangen, yn ddibwrpas ac yn ddiystyr. Roeddynt mewn carchar rhyfel: atalnod llawn! Efallai am flynyddoedd. Efallai am byth yn nhyb y rhai mwyaf pesimistaidd. Ond rhaid oedd gwneud y gorau o'r sefyllfa a bachu pob cyfle i geisio ennill manteision i wneud bywyd yn fwy diddorol ac yn esmwythach. Ac i gael ambell foeth annisgwyl efallai. Byddai ymddygiad da, ffug neu beidio, yn sicrhau rhai breintiau arbennig, yn enwedig i'r rhai a oedd yn cael byw ar aelwydydd neu i'r rhai a deithiai i'r bröydd yn ddyddiol. Bwyd, losin, dillad, sigarennau ac ambell wejen! Ac roedd yr Eidalwyr yn eu ffansïo eu hunain fel 'Valentinos' a charwyr. Treulient oriau yn 'pinco' o flaen gwydr, yn trin eu dannedd a'u gwallt!

Dan wely pob carcharor roedd bocs ac ynddo ddwsinau o 'drangwns'. Ond yn eu plith y pwysicaf oedd brws dannedd cryf a photel o baraffîn hylifol. Meddai un o'r carcharorion, Gaetano Rago: 'Ar fy rhestr o'm hanghenion cosmetig, fy ngwallt a gâi'r lle blaenaf. Rhoddwn olew'r olewydd a saim-gwallt aromatig ar fy ngwallt bob dydd yn fy ieuenctid yn fy annwyl Eidal. Rwy'n parhau i olchi fy ngwallt bob dydd mewn dŵr (gyda sebon ambell waith, ond byth siampŵ), ac yna'n rhwbio llond cledr fy llaw o baraffîn hylifol ynddo i gynhyrfu'r gwreiddiau ac i ysgogi tyfiant. Defnyddiwn halen ar y brws dannedd, nid past. Ac rwy'n cofio mynd yn ôl yn rheolaidd o fferm y Gotrel, ar feic Jimmy, yr ifaciwî, i glinic y deintydd yng ngwersyll Henllan, ac nid oedd anaesthetig i'w gael i ni'r carcharorion!' A phwy a feddyliai y byddai milwr dewr a fu ar faes El Alamein yn gofyn am y fath gysuron!

Il presepio – y preseb Nadolig (1944), a luniwyd gan y carcharorion. Mae'n ymestyn
hyd at y nenfwd, ac yn cynnwys yr ystabl, y doethion, y bugeiliaid, pentref Bethlehem,
côr o angylion, seren, a'r geiriau 'Gloria in Excelsis' uwch y baban Iesu, Mair a Joseff.
Mae'r cynllun yn nodweddiadol gyfandirol, Ffrengig efallai yn wreiddiol.

Dychmygwch resi o lorïau yn ymestyn yn un llinell hir o sgwâr pentre'
Henllan i lawr i'r bont, bob bore a hwyr. Cludai'r cerbydau y carcharor-
ion i'w gorchwylion dyddiol. Ac wedi diwrnod o waith caled, a martsio'n
lluddedig heibio i'r 'guard-room' tua'r cabanau, câi amryw ohonynt eu
tynnu allan o'r rhengoedd i'w harchwilio, rhyw un ymhob cant, neu fwy
hyd yn oed, yn ôl chwiw'r milwyr. Gwyddent yn dda am y fasnach gudd.
Ond roedd yn rhaid i'r gwarchodwyr ddal un neu ddau i bwysleisio eu
hawdurdod, ac i ddangos eu bod yn gallu rheoli'r sefyllfa. Cludid ffowls,
cwningod ac adar dan y clogyn tywydd gwlyb. Dyna sut y dygwyd cloch
yr eglwys i mewn i'r carchar. Yn y gwaith cuddid arian (yn enwedig
hanner coronau a darnau tair ceiniog, a phapurau chweugain wedi eu
rholio fel sigarennau). Mewn pocedi cludid blawd llif, brigau a phapur i
gynnal tanau'r stofiau wrth goginio'r 'ffestis' wedi i'r golau gael ei

167

ddiffodd ar ôl deg o'r gloch y nos. Cuddid arian, sgriws a hoelion dan sodlau'r esgidiau, a hyd yn oed yn y geg! A beth am smyglo bara hir (*baguettes*) heibio i'r milwyr? Gadawai un carcharor i'r milwyr ei ddal yn hawdd. Cuddiai'r lleill y bara y tu fewn i'w llewys gan sefyll â'u breichiau ar led fel bwbach y brain. Taflodd un carcharor ei got ar y llawr gan guddio'r bara ynddi. Cafodd ei archwilio'n fanwl ond ni feddyliodd y milwr edrych yn y swp dillad ar y llawr. Cuddid 'contraband' yn y lori dros nos gan obeithio y caent yr un lori fore drannoeth

Modrwy wedi ei llunio allan o ddarn hanner coron i'r diweddar Jeremy Jones (Ffostrasol a Phontrhydfendigaid) gan un o'r carcharorion. Daeth y gymwynas i law trwy Dewi Thomas (Ffynnon Wen), gyrrwr lorïau ar y pryd.

Cludid offer (morthwylion, pleiars, llifau, sgriwdreifers, ac yn y blaen), planhigion, cordenni, darnau o goed o'r gweithdai, lledr o seddau ceir a lorïau a gwiail, gan glymu'r pren ystwyth o gylch eu cyrff.

Ar ganiad y 'Last Post' trwy'r trwmped ar yr uchelseinydd, diffoddid y golau. Ond i lawer hon oedd awr y gweithgareddau cudd. Fel criw o gonsurwyr, ymddangosai cwningod, ffowls, wyau a thatws a llysiau o'r gwyll tuag at gochni llesmair y stof. Llenwid y stof â blawd llif a brigau bychain gan bacio'r 'bwyd' yn eu canol. Cyn hir byddai arogleuon hyfryd coginio *Italiani* yn treiddio trwy'r gwersyll. Roedd i'w gymharu â 'cucina di Mama' neu yn wir y gwesty mwyaf crand ar lannau'r Adriatig. Symudai ffigurau dynol drwy'r cysgodion oddeutu'r cabanau a'r toiledau dan olau'r lleuad wan. Roedd yn dipyn o hwyl. Ond gwyddai'r gwarchodwyr am y 'neit leiff' a'r 'La Dolce Vita', ac ni fyddent yn ymyrryd cyn belled â bod disgyblaeth yn parhau.

Treiglai'r oriau heibio yn ddiffwdan. Yn wir, yng nghwmni difyr ei gilydd roedd maes y gad mor bell ac ar brydiau roedd hyd yn oed y carcharorion yn estyniad afreal i'w bywydau. Roedd chwarae cardiau yn boblogaidd iawn. Hefyd drafftiau, gwyddbwyll a 'treks'. Cedwid yr ysbryd yn iach trwy wrando ar offerynwyr yn canu darnau adnabyddus o operâu neu ganeuon gwerin.

Roedd yr arfer o ysmygu yn rhemp trwy'r holl wersyll. Holltid pob matsen yn bedwar gyda llafnau rasel, a thorrid y sigarennau yn dri a'u hysmygu i'r blewyn olaf o dybaco trwy 'sauca'. Cludid coesau caeëdig planhigion y cloddiau i'r gwersyll a'u defnyddio fel 'cigarette holders' effeithiol iawn. Ni welid yr un stwmp ar lawr. Roedd pob rheffyn wedi ei droi'n fwg.

Yng nghysgodion yr hwyrnosau hirion troid y cabanau yn ffatrïoedd crefft dan olau canhwyllau. Yno byddai'r Eidalwyr ymarferol yn grwm uwch y gwaith manwl. Meddai un ohonynt:

'Roedd rhai ohonom wedi creu peiriant troi, allan o ddarnau o bren, mymryn o gorden a rhai hoelion. Angen oedd mam pob dyfais. Cyn hir roedd gennym dröell a phedal i'w throi yn gyson a chyflym heb lawer o ymdrech. Cochem hoelion yn nhân y stof a gallem dyllu'r hanner coronau a'r darnau pishyn tair arian trwy'r canol a'u gosod, pedwar neu ragor ar y tro, ar y dröell. Gallem hefyd doddi ochr allanol yr arian, a gyda llygad da, nerth a rhithm troed a phapur tywod, ddechrau creu modrwyon a thlysau gwddf a chlust. Wedi rhagor o waith gydag offer roeddem wedi ei greu o weiren a hoelion, crewyd tlysau addurnedig iawn. Fe'u gwerthem am hanner coron y tro i ferched y fro. Roedd galw mawr amdanynt. 'Doedd tâl trwy arian papur yn werth dim i ni. Gofynnem bob amser am arian gwyn.

. . . Gallem greu fframau i ddal lluniau o hen bacedi 'Player's Weights' a 'Craven A'. Ac wrth gasglu pren o fferm i fferm ac o'r gweithdai, crewyd fframau gosgeiddig iawn a bocsys i ddal sigarennau, losin a thlysau. Hefyd waledi lledr, 'lighters', slipyrs hesian a basgedi gwiail. Roeddem yn gallu gwneud unrhyw beth a phopeth yn Henllan. Mae llawer ar glawr o hyd.'

169

Dôi cyflenwad cyson o 'raisins' i mewn trwy'r gât mewn pocedi, sanau, gwallt ac esgidiau. Ac mewn distyllty cudd, a guddid unwaith y tu ôl i'r allor, gan ddilyn rysait gyfrinachol o datws a ffrwythau eraill, crëid gwirod nerthol – *grappa*. Roedd yn ddigon i roi dyn ar dân, yn ddigon pwerus i ddwyn llais, neu i godi gwallt oddi ar y pen, ac fe'i cuddid mewn poteli dan gloriau'r system garthffosiaeth. Âi'r diwydiant a'r fasnach gudd ymlaen yn gyson o fore hyd fachlud a thrwy'r oriau mân. Roedd llawer mwy o frwdfrydedd a dyfeisgarwch yn bod gyda'r gwaith cudd hwn na chyda'r dyletswyddau swyddogol.

A thros glogwyn Cwm Dwy Gaer ym mhen pellaf y gwersyll ac uwchben y llwybr ar hyd afon Teifi roedd yna le delfrydol i gynnal masnach gudd â'r Eidalwyr 'rhydd' o Gaerfyrddin ac Aberteifi. Dôi'r teuluoedd lleol, perchnogion a gweithwyr tai bwyta yn y trefi hyn, â bwydydd, sigaréts a siocled a losin i waelod y graig. Ac ar amser penodedig disgynnai basgedi ar raffau i lawr o'r deiliach fry yn llawn o weithiau crefft a grewyd gan y carcharorion. Roedd marchnad barod iawn iddynt. Wedi plwc ar y rhaffau, codid y bwydydd gan y dwylo eiddgar a chytunid ar ddyddiad arall trwy nodyn ar bapur ar waelod y fasged.

Nid rhyfedd fod yr Eidalwyr yn chwilio am ychwanegiad at y 'Cordon Bleu' beunyddiol. Drwy gydol y tair blynedd y bu'r carcharorion hyn yn Henllan, bwydlen undonog swyddogol y dydd yn y gwersyll oedd: cwpanaid o de a llaeth powdwr; sleisen o fara a jam i frecwast; i ginio – sleisen o fara a sleisen o facwn; dim te prynhawn; ac i swper, 'tagliatelle' (pasta) ac ychydig lysiau. Ond câi'r rhai a weithiai'n feunyddiol ar y ffermydd yr un bwyd â'r teuluoedd. Byddai te pen talar yn cynnwys tarten 'fale, bara brith, teisen ffrwythau, pancws a sigarennau. Ac wrth gwrs, smyglid amrywiaeth anghredadwy o fwydydd i mewn i'r gwersyll, fel y nodwyd eisoes. Meddai un o'r carcharorion, Gustavo Scarante:

'Roedd rhai ohonom yn feistri ar osod maglau i ddal cwningod, ac aem yn ôl i'r un llecyn bob dydd. Gwnawn stiw cwningen ar stof amrwd a oedd gennyf dan fy ngwely. Hefyd roedd amryw ohonom yn feistri ar ddal adar dan ridyll glo ger y tanciau carthffosiaeth. Yno, gwelid cymylau o glêr a phryfed yn hofran oddeutu'r drewdod a'r mân-fwydydd. [Hyd heddiw, golygfa gyffredin yw gweld rhesi o adar bychain yn rhostio ar sgiwyr mewn marchnadoedd yn Yr Eidal. Yn ystod tymhorau ymfudo taenir rhwydi anferth, ond o we fân, rhwng coedydd y perllannau a thros y coed. Delir nifer o adar yn y we effeithiol. Efallai ein bod ni, fwytawyr ŵyn, twrcïod, bustych a moch, yn meddwl mai gwrthun yw bwyta ehediaid bychain.] Rhyfedd o fyd! Roedd llygad ac aneliad cywir y tu ôl i gatapwlt hefyd yn ychwanegu cig ffres at y pantri answyddogol.'

Roedd yr amaethwr o Gymro Cymraeg yn adnabod ei weision yn dda. Os na fyddai'n ei fodloni trwy ei boced gwnâi yn sicr ei fod yn ei ddigoni trwy ei stumog. Ond ni ellir dweud yr un peth am rai o'r ffermwyr islaw'r 'landsker'.

Cofnodir un digwyddiad am dair lori o garcharorion o Henllan yn ymweld â fferm yn y bröydd hynny. Sais rhonc oedd y perchennog a gwrthododd roi 'Woodbine' neu ddwy i'r bechgyn cyn iddynt ddechrau'r gwaith o blannu bresych mewn tri chae cyfagos. Gwrthododd yr un trêt, trêt yr arferai'r Eidalwyr ei gael gan ffermwyr gogledd y sir, yn ystod yr awr ginio hefyd. Dan rwgnach ac â wynebau hirion, gorffennwyd y gwaith a dychwelwyd i'r gwersyll. Ymhen deuddydd daeth y ffermwr i'r gwersyll. Roedd yn gandryll, yn bytheirio ac yn bygwth yr Eidalwyr. Roedd y cnwd bresych wedi gwywo i gyd ac yntau mewn trybini a cholled ariannol ddirfawr o'r herwydd. Beiai'r Eidalwyr am yr anap a mynnodd weld y *Commandant*. Ac yn ei dro, galwodd yntau'r holl Eidalwyr allan i'r maes parêd, a gofynnodd i'r garfan a fu'n gweithio ar y fferm gamu i'r blaen, fel y gallai eu cystwyo am y trychineb, beth bynnag oedd y rheswm. Gofynnwyd cwestiynau, cynigiwyd abwyd am wybodaeth a bygythiwyd y garfan â chyfnod yn y 'calaboose'. Ond ni ddywedwyd dim. Dychwelodd y ffermwr dicllon yn ôl i'w fferm, a'i grib yn parhau'n goch a'i gynffon rhwng ei goesau. Ddeng mlynedd ar hugain yn ddiweddarach y dysgais, ar ôl cael sgwrs gydag un o'r Eidalwyr, y rheswm am drychineb y bresych: 'Pe baem wedi cael un neu ddwy sigarét fach dros de deg, neu sleisen o fara brith neu gacen neu ddarn o gaws i ginio, ni fyddem wedi torri gwreiddyn pob planhigyn bresych cyn ei blannu!'

Dyna wers ddrud! Collodd un ffermwr arall lwyth cyfan o dato had yn yr afon am roi'r un math o groeso cybyddlyd i'r carcharorion. Nid Cymro Cymraeg oedd hwnnw ychwaith!

Un o'r trefniadau rhyfeddaf ar ddyfodiad carcharorion i wersyll Henllan oedd eu didoli yn ôl eu daliadau gwleidyddol a'u hymateb i

171

garchariad. Gosodwyd y cydweithredwyr yng ngharfan yr I.L.B. (*Italian Labour Battalion*) a'u symud i wersyll neu i ffatrïoedd arbennig yr I.L.B., ac ar eu hysgwyddau gwisgent fathodyn. Yr ail garfan oedd y gwrthgydweithredwyr a fyddai'n aros yn Henllan i weithio ar ffermydd, ond heb golli hawliau Confensiwn Genefa. Roedd Mario Ferlito yn perthyn i'r grŵp hwn. Rhoddwyd dwy siwt frown iddynt o liw siocled neu win gyda phatsyn melyn neu wyrdd golau ar y cefn neu ddwy ar y trowsus. Gwelid un ar glun un goes ac un arall yn isel y tu ôl i'r goes arall. Ychwanegwyd dwy hosan, un crys, un siwmper wlân, esgidiau a phâr o 'gum-boots'. Nodweddid aelodau'r grŵp hwn gan eu parodrwydd ymddangosiadol i gydweithio yn rhesymol. Y drydedd garfan oedd y ffasgwyr digymrodedd, caled, unllygeidiog, a'u gweledigaeth ddigyffro wedi ei gwreiddio yn yr achos. Fe'u hanfonwyd i ganolfan arbennig i geisio carthu eu daliadau ffasgaidd allan o'u cyfansoddiad. Pe ceid llwyddiant yn hyn o beth, a'r ffasgwyr hyn yn newid eu hagwedd, caent eu hanfon yn ôl i wersyll cyffredin fel Henllan. Wrth gwrs, ni newidiodd rhai eu cwrs trwy gydol y rhyfel.

Ac erys un digwyddiad yn ardal Henllan yn fyw yn y cof, sef y streic fawr yn y gwersyll, a gychwynnwyd gan garcharor penboeth o Ferrara. Meddai Mario Ferlito: 'Ni ddylid rhoi gormod o sylw i'r operetta ddibwys hon. Ymunodd 200 yn y brotest, gwrthodent wneud unrhyw waith a gwrthodent gydweithredu â'r gwarchodwyr mewn unrhyw ffordd. Breuddwydiwr o'r gorffennol oedd yr arweinydd, twyllwr ac eithafwr, gŵr a geisiai weithredu ei syniadau anghytbwys a dwl fel Don Chichote de la Mancha yn ymosod ar hwyliau'r felin wynt'.

Meddai Dai a Mari Jones, Penrhiwpryan: 'Ry'n ni'n cofio'r streic. Roedd yn ddiwrnod poeth o haf ac fe glywson ni'r sŵn gweiddi a'r terfysg o'r tŷ sawl milltir o Henllan. Cariodd y gwynt y sŵn dros bellter ac roedd pawb bron wedi ei glywed, am a wyddom ni'.

Ymgasglodd y ffasgwyr ynghyd o dan y goeden fawr, a gwrthod symud. Yn fuan iawn cyrhaeddodd deng milwr gyda drylliau a bidogau, yn ogystal â'r syrjiant Iddewig a chyfieithydd. Fe'u hamgylchynwyd mewn eiliadau yn ddiseremoni a'u gyrru fel defaid i'r caets arbennig ar gyfer carcharorion afreolus. Roedd y caets wedi'i leoli y tu allan i'r gwersyll, ar dir agored tu hwnt i'r tanc dŵr mawr. Roedd yn ugain medr wrth ddeg medr, sef 200 medr sgwâr, sef medr sgwâr yn unig i bob un o'r terfysgwyr, heb gysgod, heb fatras a heb gyfleusterau, gan orfodi'r troseddwyr i

172

fyw ar fara a dŵr yn unig am dri diwrnod ar ddeg. Meddai Mario ym-
hellach:

'Roedd un o'm ffrindiau wedi ymuno â'r ffasgwyr, sef Aldo
Redamanti. Un chwit-chwat oedd Aldo ac un hawdd dylanwadu
arno. Roedd yn rhaid i ni ei gael allan o'r caets. Pwyswyd yn
drwm ar Franco Crescini i ddefnyddio ei garisma a'i ddylanwad
gyda'r awdurdodau Prydeinig a'n swyddogion ni. Bu'n fachgen
lwcus ar y naw! Fe'i tynnwyd allan o'r caets ar ôl tri diwrnod. Ond
am y lleill, ar ôl bron i bythefnos o wrthdystio fe'u hanfonwyd o
Henllan i ganolfan arall yn Lloegr i dorri eu hysbryd, i'w gwahanu
ac wedyn eu gyrru, os oedd hynny yn ymarferol, i wersyll cyff-
redin. Ni fyddai rhai, wrth gwrs, byth yn newid. Credent yn hollol
sicr y byddai eu hachos yn ennill y dydd. Ceisiodd rhai wenwyno
bwyd y gegin a chreu difrod yn y garej ond roedd yn hawdd eu dal
oherwydd eu protestiadau swnllyd ac amlwg.'

Naw o garcharorion o Henllan yn mwynhau seibiant
amser cinio ar fferm Trecregyn, Aberporth.

O'i gymharu â Colditz, Stalag Luft VII neu'r carchar-wersyll caletaf ym Mhrydain yn y 1940au, yr oedd bywyd yn P.O.W. 70 Henllan yn gymharol hawdd. Roedd disgyblaeth a threfn yno, ac oherwydd y cyd-weithredu rhagorol rhwng y carcharorion a'r gwarchodwyr roedd elfen gref o ymddiriedaeth yn rhedeg trwy'r lle. Ar ôl 1944 câi rhai o'r carcharorion fynd i lawr i'r bont a'r pentref, gyda gwyliwr, ac yna draw i Drefach, ar y ddealltwriaeth eu bod yn ymddwyn yn weddus ac yn dychwelyd i'r gwersyll cyn wyth o'r gloch. 'Eto,' meddai Mario, 'yn ystod y tair blynedd dioddefodd 320 o garcharorion o salwch meddwl, wedi'i achosi gan hiraeth a rhwystredigaeth. Anfonwyd un bob dydd, ar gyfartaledd, i dderbyn triniaeth yn Ysbyty'r Meddwl, Talgarth'.

Yn achlysurol, ymddangosai adroddiadau am weithgareddau'r theatr ac am chwaraeon yn yr *Il Corriere del Sabato*, ar dudalennau'r *Notiziario Dai Campi – Al Campo 70*, rhyw fath ar bapur bro! Yn ôl erthygl a ymddangosodd ar 18 Awst 1945:

'Heb amheuaeth, mae gennym un o'r adrannau mwyaf cyf-oethog o ran offer ar gyfer y theatr, cerddorfa a chwaraeon. Ac mae'r diolch yn bennaf i ewyllys da a diddordeb tadol ein pennaeth poblogaidd, Marshall Pizzotti. Ein dyletswydd yw cyhoeddi ein gweithgareddau amrywiol a thynnu sylw pawb atynt . . .

Theatr: Cyflwynwyd amryw byd o berfformiadau dramatig, yn llawn, diolch i ymroddiad yr arweinyddion, a hynny o flaen cynulleidfaoedd beirniadol. [Ymhlith y nodiadau gwelir 'rheolwr y golygfeydd – Mario Ferlito'. Ar ôl diwedd y rhyfel trosglwyddwyd rhai o'r canfasau o olygfeydd i Neuadd y Ddraig Goch yn Drefach-Felindre. Fe'u cedwid o dan y llwyfan.]

Cerddoriaeth: Arweiniwyd y gerddorfa fechan gan y 'maestro' diflino, Barenzano. Crewyd harmonïau soniarus yn aml ar ôl dyddiau hirion o waith caled ar y ffermydd cyfagos. Cyflwynwyd adloniant megis nosweithiau cerddorol ar amryw achlysuron!

Chwaraeon: Yn ein gwersyll, y ffefrynau yw pêl-droed, pêl-foli a bowlio. 'Does neb yn colli ein gemau wythnosol; mae fel clefyd sy'n sgubo trwy'r gwersyll. Ein dyfarnwr cadarn yw Franco Crescini. Nid yw'n derbyn unrhyw ddadlau ac ni wnaiff dim byd ddylan-wadu arno. Yn ystod y mis diwethaf mae dadl fawr wedi codi ynglŷn â phwy yw'r chwaraewr gorau a'r gôl-geidwad mwyaf

174

'Arian y carcharorion', y tu fewn i Wersyll Henllan.

cymwys ymhlith y timau. Y pencampwyr yw tîm 'Tenace' (Y Gwydn) a'u gôl-geidwad dawnus, Aldo Redamanti, sydd heb ildio yr un gôl. Mae Scipione Bardella a Vittorio Bonucci yn sêr wrth amddiffyn ac ymosod. Yr ail orau yw 'Diavoli de Deserto' (Diawliaid yr Anialwch). Yn drydydd mae tîm y 'Folgone' (Y Mellt), ac yn bedwerydd yr 'Azzuri' (Y Gleision).'

Ac er bod y chwaraeon a'r cystadlaethau yn lliniaru cryn dipyn ar amgylchiadau'r Eidalwyr ac yn lleddfu rhywfaint ar eu hiraeth, mae brawddeg olaf yr adroddiad yn cyfleu dyfnder eu teimladau a'u parch tuag at y Cymry: 'Gobeithiwn y medrwn ddychwelyd cyn bo hir at ein hanwyliaid. Yn y cyfamser, diolchwn i'n ffrindiau am wneud eu gorau i'n cadw yn fodlon cyn y diwrnod y byddwn yn dychwelyd o gaethiwed i'n gwlad ein hunain'.

Yn ystod misoedd yr haf ychwanegid tenis at y rhestr. Ond nid oedd racedi pwrpasol ar gael. Yn hytrach, dilynwyd esiampl Annito Merli, a luniodd raced wedi ei addasu o ddarnau o gadair, a llinynnau a pheli o hesian, a bu'r raced hwn o gymorth iddo i ennill y bancampwriaeth. Disgleiriodd ymhellach gan ennill amryw byd o lawryfon wedi dychwelyd i Bologna ar ddiwedd y rhyfel.

Yn sicr, bu adloniant theatr a chae chwarae yn elfen bwysig iawn yn y ffordd lwyddiannus a heddychlon y câi Gwersyll 70 yn Henllan ei redeg.

Un o'r cymeriadau mwyaf dylanwadol yng ngwersyll Henllan oedd y caplan, Don Italo Padoan. Brodor o Precenicco ger Udine, yng ngogledd-ddwyrain Yr Eidal, oedd Don Italo, athro ieithoedd tramor mewn ysgol uwchradd cyn iddo ymuno â'r fyddin fel caplan. Fe'i cymerwyd yn garcharor yn Bardia (Libya) ac yntau yn 27 mlwydd oed ar y pryd. Ac yn Henllan fe'i sefydlwyd yn gaplan y gwersyll. Câi fwy o ryddid na neb arall, a'i syniad ef oedd adeiladu eglwys Gatholig oddi mewn i'r carchar rhyfel.

Wrth baratoi ar gyfer addasu un o'r cabanau, trwy adnabod y bobl iawn a thrwy ofyn am gymwynasau y tu allan i'r rheolau ar y pryd, llwyddwyd i gasglu'r deunydd crai. Cludwyd siment i mewn i'r gwersyll, casglwyd tuniau, bocsys, briciau, cerrig a drymiau tun i'w haddasu ar gyfer addurno'r eglwys. Cafodd Don Italo ei ddisgrifio fel 'protected personnel'. Ac oherwydd hynny câi ganiatâd i gerdded heolydd a llwybrau'r wlad gyfagos hyd at bellter o dair milltir o'r gwersyll.

'Roeddwn yn hoffi'r wlad. Arferwn gerdded llawer yn fy hoff Eidal. Teimlwn yn agos iawn at Natur. Eisteddwn dan goeden i wrando ar yr adar yn canu. Un diwrnod daeth hen wraig heibio. Ifaciwî ydoedd o Lundain a gofynnodd i mi: 'Sant Ffransis, a ddoi di gyda mi i rannu cwpaned o de?'
. . . Daethom yn ffrindiau. Roedd mor dwymgalon a charedig. Newidiwn fy nhaith yn aml rhag cymryd mantais o'i charedig-rwydd. Wrth i mi gerdded ar hyd eich gwlad brydferth, roedd un peth wedi fy nharo i o'r cychwyn. Bob dydd gwelwn ar ben y lonydd a arweiniai at y ffermdai, yn enwedig ar y stondinau llaeth neu ar garreg fawr, amrywiaeth o bethau – bara ffrwythau, bwyd-ydd eraill, tuniau o laeth a hyd yn oed arian. Gallai unrhyw un fod wedi eu dwyn heb eu gweld. Ond ni wnaeth neb er bod dogni ar bethau felly ar y pryd. Dyna beth oedd gosod esiampl dda.'

Benthyciwyd cerfluniau o'r Fair Forwyn gan Encilfan Mair, Caerfyrddin, a'u gosod mewn dwy alcof bob ochr i'r allor yn yr eglwys. Ar ddiwedd y rhyfel aethpwyd â'r cerfluniau yn ôl i Gaerfyrddin, ac fel arwydd o ddiolch am gael eu benthyg, cyflwynodd Mario Ferlito ddau lun olew o'i waith i'r Encilfa. Roedd un yn dangos Sant Gabriel a'r llall wedi ei alw

176

yn 'Ecce Homo'. Bu'r ddau yn hongian yn neuadd yr adeilad am gyfnod. Bûm yn siarad â'r Brawd Giraldo Bentley o St. Paul's Retreat, Langbar Road, Ilkley, Swydd Efrog, a arferai fod yn aelod yng Nghaerfyrddin.

'Rwy'n cofio'r llun o Sant Gabriel. Nid oedd llawer yn gwybod dim amdano a meddyliai rhai mai fi oedd yr arlunydd. Rhoddai hyn bleser mawr imi, a minnau'n ŵr ifanc ar y pryd. Yn anffodus, mae'r lluniau wedi mynd ar goll. Ond rwy'n falch iawn o wybod gennych fod yr eglwys fach yn Henllan ar ei thraed o hyd, a bod Mario yn fyw ac yn iach. Gobeithio ei fod yn parhau i arlunio oherwydd fe amlygai dalent uwch na'r cyffredin. Dyma lythyr a ddanfonais ato.

> St Mary's Retreat,
> Union Street,
> Carmarthen,
> S. Wales.
>
> 24 February, 1946

To Ferlito Mario,

Just a little token of our thanks for the very excellent painting of St. Gabriel and a wish that St. Gabriel will obtain for you the blessing you most desire.

Ar ran y brodyr yng Nghaerfyrddin,

> Fr. Gerald C P
> (Padre Giraldo)'

Pan ddychwelodd y Brawd Giraldo i Gaerfyrddin ym 1965 nid oedd sôn am y lluniau.

'Bûm yn gweithio gyda charcharorion rhyfel o'r Almaen a'r Eidal a chyda milwyr o America a Gwlad Pwyl. Roedd yr Eidalwyr yn fwy o hwyl o lawer na'r rhelyw ac ni wyddwn pa dric a chwaraeid ganddynt nesaf. Ond efallai fy mod yn rhagfarnllyd. Yr Eidalwyr yw fy hoff dramorwyr. Maent yn bobl hyfryd. Tra bûm yng Nghaerfyrddin bûm yng ngofal angladd dau Eidalwr a fu'n gwasanaethu'n ymroddgar ac yn ffyddlon ar ffermydd yn yr ardal.'

Sefydlwyd Mussolini, y Cesar cardbord, trwy orchymyn Hitler, yn bennaeth ar weriniaeth Salo ym mhentref Gargnano ar lannau gorllewinol Llyn Garda. Roedd yn parhau i gynnal ralïau ond ffigwr pathetig ydoedd rhwng 1943 a 1945. Dywedid ei fod yn dioddef o 'syphilis', ac roedd y clefyd wedi effeithio'n ddrwg ar ei feddwl, ac wedi peri iddo ddioddef o baranoia a chlawstroffobia yn ogystal. Ymhen blwyddyn daeth diwedd ar ei weriniaeth, ac wedi iddo ddianc o Milan ar 18 Ebrill 1945, ym-guddiodd yn ardal y Tirol. Fe'i darganfuwyd yn swatio yng nghefn un o lorïau'r Almaenwyr mewn rheolfa ffordd fawr ger Llyn Como. Ac ar 28 Ebrill, fe'i saethwyd ef a'i feistres, Clara Petacci, yn farw gan gomiwnyddion. Fore trannoeth roedd eu cyrff yn hongian gerfydd eu traed y tu allan i orsaf betrol yn y Piazalle Loreto ym Milan, lle lladdwyd pymtheg o wystlon Eidalaidd wyth mis ynghynt. Ar orchymyn lluoedd y gorllewin claddwyd eu gweddillion mewn lle cudd.

Ddeuddydd yn ddiweddarach daeth dyddiau Adolf Hitler i ben yn y byncyr ym Merlin.

Â'r byddinoedd gorllewinol yn sgubo'r Almaenwyr allan o'r Eidal, croesawyd byddin rhyddid â breichiau agored, croeso a llawenydd mawr. Collwyd 100,000 o filwyr y gorllewin oddeutu Anzio ac roedd llawer o ymladd ac o golli bywydau eto i ddod cyn glanhau Ewrop o gysgod y swastica a'r Dwyrain Pell o greulondeb y Nippon.

Yng ngwersyll Henllan yn y cyfamser roedd llawer o Eidalwyr yn awyddus i gael gwybod unrhyw beth ynglŷn â'r sefyllfa gartref yn Yr Eidal, yn enwedig yn y de, a oedd wedi dioddef fwyaf o effeithiau'r rhyfel. A oedd swyddi yn eu disgwyl ar ddiwedd y rhyfel? Ai gwell fyddai iddyn nhw aros yng Nghymru neu ym Mhrydain i chwilio am swydd a gwraig? A oedd unrhyw bosibilrwydd y gallent aros yng ngwlad eu caethiwed am gyfnod amhenodol cyn dychwelyd i'r Eidal wedi i'r economi gryfhau, gyda'r gobaith y caent swyddi i gynnal teulu ac i wella eu byd? Hyn oedd byrdwn pob sgwrs, wrth fwrdd brecwast, yn y lori, wrth gwteru mewn cae neu wrth gael mygyn uwchben afon Teifi. Ond roedd y mwyafrif helaeth ohonynt yn bwriadu dychwelyd i weld eu teuluoedd. Eilbeth oedd swydd a hwythau'n syllu trwy weiren bigog!

A beth am erchyllterau Auschwitz, Buchenwald, Dachau a Belsen? Mae'r enwau yn gyfystyr â hil-laddiad yr Iddewon trwy gynllun anwaraidd a chreulon y Natsïaid. A wyddai Eidalwyr gwersyll Henllan am y fath anfadwaith? Sioc enbyd i Mario oedd clywed am yr erchyllterau hyn.

178

'1945 oedd hi ac roeddwn yn gweithio yn swyddfa'r cyfieith-
ydd. Un diwrnod daeth swyddog i mewn a gosododd lun mawr ar
y mur o'm blaen. Ffoto rwy'n credu. Dangosai bydew dwfn yn y
ddaear ac ynddo roedd pentyrrau o gyrff dynol, noeth. Roeddynt
yn esgyrnog ac yn welw, fel pe baent wedi cael eu taflu'n
bendramwnwgl ar ben ei gilydd. Gyda'r llun roedd hanes gwersyll-
garchar Belsen. . . . Ymhen ychydig cafwyd datganiad gan Annito
Merli: 'Nid oes a wnelo'r Eidal na'i byddin ddim oll â'r
erchyllterau hyn. Maent yn wrthun i'r hil ddynol ac yn sicr nid
ydynt yn rhan o'n cynhysgaeth ni na'n hanes'.'

Dros donfeddi radio ar aelwydydd y ffermdai ac wrth siarad â thrigolion
y bröydd a'r swyddogion Eidalaidd, clywodd Mario a'i gyd-garcharorion
am gwymp ffasgaeth yn Yr Eidal a llofruddiaeth Benito Mussolini a'i
gariad Clara Petacci. Ond ni chynhaliwyd llys barn, ni weinyddwyd
cyfiawnder, ni chawsant gosb a oedd yn cyfateb i'w troseddau, ac felly,
yn ôl Mario a sawl Eidalwr arrall, ni dderbyniwyd eu diwedd fel gweith-
red deg. Nid oeddynt yn fodlon derbyn anarchiaeth heb drefn gyfreithiol
fel ag a ddigwyddodd yn Nuremberg i'r arweinwyr Natsïaidd.
   Wrth i'r newyddion gyrraedd fod y rhyfel yn dod i ben, cynyddodd y
cyffro a'r disgwyliadau. Roedd yr awydd i flasu rhyddid eto yn affwysol
o gryf, ac roedd y posibiliad y caent gyfarfod â'u teuluoedd yn rheoli pob
teimlad ac emosiwn.
   Cyrhaeddodd dydd rhyddhau'r gaethglud ym mis Gorffennaf 1946.
Roedd prif blatfform gorsaf Henllan yn rhy fyr ac yn rhy gyfyng i
gorlannu'r cannoedd wedi iddynt fartsio i fyny trwy'r pentref i ddal y trên
a drefnwyd yn arbennig ar eu cyfer. Dringodd y rhithiau unlliw gwyrdd i
mewn yn ddisgybledig i'r coetsys blaen cyn i'r trên symud ymlaen
lathenni ar y tro i lyncu'r teithwyr niferus. Yr oedd y trên hwnnw, gyda
dwy injan yn tynnu ac un arall rydd o'r tu cefn yn gwthio ar godiad tir, yn
sicr yr un hwyaf a fu erioed ar hyd lein o Henllan trwy Landysul a
Phencader i Gaerfyrddin. Trefnwyd nifer o drenau i symud pawb! Ac er
bod rhyddhad a llawenydd yng nghalonnau'r Eidalwyr, llifai dagrau
hefyd ar y ddwy ochr. 'Roedd rhyw deimlad rhyfedd,' meddai Wil Morgan,
y Winllan, Penrhiwpal, 'na allwn edrych arnynt fel carcharorion rhyfel
yn unig. Dynion oedden nhw, 'run fath â fi. Ni allwn ddweud gair, crynai
fy ngên, roedd fy llwnc yn llawn a dagrau yn fy llygaid. Hen fois iawn

179

oedden nhw, a thrwy gydol y blynyddoedd roeddem wedi dod yn ffrind-
iau da i'n gilydd. Nid rhyfel wedd e yn Henllan. Edrych ar eu hôl nhw
roedden ni am sbel nes eu bod nhw'n mynd 'nôl i'w gwlad eu hunain'.
    Dywedodd Ben H. Jones yr un peth: 'Roedd cyfeillgarwch agos a
didwyll wedi tyfu rhyngom. Siaradent am eu teuluoedd gan ddangos
lluniau ohonynt. Roedd yn anodd iawn ffarwelio â nhw'.
    Cyfnewidiwyd anrhegion a chofroddion rhwng y ddwy ochr. Bu siglo
dwylo a chofleidio. Yr oedd yn debycach i ddiwedd gwyliau neu aduniad
teuluol anferth nag i ddim byd arall. Llithrai pecynnau yn ddirgel o law i
law. Cuddiwyd parseli bychain y tu fewn i grys a throwsus. Yng nghanol
popeth roedd dagrau, a saliwt a chwifio breichiau trwy ffenestri wrth i'r
neidr o drên duchan allan o 'Stazione Henllan – im partenza – a Napoli –
Roma!'
    Teithiodd y trên gorlawn i harbwr Lerpwl lle'r oedd y llong *Rejna dell
Pacifico* (llong 30,000 tunnell o Brasil) yn eu disgwyl i'w cludo'n ôl i'r
Eidal. Cyrhaeddodd Napoli ar 21 Gorffennaf 1946. Dridiau yn ddiwedd-

Eglwys y Carcharorion, Henllan, yn dangos effaith gwynt a glaw,
cyn i Mr Bob Thompson ei hadfer. Sylwer ar y ddau rosyn wrth y fynedfa
a blannwyd gan yr Eidalwyr yn y 1940au.

arach roedd Mario Eugenio Ferlito yn cofleidio ei fam ddagreuol, yn ôl yn ei bentref genedigol, Oleggio Castello, ar lannau Llyn Maggiore.

'Dyma ddiwedd fy nhaith o amgylch y byd,' ebychodd Mario mewn llais sarcastig. 'Ac ar ôl saith mis o hyfforddiant i ddysgu lladd, tri mis o ryfel a thair blynedd o garchar, nid oedd dim yn fy mhocedi ond pedair punt, pedwar swllt a phedair ceiniog, sef arian yr oedd fy llywodraeth wedi ei dalu i mi, ar ôl i mi wario ychydig ohono yn siop y gwersyll. Dyna fy holl ffortiwn, diolch i'r ynfytyn Mussolini!'

Ac am ei gariad, clywodd ei bod wedi priodi siopwr cyfoethog yn ystod y rhyfel ac wedi esgor ar bump o feibion, a phump athro. 'Cyfarfûm â hi ymhen blynyddoedd ond rhith ydoedd, oherwydd nid y ferch ieuanc yr oeddwn wedi ei hadnabod unwaith oedd hi bellach. Yn hytrach, gweddw ydoedd, ac roedd wedi mabwysiadu nodweddion ei gŵr. Diwedd rhyfedd i'm breuddwydion ac i'r rhamant a fu!'

Epilog i'r Rhyfel
Meddai Mario:

'Roedd corwyntoedd rhyfel wedi ymbellhau. Dechreuodd cyfnod newydd a daeth cyfle i ddringo'n gymdeithasol. Dyfnhaodd gwreiddiau'r gyfundrefn newydd.

. . . Roedd y dref yn wag. Diflannodd y trigolion i leoedd na wyddent am eu bodolaeth a diflannodd y problemau, pob un yn ei ffordd ei hun. Bu rhai mewn dagrau, cysurwyd eraill a gwnaeth rhai eu ffortiwn. Nid oedd pob ffordd wedi ei phalmantu â bwriadau da, ac anodd fu darganfod eraill. Ac ni fu'r aelwyd yr un peth byth wedyn.'

Dychwelodd y mab hynaf o garchar-rhyfel ond nid oedd yn amser i ddathlu. Roedd bywyd yn anodd a'r dyfodol yn ansicr. Bu'r carchariad yn hwy na'r disgwyl a thociwyd ar ddemocratiaeth.

Ni ddangosodd neb ddiddordeb ynddo nac unrhyw chwilfrydedd ynghylch yr hyn a ddigwyddodd iddo yn ystod y pedair blynedd a gollwyd. Ble? Pam? Pryd? Pa mor bell? Ni ofynnwyd yr un cwestiwn. Daeth ar draws difaterwch ac euogrwydd, fel petai'r rhyfel ddim wedi bod. Gwisgai rhai fantell y buddugwyr – trwy weithredoedd gwrthun. Roedd y ffyrdd yn dawel a phawb yn cadw i'w dŷ. Cerddai llawer yn y cysgodion gan osgoi ateb cwestiynau. Roedd ofn ar eu hwynebau.

Newidiodd popeth. Diflannodd y cwrteisi a'r cymwynasau a oedd yn cynnal y gymdeithas gynt. Gwisgwyd dillad rhyddid yn sydyn, efallai yn rhy sydyn, a theimlid awelon newydd yn chwythu o'r dwyrain, gwahanol i awelon comiwnyddiaeth. Newidiodd y traddodiadau a'r defodau, gan weithredu twyll dan gochl egwyddor, fel torri clustiau mul a'i alw'n geffyl.

Wrth wynebu'r mur hwn o gasineb a diffyg dirnadaeth, cadwodd yr arwr-filwr ei hunan ar wahân i gymdeithas. Meddyliodd am gynnal ei deulu. Dychwelodd i'r swydd a oedd ganddo cyn y rhyfel. Aeth y blynyddoedd heibio, ond rhwygwyd teuluoedd gan ddigwyddiadau newydd. Gadawsant eu cartrefi a symud i ardaloedd pell i chwilio am waith.

Cododd y cymylau duon. Gwenodd heulwen eto a dychwelodd lles a budd i'r gymdogaeth. Anghofiwyd y trallodion a darganfu'r werin ddulliau i wella cyflwr ei bodolaeth.

'Diflannodd yr atgofion diflas fel dŵr trwy fysedd, a dychwelodd yr awydd i anghofio o fewn teuluoedd. Roedd perthnasau bellach yn arddel gwahanol safbwyntiau a dyheadau, ac roedd cymaint o golledion a chymaint o greulondeb wedi digwydd rhwng perthnasau a'i gilydd. Ond anghofiodd rhai yn rhy gyflym ac yn rhy haerllug, a chan fod y rheolau yn newydd ni chynigiodd y gyfundrefn gyfle arall. Hanes a nyddai'i hunan.'

Meddai Mario ymhellach:

'Fe'n gorfodwyd i ymladd yn ofer. Dymchwelwyd y dinasoedd a lladdwyd y dynion; wedyn ailgodwyd y dinasoedd, ond nid y dynion, a chollwyd llawer o gyfeillion ar y ffordd. Unwaith yn rhagor, meithrinwyd angerdd gwleidyddol yng nghartrefi'r rhai uchelgeisiol. Disgynnodd yr arwyr. Fe'u gwelais yn disgyn yn y llwch. Nid oedd gennym ond gweddill ein bywydau bregus ac ansicr, ynghyd â ffawd – y ddau ynghlwm â'i gilydd – i ddianc rhag y dioddefaint.

. . . Beth yw pwrpas gogoniant? I lenwi hyn a hyn o dudalennau ansicr yn llyfr bywyd? Y rheini sy'n dringo'r copaon sy'n mynd ar goll yn y cymylau; y rhai sy'n croesi'r gwastadedd sy'n diflannu ar y gorwel; a'r rhai sy'n wynebu'r môr sy'n cael eu boddi yn y trobyllau lle mae cenhedloedd anfuddugoliaethus yn diflannu.'

Rhyddid

Yn ei awydd i chwilio am gartref a gwaith ac i baratoi am y dyfodol, llithrodd y blynyddoedd heibio'n dawel. Yn y cyfnod hwn chwiliai Mario am arwyddion o gydymddibyniad, a phobl yn cyd-ymwneud â'i gilydd, ond dôi wyneb yn wyneb â dihidrwydd ac unigrwydd cynyddol. Aeth ati ar unwaith i chwilio am waith, ond ymddangosai pawb mor hunanol, gan frwydro yn erbyn ei gilydd.

Cafodd waith, 30 cilomedr tua'r gogledd o'i bentref genedigol, mewn anheddfa fechan o'r enw Ornavasso, ar lan afon Toce, nid nepell o dref Domodossola a'r ffin â'r Swistir. Roedd lle iddo fyw yno hefyd, a gwelodd gyfle i dorri cysylltiad â'i orffennol trist a chythryblus. Enillai ddwywaith gymaint o arian ag a wnâi yn ei swydd flaenorol, ac aeth pethau rhagddynt yn foddhaol. Eto dieithryn oedd, ac felly y câi ei gydnabod gan weddill y gweithwyr yno.

Ceisiodd anghofio blynyddoedd y rhyfel. Aeth hyd yn oed ei garchariad o'i feddwl. Priododd ferch o'r enw Maria Mones, merch â chysylltiadau lleol ganddi ond a hanai o dras Sbaenaidd, ar 7 Chwefror 1948. Y flwyddyn olynol ganed merch (a'r unig blentyn), Sonia, iddynt. Ymwreiddiodd y teulu ym mro Ornavasso. Tyfodd y ffatri lle gweithiai Mario. Ond roedd Mario yn anhapus â thwf comiwnyddiaeth o fewn ei muriau, a chryfder ei chredo wrthun o fewn yr undeb ac ymhlith y rhan fwyaf o'i gweithlu. Wedi'r rhyfel cefnodd y werin ar ffasgaeth gan ymgrymu'n frwd i'r cryman a'r morthwyl o Fosco. Ymadawodd â'r ffatri a sefydlodd ei ffatri fechan ei hun ym mhentref cyfagos Rumianca yn nyffryn Ossola. Parhaodd i baratoi rhuddemau i'w gosod mewn oriorau i gwmni enwog Seiko yn Siapan. Cyflogodd ryw wyth o ferched y fro fel gweithlu – Johnes, Isa, Antonietta, Cristiana, Natalina, Franca, Castanza ac Alba, a daeth llwyddiant cynyddol i'r ffatri. Trwy gymorth buddsoddiad gŵr cyfoethog, gosodwyd peiriannau modern i hwyluso'r gwaith a chreu cynnyrch o safon uchel iawn.

Ond yn nyfnder ei atgofion roedd rhyw hiraeth annoeth yn galw ar ffrindiau'r gorffennol yng nghyfnod ei garchariad.

Roedd Mario wedi cadw mewn cysylltiad â Luciano Monetta o Milano a Giocanni o Busto. Penderfynodd y tri gyfarfod o bryd i'w gilydd, weithiau yn Busto a throeon yn Milano. Ar adegau ymunai eraill â'r cyfarfodydd ond yn aml ni chlywid dim gan y rhain am amser wedyn. Yn sicr, y berthynas rhwng Luciano, yr heddwas o Milano, a Mario oedd y berthynas gryfaf a'r fwyaf rhydd. Roedd Luciano wedi cadw ei synnwyr miniog o eironi, a chyda'i gilydd roedd y ddau ohonynt yn medru chwerthin yn union fel yr oeddynt wedi arfer ei wneud yn ôl yn niwedd y pedwardegau.

Meddai Mario: 'Roedd hi'n braf cael cyfarfod lle'r oedd rhyddid geiriau a rhyddid symudiadau, heb fod yng nghysgod y gorthrymwr. Roeddem yn chwerthin nerth ein pennau, a gallem anghofio problemau gwaith am ychydig amser. Yn wir, ni fyddem yn siarad am waith, bron fel petai arnom ofn cael ein gweld yn wylo ar ysgwyddau'n gilydd. Dim sôn am waith nac am ein teuluoedd chwaith'.

Parhawyd gyda'r cyfarfodydd. Ac yna un prynhawn Sadwrn ar ddiwedd haf, wrth i'r gwres beri iddynt siarad yn ddi-nod am ddim byd ac i daflu geiriau diog at ei gilydd, cafwyd syniad. Beth am drefnu aduniad o'r hen gyfeillion o Wersyll 70 yn Henllan. Wedi'r cyfan, 1970 oedd y flwyddyn hefyd.

Wedi cyfnod o gynnwrf, aethpwyd ymlaen i feddwl o ddifrif a oedd y cynllun yn un ymarferol i'w wireddu.

'Sylweddolem fod amser wedi hedfan. Faint o'r hen gyfeillion oedd yn dal yn fyw? Roedd llawer o lwch a gwe wedi chwythu ymaith,' meddai Mario. Penderfynwyd ar Bologna fel man cyfarfod a gyrrwyd ymlaen i chwilio am gyfeiriadau a rhifau ffôn. . . . Yn aml wrth anfon llythyr, nid oedd gennym ddim ond enw aneglur. Pwyswyd yn drwm ar hap a damwain. Ond, yn annisgwyl, cawsom ein synnu gan yr ymateb . . . Gwahoddwyd pawb a allai ddod i sgwâr Bologna ger y 'stazione' – ar Fai y cyntaf. Treuliwyd amser yn syllu ar bawb a ddôi i'r sgwâr ac wrth i'r oriau fynd heibio pylodd ein gobaith o weld unrhyw un arall o'r hen griw.'

Roedd Mario a Luciano Monetta yn siomedig. Ond yn sydyn ymddangosodd llawer ar yr un pryd ac nid oedd yn hawdd i'w hadnabod ar y cychwyn. Ond meddai Mario: '. . . wrth eu gweld, dyma weiddi a chofleidio, fel ein bod yn sicr yn creu tipyn o argraff ar y bobl a gerddai heibio ac yn anymwybodol o'r hyn a oedd yn digwydd. Roedd golwg anghrediniol ar lawer o'r wynebau a chymysgedd o deimladau dwys. Roedd ambell un â'i wallt wedi britho, eraill wedi moeli yn llwyr, un arall wedi cael strôc ac wedi colli defnydd o'i fraich a'i goes dde . . . Roeddynt yn dal i gyrraedd. Unigolion a grwpiau o wahanol ardaloedd yn y gogledd, a phawb yn mynnu clywed newyddion y llall a gweiddi ei stori ei hun'.

Roedd Mario a Luciano wrth eu bodd! Daeth pedwar ar ddeg i gyd a threfnwyd cinio i bawb mewn bwyty ychydig y tu allan i ganol y dref. Cychwynnodd y fintai hapus mewn rhes o foduron trwy'r dref. Wedi cinio blasus, digon o win a rhannu atgofion, nid oedd amser i'r 'siesta' arferol. Roedd yr aduniad wedi bod yn llwyddiant mawr a phenderfyn-wyd ei gynnal yn flynyddol.

'Roedd un o'r cyfeillion, Carlino, nad oedd yn holliach, am gynnal yr aduniad nesaf yn ei gartref ar lan llyn Garda. Roedd yn frwdfrydig iawn un funud, ac ar adeg arall âi yn feddylgar a dwys, fel petai'n dychwelyd trwy ei atgofion at ei ieuenctid pell. Roedd Franco Crescini am gyfarfod bob chwe mis, yn ei gartref, yn Brescia. Roeddwn wedi fy mwynhau fy hun yn fawr – dau ddiwrnod bendigedig wedi eu treulio heb feddwl am unrhyw beth yn ben-odol, yn ddi-hid, fel plant, gan anghofio am ddiflastod bywyd bob dydd. Buom yn chwarae rhwng y byd gwirioneddol a byd lledrithiol. Roeddem wedi bod yn chwilio am rywbeth i dorri'r diflastod arferol.'

* * *

Ond yn ddiarwybod i Mario a'i ffrindiau, roedd rhagluniaeth ar gerdded. Oddeutu'r un amser, ddechrau'r saithdegau, gwahoddwyd y Parchedig W. J. Gruffydd i greu cyfres o gerddi – cerddi ar gyfer y teledu – gan Richard Lewis, Uned Heddiw, B.B.C. Cymru. [Roedd Richard (Dic) yn gyd-fyfyriwr â mi yng Ngholeg y Drindod, Caerfyrddin, ac yn organydd yn ein priodas yn Eglwys Sant Crannog, Llangrannog.] Dywed Richard Lewis yn ei ragair i *Cerddi'r Llygad*: 'Rhaid oedd wrth fardd a allai gyfansoddi'n gyflym gerddi syml a chryno a fyddai'n ddealladwy heb fod yn ystrydebol neu'n arwynebol. Nid yw'r gwyliwr cyffredin (os oes y fath greadur) yn arfer gwrando'n astud ar unrhyw raglen deledu; felly, os oeddwn am ennyn ei ddiddordeb neu'n wir ei argyhoeddi, byddai'n rhaid cael cerddi dealladwy o'u clywed unwaith . . . Dylid nodi mai camp fwya'r bardd oedd ymatal rhag gorliwio'r delweddau ysgrifenedig, er mwyn i ni allu cyfrannu lluniau a cherddoriaeth at gyfanwaith y gerdd deledu'.

185

'Y Pasg yn Henllan', meddai Richard Lewis, 'yw'r un a roddodd y pleser mwyaf i mi wrth ei ffilmio'. Bu'r gyfres yn llwyddiant mawr ac ychwanegwyd ati trwy gyhoeddi llyfr, *Cerddi'r Llygad* (W. J. Gruffydd a Richard Lewis, Gwasg y Dref Wen, 1973).

*　　　*　　　*

Pan gyrhaeddodd Mario Ferlito adref o Bolognia roedd llythyr yn ei ddisgwyl. Llythyr o Loegr, yn ôl y stamp, ond ar yr un pryd gyda delwedd o'r Ddraig Gymreig.

'Ni chefais unrhyw gysylltiad â Chymru ers cyfnod fy ngharchariad. Nid oeddem wedi siarad am y dyddiau hynny yn Bolognia, dim ond am ein profiadau wedi hynny. Ond nawr, yn sydyn, dychwelodd y cyfnod hwnnw ataf, gan ailddeffro'r gorffennol a oedd wedi trigo mewn distawrwydd ers pum mlynedd ar hugain. Eisteddais ar y soffa. Edrychais yn hir ar yr amlen a'r Ddraig Goch. Yn y diwedd, braidd yn bryderus, penderfynais ei agor! . . . Roedd y cyfeiriad – Bryndewi, Llangrannog – yn perthyn i ryw Jon M. O. Jones, prifathro Ysgol y Ferwig, ger Aberteifi. Roedd yn sôn am ei ddisgyblion ieuanc a oedd wedi eu syfrdanu gan y murluniau yn Eglwys y Carcharorion yn Henllan, ac eisiau cysylltu â'r arlunydd . . . A heb imi fod yn disgwyl hynny, fe'm cefais fy hun yn wylo fel gwinwydden.'

Cynhyrfwyd Mario gan y cynnwys. Roedd y gorffennol yn ymyrryd wedi'r holl flynyddoedd o ymuno â llif bywyd beunyddiol. Nawr roedd ei atgofion yn ei ddrysu. I feddwl fod y plant wedi sylwi ar ei ddarluniau yn yr eglwys honno a'u bod wedi penderfynu chwilio amdano o'r herwydd. Synnodd fod y lluniau wedi cael y fath effaith ar blant y saithdegau. 'Ni ddylwn fod wedi anghofio'r lluniau na'r eglwys,' meddai.

Yn ystod y paratoadau ar gyfer y cyfarfodydd nesaf, derbyniwyd newyddion trist am farwolaeth un o'r criw, sef Carlino. Yn yr angladd clywyd gan ei wraig sut yr oedd Carlino wedi cael ailenedigaeth o ganlyniad i'r cyfarfod a gaed yn Bolognia, fel petai wedi cael ail wynt a oedd wedi peri hyd yn oed i'w feddyg gredu ei fod yn gwella. Aeth llawer o'r hen griw i'r angladd, a bu chwerthin a siarad byrlymus yno wrth ddathlu bywyd yr hen ffrind. 'Roedd yn rhaid i ni ddiolch iddo am y chwerthin afieithus a gawsom ganddo drwy'i fywyd,' meddai Mario.

Parhaodd y llythyron i gyrraedd, yn betrusgar ac yn swil eu derbyniad ar y dechrau, ond yna fe ddoent yn amlach, gan gyfnewid newyddion a syniadau. Derbyniodd Mario gopi o farddoniaeth y Parchedig W. J. Gruffydd a'r newyddion fod cerdd am ddarluniau Eglwys Henllan wedi cael ei darllen ar y radio fel rhan o sylwebaeth a sgript i ffilm gan Richard Lewis ar gyfer Uned Heddiw y B.B.C. (Yn ddiweddarach cyfieithwyd y gerdd i'r Saesneg gan Jon Meirion Jones ac i'r Eidaleg gan Don Italo Padoan.)

Yna derbyniwyd llythyr arall o Gymru, oddi wrth R. Dilwyn Jones, cynhyrchydd teledu a oedd yn paratoi cyfres arbennig, *Trem*, i'r B.B.C. Roedd eisoes wedi galw yn Ysgol y Ferwig, ac wedi clywed am brosiect yr Allor a chysylltiad yr ysgol â Mario Ferlito, arlunydd y ffresgo yn Eglwys y Carcharorion yn Henllan. Awgrymodd yn ei lythyr, gan ei fod yn ymweld â Rhufain, yr hoffai alw yng nghartref Mario, yn Ornavasso, a ffilmio hanes ei fywyd a'i waith beunyddiol a'i atgofion o Henllan a'i garchariad.

Meddai Mario yn ei atgofion: 'Pam roedd y gorffennol yn dychwelyd ataf? Pwy oedd yn gyfrifol? Beth oedd yn arbennig ynghylch y darluniau, yr eglwys, yr athro, y plant a'r bardd a oedd yn ailgydio yn y gorffennol? Efallai fy mod wedi gadael rhyw elfen ysbrydol a oedd yn dal i fod yn fyw. Roedd amser y dylid bod wedi ei anghofio yn dychwelyd yn gryf, ac roedd egni'r eglwys, a oedd wedi mynd ar goll, yn codi i'r wyneb eto'.

Teimlai Mario ei hun yn cael ei dynnu at y gymuned bell honno. Atebodd lythyr y B.B.C. gan dderbyn y cynnig i gydweithio â'r criw teledu: 'Cefais gynnig gan fy nghyfaill Jon i ymweld â Chymru. Gofynnais i'r cyn-garcharorion pwy a hoffai fynd i Gymru, ond dim ond chwech ohonynt a'u gwragedd a ddymunai fynd. Roedd y nifer yn siomedig braidd. Rhoddais yr enw 'Pererindod' i'r daith. Meddyliais fod yr enw'n gweddu'n dda i naws ysbrydol y cynllun'.

Yn ystod y paratoadau daeth criw y B.B.C. i Rufain i ffilmio un o'r cyfeillion – Gustavo Scarante. Dysgodd Saesneg yn Henllan a sicrhau tystysgrif 'Matric' am ei allu i siarad yr iaith fain. Ymwelai ag ysbytai'r fro yng nghwmni'r cleifion o Henllan gan ymarfer ei ddawn fel cyfieithydd ar y pryd. Wedi dychwelyd i Tivoli, yn Rhufain, ar ddiwedd y rhyfel, dringodd i fod yn rheolwr ar ffatri ganhwyllau ger y Fatican. Cynhyrchid

187

Cymdeithas cyn-garcharorion rhyfel Gwersyll 70 (Henllan) yn Ferrara, Mai 1978.

yno bob math o ganhwyllau, rhai bychain o ychydig fodfeddi, rhai fel
coesau roc a rhai anferth cyn lleted â phostyn gwely a chyn uched â chwe
llath. Cyflwynodd Gustavo ddwy o'r canhwyllau i Eglwys Henllan.

Ar y ffordd yn ôl galwodd R. Dilwyn Jones a'i griw yn Ornavasso
a ffilmiwyd Mario yn paentio yn ei gartref ac yn cerdded ar lan Llyn
Maggiore.

'Roedd y sylw yma yn rhyfedd i mi. Teimlwn fy mod yn rhan o stori
nad oeddwn yn sicr o'm lle ynddi. Roeddwn wedi cael fy nal ar don ac
yn cael fy nghario ganddi,' meddai Mario.

*   *   *

Dychwelyd i Gymru wedi 32 mlynedd
Yn ystod y dyddiau dilynol, cwblhawyd y trefniadau ar gyfer y daith yn
ôl i Gymru. Mae'r stori eisoes wedi ei chofnodi yn y clymau blaenorol
ond dyma sylwadau Mario.

'Ym maes awyr Luton yn oriau mân y bore cefais y syndod
mwyaf. Yn y cyntedd, yn disgwyl gyda'u baneri bychain o Gymru
a'r Eidal, roedd nifer o blant bychain. Roedd golwg flinedig arnynt
ond hefyd chwa o lawenydd ar eu hwynebau disgwylgar. Roeddwn
i yn ansicr iawn ac yn swil. Ac roedd eu hymateb yn peri i ni i gyd
fynd yn fud, ac yn codi cywilydd arnom . . . Roedd cyfarfod â'r
plant a'u harweinydd wedi creu argraff arbennig ar bawb. Roedd
yn anodd iawn rhoi'r mymryn lleiaf o drefn ar ein teimladau ni,
dim ond digon i fedru mynegi ein pleser a'n hapusrwydd o ganfod
y fath gyfeillgarwch annisgwyl tuag atom ni, gan ein cyn-elynion
. . . Ond roedd sioc arall yn ein disgwyl oherwydd y tu allan i'r
drysau roedd ffrindiau eraill a rhieni'r plant yn ein disgwyl hefyd.
Cododd awyrgylch afreal rhyngom, gyda phobl yn siarad heb
ddeall ei gilydd, yn chwerthin heb ddeall pam, yn dangos y mwyn-
had o gyfarfod heb adnabod ei gilydd. Ond dangoswyd yn syml y
boddhad o fod wedi byw flynyddoedd yn ôl, os nad yn eu mysg
hwy, o leiaf yn eu gwlad nhw, gan fwyta'r un bara â nhw. Roedd
chwilfrydedd yn llygaid pawb – gwenau, hen ffrindiau a theim-
ladau dwys iawn.

. . . Roeddwn yn ymwybodol fod rhan helaeth o'r sylw yn disgyn
arna' i. Teimlwn fod pobl yn edrych arnaf. Ceisiais innau guddio

fel pe bawn yn anweladwy. Yna cefais eglurhad am bresenoldeb y plant. Cefais hanes y stori am y môr-leidr Harri Morgan a'i ymosodiad ar yr allor ym Mhanama. Wrth chwilio am allorau yn eu hardal gyfagos, daethpwyd o hyd i'r darluniau yn Eglwys Henllan. Cefais fy nharo gan y cyd-ddigwyddiad hwn. Pan oeddwn yn blentyn arferwn ddarllen straeon am Harri Morgan y môr-leidr gydag angerdd. Rwy'n credu fwyfwy fod mwy na chyd-ddigwyddiad yn unig ar waith yma . . . Wrth groesi Pont Hafren dechreuodd y Cymry ganu eu hanthem genedlaethol. Cyfeiriodd Jon at fannau a phethau arbennig wrth fynd heibio. Sylwyd ar lawer o enwau pentrefi yn Gymraeg a Saesneg. Roedd llawer wedi cysgu yn eu blinder . . . O'r diwedd cyraeddasom bentref y Ferwig, sef yr ardal hefyd lle'r oedd y plant yn byw. Disgynnodd pawb o'r ddau fws gan ymgasglu ar sgwâr y pentref. Teimlwn braidd yn anghyfforddus unwaith eto, heb ddeall Saesneg na Chymraeg! Cyhoeddodd Jon fod pawb i gael aros gyda rhieni'r plant yn eu tai nhw.'

Dosbarthwyd yr Eidalwyr fel a ganlyn:

Mario a Maria Ferlito
Gustavo a Laura Scarante
Lina Schiavon   – J. M. ac A. Jones, Bryndewi

Annito Merli   – B. ac E. Gooch, Talarwen

Don Italo Padoan   – F. a G. Jones, Caergaint, Pontgarreg

Sebastiano a Snra Beretta   – H. a L. Lewis, Mount Pleasant

Pio Bobbio a Snra Bobbio   – D. a B. Davies, Blaenwaun

Giovanni Marucci   – S. ac N. Jones, Bryn-pedr

Franco a Snra Crescini   – H. ac E. Davies, Gwynfro

Dringodd un ar ddeg i fws mini Hywel Davies, Gwynfro, i'w gludo i'r gwahanol gartrefi.

Meddai Mario: 'Fi a'm ffrindiau oedd y rhai olaf i gael ein gollwng, yn nhŷ Jon ac Aures. Ni allwn gysgu, er mor flinedig oeddwn. Roedd gormod o bethau wedi digwydd, a hynny yn rhy gyflym, ac ni allwn dreulio'r cyfan. Teimlwn yn flin nad oeddwn wedi dysgu Saesneg pan gefais gyfle i wneud hynny. Roedd yr anhawster ieithyddol yn ychwanegu at fy rhwystredigaeth'.

*   *   *

Sylwadau dyddiadurol

'Fore drannoeth, ar y Llun, wedi trwmgwsg ym myd yr angylion, teithio i lawr i'r Ferwig i wneud cyfweliad arall, y tro hwn gyda David Allen ar gyfer newyddion Saesneg H.T.V. I lawr i fanciau Barclays a Midland yn nhre' Aberteifi i gasglu *lire* (2,350 am bob punt). Dim modd cael yr arian am ryw hanner awr oherwydd nad oedd y trefniadau wedi eu trosglwyddo o Lundain. Ffonio Llundain, ac wedi malu awyr a chwffio yn erbyn 'red tape' gweinyddwyr – llwyddo o'r diwedd. Crwydro'r dre', yn enwedig siopau hen bethau! Mario yn prynu hen oriawr arian. (Mae ganddo gasgliad gwerthfawr.) Cinio yn y Llew Du. Dychwelyd i'r aelwydydd cyn gweithgareddau'r hwyr. Miri, syndod a balchder wrth i Mario, Maria, Gustavo, Laura, Lina a'n teulu ni weld eu hanes ar *Y Dydd* a *Wales Today*. Dagrau a llawenydd, bwrlwm o Eidaleg ac ambell air o Saesneg o enau Gustavo. Cysgu'n well, dim paradan ar hyd y llofft. Roedd y gwin coch wedi ein hebrwng a'r dyn tywod wedi tywallt ei ronynnau dros bob llygad blinedig.

'Cyrraedd pentref y Ferwig a chapel Siloam, y Bedyddwyr, lle trefnwyd *accoglienza* (croeso) ar ffurf cyngerdd a chyfle i ardal y Ferwig groesawu'r Eidalwyr i'r pentre'. Ymhlith yr artistiaid roedd Côr Meibion Blaenporth, Yolande Jones (cyfnither i Jon Meirion), Gwawr Owen, a Clifford Judge, Sara a Helen (un o'r rhieni a'i ddwy ferch). Cyflwynwyd y cyngerdd gan blant yr ysgol. Dyma'r plant a oedd wedi sylwi ar ffresgo a lluniau Mario yn Henllan ac wedi mynnu cyfarfod ag ef a dod i'w adnabod. Meddai Mario: 'Yn ystod y croeso swyddogol gan gymuned y Ferwig, teimlwn fod awydd yno i estyn llaw gyfeillgar atom, gyda'r nod o gywiro hen

gamddealltwriaeth . . . Yn y dathliad cafwyd ysbryd cryf o gyfeill-
garwch. Roedd tyrfa fawr yn sefyll ar y ffordd y tu allan i'r capel,
a phan aethom i mewn roedd heidiau o blant a phobl wedi'u
gwasgu i mewn i'r adeilad bychan. Ac wrth i ni'r Eidalwyr gymryd
ein lle yn y seddau cadw yng nghanol y llawr, dechreuodd pawb
guro dwylo. Roedd côr o ddynion yn eistedd o'n blaenau a'r arwein-
ydd (Sally Davies Jones) wrth y piano. Dringodd dau fachgen
(Aled Davies ac Ian Gooch) i'r pulpud gyda'r naill yn dal baner
Cymru a'r llall yn dal baner Yr Eidal, wedi eu gwneud gan Elfair
Gooch. (Mae'r ddwy faner yn dangos yr un lliwiau, sef gwyn,
coch a gwyrdd.) Yna ymddangosodd bachgen arall (Gareth Wyn
Jones) gan siarad yn Gymraeg, a'n croesawu i Gymru a'r Ferwig.
(Deallwn wedyn trwy'r cyfieithiad ei fod hefyd wedi cyflwyno'r
stori ar y modd y gwahoddwyd ni yn ôl i Gymru.) Canodd y côr
emyn yn Gymraeg ('Gwahoddiad'). Wedyn, er syndod mawr i mi,
fe'm gwahoddwyd i ddringo i'r pulpud lle'r oedd y Parchedig
W. J. Gruffydd, a oedd yn y 1970au cynnar wedi llunio'r gerdd am
eglwys y carcharorion yn Henllan. Safodd y cyn-gaplan, Don Italo
Padoan, wrth ein hochrau'.

Derbyniais lythyr gan y Prifardd Elerydd, o Faes Fflur, Pontrhyd-
fendigaid, ar 7 Awst 1977 –

Annwyl Jon,

Diolch am eich llythyr. 'Rhyw air bach ar frys', meddech, ond
fe roddodd ei gynnwys ryw wefr aruthrol i mi. Dyma un o brofiadau
mawr fy mywyd, os caf ddarllen rhan o'r gerdd yng nghwmni
Mario Ferlito a'r Tad Padoan. Mi hoffwn ddarllen o

Daeth rhyfel arall drachefn,
Y gynnen front a esgorodd ar ffoaduriaid a charcharorion.

Bomiwyd gwragedd a phlant yn Abertawe, Bremen, Lerpwl,
Berlin.
Cludwyd Almaenwyr ac Eidalwyr yma i lannau Teifi
A'u llocio y tu ôl i'r gwifrau yn y gwersyll ar y gwndwn.

192

Heddiw, mae bwlch yn y clawdd.
Nid oes yma gaethiwed.

. . . ac egluro wrth fynd ymlaen.
Gobeithio y bydd y cyfryngau torfol yn cael y stori hon, a
ddaeth i'r amlwg trwy eich gweledigaeth graff.

Cofion diffuant,

W.J.

Meddai Mario ymhellach:

'. . . A phan ofynnodd y bardd –

Pwy oedd yr arlunydd-garcharor a roes enaid i'r miwral
A chipio'r Crist a'i ddisgyblion i'r segurdod hiraethus?
Ei ddyrchafu Ef yno uwch yr Allor iwtiliti?

. . . Yno roeddwn yn ateb i'r cwestiwn a ofynnodd, yn sefyll
wrth ei ochr ym mhulpud Capel Cymreig y Bedyddwyr yn y
Ferwig, ger yr ysgol lle gofynnwyd yr un cwestiwn gan y plant.
. . . Teimlwn fod elfen o hap a damwain ar waith eto, yn creu
mosáig ac iddo naws dirgelwch, a hynny mewn gwlad ddieithr.
Yma hefyd roedd pethau eraill llawn dirgelwch wedi digwydd, fel
gwareiddiad Côr y Cewri a mannau eraill ar chwâl drwy Gymru –
gyda'u beddrodau a'u cerrig nad oes neb yn gwybod eu hanes, fel
y gromlech ym Mhentre Ifan.
Clywais linellau'r gerdd eto yn Gymraeg, Eidaleg a Saesneg,
yng nghlyw anghwrtais y teledu. Gyda chymeradwyaeth y gynull-
eidfa, teimlwn nad oeddwn yn sicr mwyach ymhle'r oeddwn.
Roeddwn yn hapus ynghylch yr hyn a oedd wedi digwydd, heb
wybod yn iawn pam y teimlwn felly.'

Canodd Yolande Jones (a oedd newydd ddychwelyd o Ŵyl Benjamin
Britten yn Aldburgh) aria operatig yn Eidaleg i gyfeiliant Gwawr Owen a
datganiad o alaw werin yn Gymraeg. Clywsom Gwawr ei hun wedyn yn
cyflwyno datganiad ar y delyn. Hefyd Clifford, Sara a Helen mewn dat-

193

ganiad offerynnol ar y recorder a'r ffliwt. Anerchiad clasurol gan Norah Isaac, yn crisialu ystyr, pwrpas a dyheadau pawb a gyfrannodd at yr aduniad unigryw. Anrhydeddwyd y cyfarfod gan bresenoldeb Miss Caryl Thomas, y delynores a merch y diweddar Gyfarwyddwr Addysg dros Ddyfed, Mr Henry Thomas, a llawer o swyddogion cynghorau sirol y rhanbarth. Gwnaethpwyd y diolchiadau yn Gymraeg gan Annette Jones a Carys Davies a thrwy'r Eidaleg gan Annito Merli. Wedi'r cyfarfod paratowyd te Cymreig yn y festri wedi'i drefnu gan wragedd yr ardal dan ofalaeth Elsita Davies, Gwynfro. Cofnodwyd yr holl weithgareddau gan R. Dilwyn Jones a'i uned ffilmio o'r B.B.C. ar gyfer y rhaglen yn y gyfres *Trem*.

Yn ôl Mario eto: 'Bu'r diwrnod yn fwrlwm o deimladau mewn cyfres o ddigwyddiadau a oedd yn ymestyn y tu hwnt i unrhyw ddychymyg . . . Daeth blas yr atgofion hiraethus hynny, fel popeth hyfryd, i ben yn rhy fuan, a heb iddynt fod yn ddigonol. Caf y teimlad fy mod wedi aros yn fyw er mwyn profi'r digwyddiadau hyn, ac er mwyn cael y pleser o brofi cyfeillgarwch dwfn'.

*   *   *

Dychwelyd i Henllan . . .
I'r eglwys nad oedd am gael ei dymchwel!

'Hei! Dihuna!' sibrydodd fy ngwraig wrthyf wedi imi dderbyn shigwdad.
'Ust! Mae rhywun yn cerdded ar hyd y landin.'
'Faint o'r gloch yw hi?' gofynnais a minnau'n parhau ar ymylon deufyd.
'Chwarter i chwech. Mario yw e!' Clywais y symudiadau'r eilwaith, ac eto, rhwng gwichiadau'r hen estyll.

Dydd Mawrth oedd hi, a theimlai Mario'n anniddig iawn oherwydd yn ystod y prynhawn bwriadai ymweld ag eglwys Henllan i weld ei waith am y tro cyntaf ers deng mlynedd ar hugain. Cydymdeimlwn ag ef ond teimlwn falchder hefyd fod y trefniadau wedi deffro'i freuddwydion cudd.

Gwelwn densiwn yn ymddygiad Mario trwy'r bore. Ychydig a fwytaodd i frecwast, dim ond ambell gwpanaid o goffi du Brasil a'i aroma cryf yn llenwi'r ystafell, fel petai'r tŷ ar dân. Âi allan am droeon byr ac ymddangosai glesni yn ei lygaid yn ystod ei sgyrsiau byrion. Ond wedyn, yn

rhan o gynllun penodol, cludwyd yr Eidalwyr o'r ffordd i Aberaeron yn y
bore ym mws Hywel Davies, Gwynfro. Aeth fy nheulu, ynghyd â
theuluoedd y Ferwig, draw i Henllan i ddisgwyl eu dychweliad. Bûm yn
ffilmio yn y Ferwig trwy'r bore gan wneud cyfweliad gyda Sulwyn
Thomas ar ran Uned *Heddiw*. Pan gyrhaeddais Henllan roedd tyrfa fawr
yno, a gwŷr y wasg fel gwybed dros y lle: y *Western Mail*, y *Daily
Express*, *Y Cymro* (wrth gwrs, gyda Lyn Ebeneser), y papurau lleol a dwy
uned deledu. Dyma ddarnau o'r dyddiadur a gedwais: 'Yr eglwys fach a'r
tir o'i hamgylch wedi eu glanhau a'u trwsio gan Mr Bob Thompson,
y perchennog. Y rhosyn gwyllt, a blannwyd yn y pedwardegau, wedi
ei grymanu i roi mynediad trwy'r prif ddrysau. Roedd llu o bobl yn
bresennol, a chamerâu'n cofnodi pob symudiad . . . 'Rydych wedi anrhyd-
eddu'r genedl ac wedi ei dangos hi yn y goleuni gorau,' oedd sylwadau
gŵr a gwraig anhysbys o Langadog wrth gyntedd yr eglwys'.

Dyma ddisgrifiad Mario ei hun o'i deimladau ar y pryd: 'Rhaid oedd
aros am ennyd wrth fynedfa'r gwersyll. Rhaid oedd meddwl wrth oedi.
Mae hanes yn cadw pethau annisgwyl sy'n anodd eu deall ar ein cyfer, a
hynny gyda blas dial a gwawd. Roedd fy nghalon yn curo'n galed wrth
fynd heibio i'r cyn-ysbyty a oedd bellach yn gartref i'r perchennog.
Roedd y teimladau emosiynol yn dileu unrhyw resymeg yn fy meddwl.
Dilynais y trigolion lleol a'r cyn-garcharorion a oedd bellach wedi eu
cymathu i'r gymuned Gymreig fel pe bawn mewn breuddwyd'.
Nid oedd y cabanau yn sefyll bellach, dim ond llecynnau gwag o siment,
a thir agored addas ar gyfer carafanau. Roedd meddwl Mario yn boddi
dan gwestiynau am ei orffennol, gorffennol na chredai y byddai yn ei
ailddarganfod byth.

'Dychmygais weld hen batrwm y cytiau, a bwganod y gorffennol
hwnnw yn ymdroi rhyngddynt. Wrth agosáu at fynediad yr eglwys
yng nghwmni'r hen ffrindiau, fe'm hysgydwais fy hun. Nid oedd
gennyf ond amrantiad i daflu golwg uwchben y fynedfa ar arwydd
roeddwn wedi'i ysgrifennu flynyddoedd yn ôl – 'Questa e la casa
di Dio e la porta del Cielo (Dyma dŷ i Dduw a'r fynedfa i'r Nef-
oedd)'. Cymerais gamau i mewn i'r eglwys, a theimlwn fy mod yn
cael fy nhaflu yn ôl i'r gorffennol, ac wylais am bob tristwch a oedd
wedi bodoli erioed. Wylodd y lleill hefyd.'

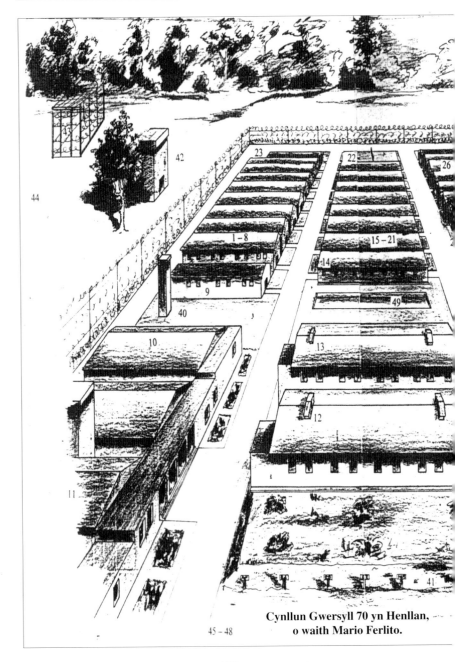

Cynllun Gwersyll 70 yn Henllan,
o waith Mario Ferlito.

Allwedd i'r amlinelliad Wersyll 70:

1-8, 15-21, 26-30: cabanau.
9. Golchdy.
10. Ystafell y Caplan, Don Italo Padoan.
11. Ystafell y meddyg a'r ysbyty.
12. Theatr.
13. Ffreutur (ystafell fwyta).
14. Ystafell ddarllen, llyfrgell ac ystafell chwarae cardiau a hap (gamblo).
22. Cwrt chwarae tenis a phêl foli a chofrestru rhifau'r carcharorion bob noswyl wedi iddynt ddychwelyd o'u gwaith.
24. Toiledau.
25. Sail caban gorffenedig, cwrt tenis mini.
26. Yr eglwys.
31. Caban ymarfer y gerddorfa.
32-33. Y siop a'r swyddfa.
34. Y gegin.
35. Muriau piso.
36. Gweithdai'r teiliwr a'r cobler.
37. Baddon-dy.
38. Stordy tyweli, blancedi ac yn y blaen.
39. Stordy i bethau dirgel a stordy i'r banjo, gitâr a pheli pren (bowliau).
40. Yr ystafell foileri ar gyfer y gwres canolog. Tanwydd: glo.
41. Cwrt agored lle dosberthid y carcharorion ar gyfer eu gwaith beunyddiol.
42. Yr argae ddŵr (mewn tŵr). Oddi tano, gweithdy'r plymwyr.
43. Caets (ugain medr wrth ddeg medr) gyda rhwymiad o weiren bigog i gadw'r rebeliaid a'r troseddwyr cyson am noson neu ddwy ar luniaeth o fara a dŵr.
44. Y meysydd pêl-droed (ar gyfer y cynghrair).
45-46, 47-48. Y fynedfa a'r gât – a'r 'calaboose' (carchar y celloedd). Yma y bu Mario ar ôl ei anfon o hostel Eglwyswrw. Swyddfa'r gwarchodwyr a'r Ganolfan.
49. Cwrt bowlio byr.

Gwersylloedd Carcharorion yng Nghymru yn ystod yr Ail Ryfel Byd:.

Abertawe – Penclawdd: Rhif 408.
Bro Morgannwg – Gwersyll Swanbridge: Rhif 284.
Caerfyrddin – Llanddarog: Rhif 102.
Abergwili: Rhif 252 (Prif Wersyll Dal).
Castell-nedd: Rhif 284.
Casnewydd – Llanmartin: Rhif 184.
Conwy – Gwersyll Neuadd Pabo: Rhif 119.
Henllan – ger Castell-newydd Emlyn: Rhif 70.
Mynwy – Abergafenni: Rhif 29 (Gwersyll Prosesu).
Mardy: Rhif 118.
Casgwent: Rhif 197.
Pen-y-bont ar Ogwr – Fferm yr Ynys: Rhif 11.
Glandulas, Newton: Rhif 101.
Fferm yr Ynys: Rhif 198.
Powys – Fferm Greenfield, Llanandras: Rhif 48.
Talgarth: Rhif 234 (Prif Wersyll Dal).
Pontsenni: Rhif 697.
Fflint – Queensferry: Rhif 1014.
Torfaen – Gwersyll New Inn: Rhif 677.
Rhondda – Ystrad: Rhif 199.
Rhuthun – Parc 'Pool': Rhif 36

Mario Ferlito yn dod o hyd i'r fan lle bu'n cysgu (mewn caban) am dair blynedd
a hanner. Hefyd yn y llun mae Annito Merli (o Bologna), dau gyn-garcharor
a rannai'r un bynciau â'i gilydd.

Yn ei ddagrau, dywedodd Mario ar y pryd: 'Rwy'n gweld dyddiau fy
ieuenctid yn ymagor ac yn ailymddangos fel dail llyfr trwy liwiau enfys
niwl fy nagrau'.

'. . . Roedd mil o lygaid yn syllu arnom gan geisio dyfalu pa
deimladau a oedd yn llifo drwom. Eisteddasom mewn seddau cadw
wrth i'r eglwys fechan lenwi i'w hymylon. Yno roedd Eidalwyr
Pabyddol a Chymru Protestannaidd. Roedd y newyddiadurwyr yn
eu lle a synnais fod cymaint o sylw yn cael ei roi i'r ymweliad. O'r
fan lle'r eisteddwn, edrychais i fyny at y ffresgo o'r 'Swper Olaf' a
oedd yn gwarchod yr allor. Dychwelodd y cyfnod pan oeddwn yn
creu'n ofalus ac yn poeni na allwn gwblhau'r gwaith mewn pryd.
Drwy gydol y blynyddoedd roedd amser wedi hedfan ac wedi magu

cynlluniau, gobeithion, pryderon a breuddwydion. Nawr roedd amser wedi aros yn ei unfan, bron fel petai'n disgwyl amdanaf. Roedd llygaid y Crist a'r disgyblion yn fy ngwylio fel petaent am fy atgoffa eu bod wedi cadw'r lliwiau gwreiddiol.

. . . Gofynnais i mi fy hun, ai hap a damwain oedd hyn i gyd, neu ai canlyniad rhyw weithred gan Feddwl Uwch. Teimlwn eto'r egni a deimlwn pan oeddwn wrthi'n creu'r gwaith, heb gymorth na chyngor, dim ond ysgwyddo baich y cyfrifoldeb mawr ar fy mhen fy hun. A nawr dyma fi wedi dychwelyd i'r man lle teimlais ymdrechion pryderus fy enaid. Roedd popeth wedi'i gadw'n berffaith heb ddim gwe pry copyn nac arwydd o leithder. Ond sut roedd y llwyn o rosod a blannwyd yr adeg honno er mwyn addurno'r fynedfa wedi tyfu'n anferthol i guddio'r agoriad, gan arbed yr eglwys rhag fandaliaid a helwyr atgofion, a rhag graffiti ar y muriau? Sut roedd yr eglwys wedi medru gwrthsefyll pwysau'r to, gyda'r gwynt, y rhew, yr eira a'r glaw yn ei bwyta'n araf ac yn ei herydu drwy'r blynyddoedd, a hithau mor fregus, mor dlawd ac wedi'i hesgeuluso? Damwain eto?

. . . Teimlwn nad damweiniol oedd y ffaith fod yr eglwys wedi goroesi gyda chymaint o wahanol elfennau yn ei bygwth. Mae'n rhaid bod rheswm. Efallai fod Ffydd ar ei phen ei hun yn medru bod yn gymorth, ond a ydyw yn ddigonol ar gyfer y sgeptig?'

'Ni wylais pan fu farw fy chwaer y llynedd, ond rhaid i mi gyfaddef, pan gerddais i mewn i'r eglwys fach yn Henllan ddydd Mawrth, ni allwn atal fy nagrau rhag llithro dros fy ngruddiau,' meddai Annito Merli, y cyn-aelod o fataliwn tanciau byddin Yr Eidal. Roedd yn ŵr eofn a gwydn a fu'n ymladd ym mrwydr enwog El Alamein.

Bu'r gwasanaeth yng ngofal cyn-gaplan y gwersyll, y Tad Don Italo Padoan, gyda chymorth caredig y Tad Seamus Cunnane, a gynigiodd ddillad a llestri ar gyfer y cymun. Ymhlith y gynulleidfa roedd trigolion y bröydd, Mr Thompson, ceidwad y safle, gweinidogion, offeiriaid, cynghorwyr sirol, swyddogion cynghorau, cyfarwyddwr addysg, rhieni a phlant Ysgol y Ferwig a llu o rai eraill. Cofnodwyd y cyfan trwy lens y camera, clust radio a pharagraff y gohebydd.

'Atebais gannoedd o gwestiynau, rhai am y pedwerydd neu'r pumed tro. Beth oedd fy nhechneg a'm hysbrydoliaeth pan greais y lluniau? Ond

Mario Ferlito wrth allor Henllan a'r ffresgo a greodd allan o ffrwythau,
llysiau a lliwiau o ferwi dillad.

Annito Merli ym mis Awst 1977 yn cyflwyno plethdorch o liwiau
baneri Cymru a'r Eidal ar gofgolofn Aberbanc, er cof am
fechgyn lleol a gollodd eu bywydau yn y ddau ryfel byd.

roedd un peth yn sicr, sef y ffaith fod yr eglwys drist wedi darganfod egni newydd i'w chaniatáu i atgyfodi, er iddi orfod dioddef cyfnod maith o anghofrwydd ac esgeulustod,' meddai Mario. 'Ni chofiaf lawer am y gwasanaeth, oherwydd roedd fy nheimladau mor gymysglyd, ac yn drech nag unrhyw ymdrech i ganolbwyntio,' meddai wedyn.

Dyma bytiau eraill allan o'r dyddiadur a gedwais: 'Aeth y modurgad a'r bws ymlaen i Aberbanc i osod torch o flodau o liwiau baneri'r Eidal a Chymru, gwyrdd, coch a gwyn, ar golofn bechgyn y fro a gollwyd yn ystod y ddau ryfel. Seremoni urddasol. Gosodwyd y dorch gan Don Italo a Mario Ferlito ac aeth yr Eidalwyr ymlaen at y golofn farmor, fesul dau, gan ymgrymu yn urddasol yn eu tro mewn osgo ddidwyll a thrawiadol'.

Sylwadau personol Mario oedd: 'Bu'n brofiad dwys a thrist, dilyn fy nghyn-elynion i osod blodau wrth fôn y gofgolofn. Bron nad oeddwn yn dymuno ymddiheuro am gael ein gorfodi i gymryd rhan yn yr antur wallgof honno . . . Nid oeddwn am arddangos ein teimladau . . . Roedd y cynnwrf y tu mewn i mi'.

Mario Ferlito yn sefyll ar lannau afon Teifi yn ystod Awst 1977, am y tro cyntaf ers iddo adael y carchar a'r fro ym 1946.

201

Yn ôl cofnodion y dyddiadur eto: "'Nôl i bentref Drefach i'r Amgueddfa Wlân. Rhoddwyd melysion i holl blant y Ferwig, anrheg gan yr Eidalwyr. Trefnwyd te mewn awyrgylch groesawgar i bawb (Eidalwyr, plant a rhieni'r Ferwig a ffrindiau) yn Festri Bethel, gan aelodau'r capel. Trefnwyd te arall yn Neuadd y Ddraig Goch i weddill y fintai niferus gan wragedd y pentref a'r fro. Yna, tra bu'r gwragedd yn golchi'r llestri, bu'r Eidalwyr yn gwrando ar ddatganiad ar yr organ gan wraig y gweinidog yng nghapel Bethel. Gwefreiddiol! Dyna'r tro cyntaf iddynt eistedd mewn addoldy anghydffurfiol, ac eithrio'r cyngerdd yn Siloam y Ferwig. Cyngerdd ysgafn ac anffurfiol yn dilyn gydag unawdwyr dawnus – gan gynnwys Vernon Mahr, Gwynfor Thomas, D. J. Jones (Llwynon) a Nesta Jones. Mrs Brynmor Williams, a drefnodd y cyfan, yn siarad, hefyd Norah Isaac ac Alun Jones, Saron. Crescini yn cusanu un o wragedd Bethel. Sbri mawr! Côr y Ferwig yn canu 'Calon Lân'. Mr Joel yn torri llinyn yn ei wddf! 'Nôl i Fryndewi'.

Yn ôl cofnod gan Mario: 'Cafodd pawb ddiwrnod i'w gofio, yn fwrlwm o deimladau mewn cyfres o ddigwyddiadau a oedd yn mynd y tu hwnt i unrhyw ddychymyg. Mwynhaodd y cyfeillion hefyd. Cafwyd bwyd a diod i ddiweddu'r noson, a gwelsom fod Jon a gweddill y cyfeill-

Gwasanaeth yr offeren yn Eglwys Henllan ym 1977, yng ngofal cyn-gaplan y gwersyll, Don Italo Padoan, a hefyd y Tad Seamus Cunnane, a fu'n gymorth mawr. Ar y chwith mae camera teledu.

ion yn hapus ac wrth eu boddau. Yr unig siom oedd y ffaith fod amser yn mynd heibio mor gyflym'.

Wedi ymweliad cyntaf Mario Ferlito â Chymru ym 1977, dychwelodd eto sawl gwaith.

Rhoddion yr Eidalwyr i Ben H. Jones ar ddiwrnod eu hymadawiad â Chymru ar eu ffordd yn ôl i'r Eidal. Bocsys a fframiau, wedi eu llunio gyda darnau o bren a deflid ar loriau'r gweithdai.

Mario a Maria Ferlito yn eu cartref yn Ornavasso.

Eisteddfod Genedlaethol Caernarfon, 1979. O'r chwith: Davide Briguori,
Maria Ferlito, Caterina Radamante, Gwynfor Evans, Aldo Radamante a Mario Ferlito.

1979

8 Awst: Mario a Maria Ferlito, Aldo a Caterina Redamante, yn hedfan i
Heathrow, trên i Gaerfyrddin.

9 Awst: Gwylio'r Eisteddfod ar y teledu. Te i'r pedwar gan y Lleng
Brydeinig yn Neuadd Ceinewydd. Davide Briguori yn aros yn Hen-
llan.

10 Awst: Ymweld ag Eisteddfod Genedlaethol Caernarfon. Gwylio'r
'ddau' yn ennill y Goron. Cyfarfod â Gwynfor Evans.

11 Awst: Ymweld â Dan yr Ogof a Neuadd y Brangwyn, Abertawe, i gyf-
arfod â'r Maer. Prynu oriawr aur a thlysau yn y ddinas.

12 Awst: Luigi Ferrarinni, Ben H. Jones a Wil Morgan yn dod draw i
Fryndewi i wylio rhaglen deledu ar Eglwys Henllan (o waith R. Dilwyn
Jones) trwy gymorth Iorwerth Reed a'i beiriant fideo (o Swyddfa'r
Sir). Swper yn y ffwrn am yr eilwaith.

13 Awst: Ymweld â Llyfrgell Genedlaethol Cymru. Cyfarfod â Brynmor
Jones a'r Parchedig D. Gwyn Evans a chael gweld Llyfr Du Caerfyrddin
a thrysorau prin eraill.

15 Awst: Sain Ffagan. Te gydag R. Dilwyn Jones a'r teulu.

16 Awst: Ymweld ag Eglwys Henllan. Te yn Neuadd yr Eglwys dan ofalaeth y Parchedig D. Pugh, ficer y plwyf.

17 Awst: Ailddilyn taith disgyblion Ysgol y Ferwig (1977) – eglwysi'r Mwnt, y Ferwig, Eglwys Gatholig Aberteifi, Manordeifi a Henllan. Cinio yn y Llew Du, Aberteifi.

18 Awst: Cyfarfod â Norah Isaac yng Ngwesty'r Iorwg ac yn ei chartref, Llwybrau. (Derbyn anrhegion ganddi.)

1984

Walter Pizzamiglio, Arturo Calogero, Adriano Leva a Mario Ferlito yn dod i Gymru am wythnos. Aros yng ngwesty'r Morlan, Aberporth. Noson Lawen gyda Chôr Penparc ac Elfyn Owen a chael cwmni Gerwyn Morgan a'i deganau (a wnaethpwyd iddo gan Frederico Bergonzi).

1986

Mario Ferlito, Gustavo a Laura Scarante, Franco Crescini, Anna, Mirco a Marco a Sonia de Giovannini yn cyflwyno Tlws Heddwch ar lwyfan yr Eisteddfod Genedlaethol yn Abergwaun. Te i'r parti gan Lys yr Eisteddfod. Cyfarfod â'r Archdderwydd, y Parchedig W. J. Gruffydd.

Mario Ferlito yn cyfarfod ag Aled Jones yn Eisteddfod Genedlaethol Abergwaun, Awst 1986.

1990

Marco (ŵyr Mario) a'i fam Sonia yn ymweld â Bryndewi. Mynd i'r Sioe Amaethyddol yn Llanelwedd a'r Sioe Awyr ym Mreudeth.

1990

Mario Ferlito, Gustavo Scarante, Trombin a Grassi yn cyfarfod â charfan o Gapel Mair, Aberteifi, ar lannau Llyn Garda wedi bod yng Ngŵyl a Phasiant Oberamergau. Mario yn prynu potel o Asti Spumante ar gyfer pob bwrdd mewn gwesty ar lannau'r llyn.

1993

Mario Ferlito ac Arnaldo a Johness yn aros ym Mryndewi. Ymweld â Blaenau Ffestiniog, Port Meirion a'r Ysgwrn, Hen-dŷ-gwyn-ar-Daf, crom-lechi Sir Benfro, Aneurin Jones (yr arlunydd), teulu Belotti yn Aberteifi, Nanhyfer, Tŷ Ddewi. Guiseppe Bardella a Rocco Bernacchio yn ymweld â'r cwmni hefyd.

1996

Dau arlunydd yn cyfarfod â'i gilydd: Mario Ferlito ac Aneurin Jones.

Mario Ferlito, Johnnes ac Arnaldo (ffrindiau) ger cofgolofn
Hedd Wyn yn Nhrawsfynydd.

Ym mis Mai, Gareth Wyn (fy mab) a minnau yn hedfan i Bologna i ymuno ag aduniad olaf Cymdeithas Cyn-garcharorion Henllan yn Ferrara. Gareth yn cyflwyno araith mewn Eidaleg.

1997

Mario Ferlito, Tomasso Spinelli, Flavio Benetti yn aros yn Abertawe ac yn dod draw i Henllan a Chastell-newydd Emlyn am y dydd. Te i bawb yn festri Eglwys y Catholigion, Castell-newydd Emlyn.

2000

Ychydig wythnosau cyn ei ymweliad â Chymru, Mario yn cael ei daro yn wael gan strôc. Bu yn wael iawn am gyfnod hir mewn ysbyty cyn gwella yn raddol.

Oni bai am 'linynnau' a 'chlymau' El Dorado, Harri Morgan, John Davies, Dyddgu Owen, Cynllun y Porth, disgyblion ysgol ac Ysgolion Sul anghydffurfiol y Ferwig, rhieni'r fro, Eglwys y Carcharorion Henllan, ni fyddwn wedi cyfarfod â Mario Ferlito.

Oni bai am ymweliad Mario Ferlito a'i gyd-gyn-garcharorion â'r bröydd oddeutu'r Ferwig, ni fyddai'r brawdgarwch a'r cyfeillgarwch a gynheuwyd yn y pedwardegau wedi ailddeffro. Cafodd ffermwyr, pentrefwyr, cyn-warchodwyr a gweithwyr ailflasu'r anturiaethau a'r *amicizia* (cyfeillgarwch) a grewyd ymhlith yr Eidalwyr.

Oni bai i Mario Ferlito ymateb yn gadarnhaol ac yn gyfeillgar i lythyr y plant a derbyn y gwahoddiad i ddychwelyd i Gymru am y tro cyntaf ers y rhyfel, ni fyddai'r aduniadau wedi digwydd, ac ni fyddai'r ymweliad â Chymru wedi esgor ar brofiadau mor gofiadwy ac mor unigryw i'r plant, i'r rhieni ac i'r ardalwyr, profiadau sydd wedi ymestyn dros dri-ugain mlynedd ac sydd yn parhau.

Yr Wythfed Cwlwm

Cadwyni'r Bröydd

Ar fy mhen fy hunan bach
'Buon giorno, Senorina Agricultur!' ('Bore da, Miss Amaeth!'). Cyfarch-
iad anarferol, ond un dyddiol a dderbyniai Glenys Jones (Anthony) bob
bore wrth iddi gyrraedd swyddfa y 'War Ag' yng ngwersyll y carcharor-
ion, Henllan, ym 1943. Glenys oedd yr unig ferch a weithiai o fewn
rhwydwaith weinyddol P.O.W. 70. Ar ôl gadael Ysgol Ramadeg Llan-
dysul a mynychu cwrs llaw-fer a theipio yng Nghastell-newydd Emlyn
ymunodd â'r 'War Agricultural Executive'. Gweithiai mewn swyddfa ger
mynedfa'r gwersyll ac ymhlith ei chydweithwyr roedd Major Goddard,
Evan Rees Jones, D. K. Davies, Capten Robinson a'r staff gweinyddol.

Er bod weiren bigog o amgylch cabanau a chyfleusterau'r carcharor-
ion, dôi Glenys ar draws amryw o'r Eidalwyr yn ei gwaith beunyddiol.
Efallai mai'r un mwyaf poblogaidd a hoffus oedd Mario Pizzamiglio.
Roedd yn gymeriad serchog a chynnes, didwyll ei natur ac yn ŵr gweith-
gar a theyrngar ym mhopeth a wnâi. Enillai edmygedd pawb. Teithiai
Glenys ar gefn beic i'r gwaith bob dydd o'i chartref yn 2 Lan Cottages,
Trebedw, ond y Mario Pizzamiglio ffyddlon a fyddai'n glanhau ac yn
trwsio'r peiriant iddi. Ymgymerai â'r gwaith yn ddiffwdan ac ni châi neb
arall gyffwrdd â'r beic. Casglodd Pizzamiglio garfan o'r peirianwyr
gorau ymhlith yr Eidalwyr i wasanaethu yn y Ganolfan Drafnidiaeth.
Roedd llawer ohonynt wedi gweithio gyda F.I.A.T. a Masseratti ac roedd
eu gallu a'u cefndir yn werthfawr iawn. Dangosent falchder a chyfrifol-
deb annisgwyl yn eu gwaith, mor wahanol i'r Almaenwyr yn ddiwedd-
arach.

Dychwelai Pizzamiglio i'r ganolfan ar ddydd Sul i lanhau'r cerbydau.
Ac wedi i'r Eidal ddirwyn ei pherthynas â'r 'Axis' Almaenig i ben, câi'r
carcharorion fwy o ryddid byth a theithiai Pizzamiglio ar ei feic i'r Win-
llan, ger Penrhiwpal, ac i Fyrnyw at Alwyn Morgan a'i wraig i gael cinio

Mario Pizzamiglio.

Sul. Treuliai hefyd lawer o amser ar aelwyd groesawgar Llys-Madian, Henllan, y drws nesa' i'r gwersyll, lle trigai Gruffydd John a Margaret Ellen Jenkins a'u chwe phlentyn. Hanai Mrs Jenkins o Aberhosan ar bwys Moel Fadian, a dyna pam y galwodd ei chartref newydd yn Llys-Madian. Cadwent siop 'bopeth' yn Henllan, gan werthu amrywiaeth o nwyddau, bwydydd pobol ac anifeiliaid yn ogystal â phethau fel hoelion a phetrol. Ond nid y siop fel y cyfryw a dynnai sylw 'Pizzi' ond y ddwy lori (Commer a Dodge), y fan (Jowett), a'r Humber Tourer (top agored) sgleiniog a'i ddwy sedd 'dici' yn y cefn. Fe'i prynwyd gan Maldwyn Jenkins mewn arwerthiant ym mhlas Dolhaidd. Medrech weld eich llun ynddo. Dwy lamp fawr bres ar y blaen fel llygaid gwdihŵ, y brêc llaw y tu allan i'r drws a chan petrol ar y 'running board'. Dôi 'Pizzi' draw i Lys-Madian i lanhau'r moduron ac i roi sglein arnyn nhw, yn enwedig yr Humber, hyd yn oed ar y Sul ac ar hwyrnosau.

'Gwnâi'r ripârs i gyd i ni, ac roedd llawer o'i ddefnyddiau wedi eu benthyg o'r gwersyll – washyrs, lledr, pibau a beltiau!' meddai Maldwyn Jenkins. 'Roedd ein bath mas yn y sied, ar bwys y pair lle berwid y dŵr. Yno byddai Pizzi, ar ôl cynnau tân coed dan y pair, yn ymolch fel 'lord' yn y dŵr twym. A byddai sebon 'Lifebuoy' neu 'Sunlight' yn ychwanegu at y profiad pleserus. Yn wir, dôi heibio fel un o'r teulu, er mai amser rhyfel oedd hi! Roedd fel petai wedi anghofio ei fod yn garcharor rhyfel, ac roedd aelwyd gynnes Gymreig a'i chyfeillgarwch mor naturiol ac mor werthfawr iddo.'

Pan ddychwelodd i'r Eidal ym 1946, aeth â phwmp beic Glenys Jones gydag ef yn swfenîr. Dewis anarferol iawn. Ac ni chafodd Glenys ei hun wybod am y 'lladrad' hyd nes iddi ailgyfarfod â'r annwyl 'Pizzi' yn Aberporth ym 1984. Erbyn hynny roedd yn hen ŵr ac roedd rhychau henaint a haul wedi nychu'r wynepryd a oedd mor olygus unwaith. Ond roedd y dagrau a'r atgofion a goleddai am ei ddyddiau fel carcharor ymhlith trigolion Henllan a'r bröydd cyfagos yn profi ei fod yn cofio am y dyddiau hynny gyda pheth hyfrydwch.

Cofiai Glenys am nifer o'r Eidalwyr. Un oedd Arturo Calogero, gŵr tal, gosgeiddig, diwylliedig a deallus ei natur, a 'romeo' a'i ffansïai ei hun gyda'r rhyw deg. Ysgrifennai farddoniaeth i bapur y gwersyll ac ar ffurf graffiti ar waliau. Roedd yn llwyfannwr â dawn arlunio ganddo, a hanai o deulu cyfoethog gan fod ei dad yn berchen ar ffatri ddefnyddiau. Hoffai sgeifio rhag gwaith y tu allan i'r gwersyll. Rhai eraill a gofiai Glenys oedd Antonio Brighenti, y gŵr bychan a drwsiai'r ci bach yn y swyddfa â chymylau o bowdwr talc, ac Aldo Redamante, gôl-geidwad y tîm pêl-droed buddugol, a chrefftwr arbennig a weithiai fodrwyau, gyddfdlysau a chlust-dlysau allan o ffyrc a darnau arian. Un arall a gofiai oedd Annito Merli, gŵr tal, cwrtais ei ymddygiad a fedrai siarad Saesneg graenus. Siaradai ar ran ei gyd-garcharorion gyda'r awdurdodau bob tro y byddai angen dadlau eu hachos neu sicrhau eu hawliau. Yn ei foneddig-eiddrwydd rhoddai glec i'w sodlau wrth gyfarch yr awdurdodau, gyda'i gap wedi ei blygu'n daclus o dan ei gesail. Milwr yng nghatrawd y tanc-iau a ddaliwyd yn El Alamein oedd Annito Merli. Ac wedyn dyna Fia, tedi bêr o Eidalwr yn ôl Glenys Jones, a Laurenco Pulcaro, a weddïai yn ddyddiol am law rhag gorfod mynd allan i'r ffermydd i wneud gwaith caled fel torri gwteri, hala dom, cynaeafu neu dynnu tato.

Oherwydd safle Glenys Jones yn y swyddfa, câi geisiadau annisgwyl iawn gan y ffermwyr lleol. Ac o'r cyfeillgarwch a grewyd rhwng y Cymry a'r Eidalwyr cafwyd ceisiadau am fwy o ryddid i'r carcharorion. Cafwyd un cais anghyffredin gan wraig fferm a ofynnodd am ganiatâd i fynd â'r gwas o Eidalwr i Aberystwyth gyda'r teulu am wythnos o wyliau. Yn anffodus, nid oedd yr awdurdodau yn fodlon cydsynio â'r cais. Nid

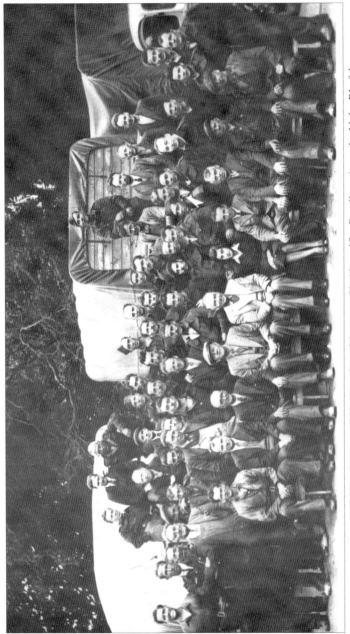

Canolfan Drafnidiaeth gwersyll Henllan dan ofal cangen Sir Aberteifi o Bwyllgor Amaethyddol y Rhyfel.
Rhes flaen (o'r chwith i'r dde): Tudor Jones (peiriannydd), C. Davies (ystoriwr), Sam Jones (gyrrwr), Capten Robinson (is-swyddog llafur y gwersyll), Major Goddard (swyddog llafur y gwersyll), Glenys Jones (ysgrifenyddes a theipydd), D. K. Davies (clerc), Alwyn Morgan (pennaeth a rheolwr y ganolfan), Wil Davies (peiriannydd), Wil Morgan (is-reolwr y ganolfan).
Hefyd yn y llun gwelir gweithwyr swyddfa, gyrwyr a pheirianwyr, yn Gymry ac yn Eidalwyr.

gwersyll gwyliau mohono ond eto roedd y rhyfel a'i effeithiau mor ddieithr i'r Gymru wledig, ac mor bell o gyrraedd y bywyd hwnnw.

Wrth i'r lorïau gyrraedd yn ôl i Henllan ar ddiwedd dyddiau gwaith roedd Glenys yn dyst beunyddiol i sefyllfaoedd rhyfedd. Parciai'r lorïau ger y 'guardroom', agorai'r caeadau isel o'r cefnau a disgynnai dau neu dri Eidalwr o bob lori. Ond wedyn byddai rhai o'r gwarchodwyr, mewn diniweidrwydd llwyr, yn estyn drylliau gyda bidogau (*bayonets*) arnynt i'r carcharorion i'w dal, cyn iddyn nhw eu hunain neidio i lawr o'r lori. '*Dad's Army*, myn yffarn i,' meddai rhywun.

Serch hynny, roedd yn rhaid i Glenys Jones fod yn ofalus iawn yn ei sefyllfa hi. Trosglwyddodd sawl neges o'r tu allan i'r Eidalwyr y tu fewn i'r weiren bigog. Y neges ddirgel oedd: 'My friend wishes to be remembered to you'. Bron heb eithriad, trosglwyddai'r cyfarchion i'r Eidalwr eiddgar, heb wybod mai gwir ystyr y cyfarchiad oedd 'Dere lawr i'r bont i gyfarfod â mi'. Yn ddiweddarach dysgodd Glenys wir ystyr y cyfarchiad pan ddeallodd fod y 'Cassanova' wedi bod i lawr ar bont Henllan amryw o droeon yn disgwyl ei gariadferch, a hithau heb ymddangos.

Erys un digwyddiad arall yn amlwg ar gof Glenys Jones. Bu ei chefnder yn aros yng nghartref ei mam yn Nhrebedw am gyfnod ar ddiwedd y rhyfel. Roedd yn llongwr yn llynges Awstralia a gwisgai het swyddogol – Jac Tar – ar ei ben, gan arddangos y llythrennau swyddogol H.M.A.S. yn eglur i bawb. Bu'n gyd-deithiwr â Dug Caerloyw pan ddychwelodd i Brydain. Âi i lawr i'r gwersyll i gyfarfod â'i gyfnither, ond roedd ei wisg lynghesol fel clwtyn coch i darw i'r Eidalwyr. Ni ddôi'r un ohonynt yn agos ato, a phan welwyd Glenys yn siarad ag ef, roedd yr holl ddigwyddiad yn siom ac yn syndod iddynt. Daliwyd llawer o filwyr 'Mussolini' yn El Alamein gan Awstraliaid cyhyrog, wynebgaled ac eofn mewn trowsusau a llewys byrion ac addurniadau tatŵ blodeuog ar freichiau, cyrff a choesau. Troseddwyr a dihirod a wisgai datŵs (ar y pryd) yn Yr Eidal, ac o'r herwydd, paentiwyd yr Awstraliaid â'r un brwsh. Roedd hanesion Botany Bay yn pwyso hefyd yn erbyn gwŷr yr Antipodes. Ac nid oedd profiadau'r Eidalwyr, gwir neu anwir, a chwyddai fflamau'r dychymyg yn llawer o gysur chwaith. Dywedid bod yr Awstraliaid yn torri bysedd y meirw ar faes y gad, er mwyn dwyn y modrwyau. Crynai'r Eidalwyr i'w hesgidiau – dim ond iddynt glywed sôn amdanynt. Dychmygwn eu hymateb o weld 'Aussie' y tu allan i'r weiren bigog!

Âi Glenys draw i Blas y Bronwydd unwaith yr wythnos i deipio ac i

213

fod yn gymorth i weinyddu'r ysgol o ifaciwîs Iddewig. Yno y gwelodd 'spaghetti' am y tro cyntaf erioed – fel platiaid o lysywennod ieuanc.

Ond nid oedd profiadau ysgrifenyddes ieuanc, o gofio mai cyfnod rhyfel ydoedd, yn dywyll ac yn anniddorol i gyd. Yn neuadd staff y gwersyll cynhelid gyrfaoedd chwist a dawnsfeydd, dangosid ffilmiau a pherfformid cyngherddau E.N.S.A. Y tu fewn i'r weiren bigog roedd gan y carcharorion neuadd arall, lle y cynhelid cyngherddau, operâu a 'revues'. Ar ambell brynhawn Sul yn neuadd eglwysig bentrefol Henllan, a Glenys yn aelod parchus o'r Ysgol Sul, treiddiai nodau hudolus o fand rhagorol yr Eidalwyr i mewn trwy'r ffenestri ac i glyw'r ieuanc eiddgar. 'In The Mood', 'Boogie-woogie', y *Rhythm* a'r *Blues*, gan chwarae 'swing', *jazz* a phop y cyfnod yn gymysg â melodïau rhamantus Yr Eidal, oedd yr hyn a glywai Glenys a'i chymheiriaid yn hytrach na'r Efengyl yn ôl Mathew.

Roedd yn gyfnod trawmatig, ond cynhyrfus, i ferch ifanc, cyfnod o gyffro a digwyddiadau estron a gwahanol, cyfnod o dyfu i fyny'n gyflym a chyfnod a oedd i gyfoethogi ac i newid cynllun bywyd am byth. Fel y dywedodd ei mam-gu wrth Glenys Jones wrth weld awyren uwchben Henllan am y tro cyntaf: 'Beth nesa', dyn a ŵyr, fyddan nhw yn mynd i'r lleuad!'

Ond trwy ei gwaith cyfarfu ag Anton Domenico Antoniani (Douglas Allan Anthony), mab i Brydeiniwr a'i fam yn hanu o wlad Belg. Fe'i ganwyd yn Piccadilly, Llundain, a bu'n byw yn Antwerp a Romania. Yn ystod ei gyfnodau o symud, amlygodd gymwysterau ieithyddol, a medr i siarad Saesneg, Eidaleg, Ffrangeg, Romaneg, Fflemeg a Hindustani yn rhugl. Ymunodd â'r fyddin, gyda'r gatrawd Gymreig i ddechrau cyn symud i'r 'Intelligence Corps'.

Gwasanaethodd yn India, yn bennaf yn goruchwylio adeiladu meysydd awyr a glanfeydd. Ac wrth i 80% o garcharorion rhyfel Yr Eidal a'r Almaen a ddaliwyd yng ngogledd yr Affrig symud i'r dwyrain, bu Douglas Anthony yn gweithredu fel lladmerydd effeithiol iawn rhwng y carcharorion a'r awdurdodau. Defnyddiwyd 5,000 ohonynt ar y tro i adeiladu ffyrdd trwy goedwigoedd a jyngl, a'r rhyfeddod mwyaf i Doulas oedd y ffaith fod yr Eidalwyr yn arddangos sgiliau naturiol ac athrylithgar yr hen Rufeiniad – ganrifoedd ynghynt – wrth gynllunio a gosod seiliau ar gyfer y gwythiennau newydd. A phan symudwyd ef i Henllan, fel cyfieithydd a swyddog cyfrinachau, daeth wyneb yn wyneb â'r Eidalwyr y bu'n cyfieithu ar eu rhan yn India

214

Roedd yr Uwch-syrjiant Anthony yn byw ar gampws y gwersyll, a gweithiai mewn cysylltiad agos iawn â'r 'Commandant', Lt-Colonel Barton. Bob bore cyfarfu â chwech neu saith o'r swyddogion o blith yr Eidalwyr i drafod trefn y dydd. Cyrhaeddai'r post mewn sachau caeëdig, wedi eu 'sensro' gan y Swyddfa Ryfel ar safle 'cyfrinachol' yn Lloegr. Ond yn anaml iawn y byddai unrhyw sensor yn ymyrryd â'r cynnwys. Defnyddiai Douglas Anthony foduron Humber a lorïau 15 cant, Bedford, wrth ymweld â charcharorion ar y ffermydd. Archwiliai safon y lletŷ a'r gwaith, cadwai olwg ar ymddygiad y carcharorion, ar eu cynnydd ac ar eu cyflwr meddyliol. 'Yr oedd gennyf arf,' meddai Sgt Anthony, 'ond ni chariwn y 'revolver' na'i ddangos o flaen carcharorion. Roedd synnwyr cyffredin a doethineb yn llawer mwy pwerus na bwledi. Câi'r carcharorion eu trafod yn ôl Confensiwn Genefa. Gwersyll hapus iawn ydoedd, hyd yn oed yn ôl tystiolaeth yr Eidalwyr eu hunain. Ond unwaith rhoddais Eidalwr ar 'charge', nid yn unig oherwydd iddo gyflawni trosedd a oedd yn haeddu cosb, ond er lles y ddwy garfan, ar y ddwy ochr i'r wifren bigog, yn ogystal. Gwrthododd yr Eidalwr blygu i'r drefn, gan fytheirio pawb a phopeth yn Eidaleg yn ei anufudd-dod. Rhoddwyd ef yn y ddalfa (y 'calaboose') gan Heddlu'r Fyddin a'i ddwyn o flaen ei well. Ond pan wynebais ef yn y llys a dangos fy mod yn medru'r Eidaleg, derbyniodd ei gosb a daethom yn gyfeillion agos!'

'Roedd yn rhaid i'r carcharorion ufuddhau i ddeddfau militaraidd y tu fewn i'r gwersyll ac i gyfraith sifil y tu allan iddo. A gweinyddid pob prawf, pob dedfryd a chosb yn unol â deddfau militaraidd. Dôi barnwr militaraidd o amgylch y gwersylloedd yn ei dro, ac roedd y gwarchodwyr Prydeinig, yr Eidalwyr a'r Almaenwyr (y tu fewn i'r gwersylloedd) yn dod o dan yr un awdurdod.
. . . Ychydig o Ffasgwyr fu yno, a bwriwyd y rhai gwaethaf allan. Gofynnais i un Eidalwr, athro ysgol fel roedd yn digwydd bod, 'Wyt ti yn Ffasgydd?' Ac atebodd, 'Ydwyf, ar lafar, ond nid yn fy nghalon. Mae gennyf wraig a phedair merch gartref. Er mwyn cael swydd a sicrhau diogelwch i'm teulu, roedd yn rhaid imi esgus ochri gyda'r Ffasgwyr, er fy mod yn anghytuno â nhw'. Mawr oedd fy nghydymdeimlad â'r rhain!
. . . Ond ar yr ochr ysgafnach, caem weld ffilmiau yn ein neuadd o dôi band y 'Fleet Air Arm' draw o Aberporth. Gan yr Eidalwyr

roedd y band gorau ac roedd ganddyn nhw un sacsoffonydd athrylithgar, Bernardi, rwy'n credu. Cawn fynd i mewn i'w neuadd hwy ar brydiau i wrando ar gyngherddau.

. . . Câi'r carcharorion a'r gwarchodwyr Prydeinig fwyd o'r un ansawdd, yn ôl cyfarwyddiadau Confensiwn Genefa. Ac roedd y bwyd hwnnw yn aml yn well na'r hyn a gâi trigolion dinasoedd Prydain ar y pryd. Roedd gan yr Eidalwyr eu ceginau, eu 'chefs' a'u bwydlenni eu hunain. Er bod y carcharorion a'r gwarchodwyr yn cael tua'r un faint o fwyd, roedd y bwydydd a welid ar fyrddau'r ddwy garfan yn hollol wahanol. Câi'r staff fwyd traddodiadol ond creodd yr Eidalwyr beiriannau gwneud 'spaghetti', a chaent fwydydd fel pasta, llysiau â saws, a chawl 'minestrone'.'

Amser i ddychwelyd at drefn heddychlon. Amser i ailwreiddio ac amser i werthfawrogi rhagoriaethau cymdeithas wâr y werin Gymreig. Amser i gofio am gyfeillgarwch yng nghanol lladd a dinistr. Amser i anghofio. Amser i newid cyfeiriad yn llwyr. Amser i freuddwydio. Amser i briodi.

Dyna fu hanes Glenys Jones a Douglas Anthony. Ganwyd tri mab iddynt – Clive, Paul a Peter. Ac er bod Douglas yn chwe-ieithog, nid oedd y Gymraeg yn un o'r ieithoedd hynny, ond magwyd y tri mab yn Gymry Cymraeg. Mae Glenys yn weddw bellach ac yn parhau i fyw yn 'Willow's Edge', Trebedw, nid nepell o Wersyll 70, Henllan, gyda'i hatgofion.

Atgofion Dic Jones

'Dau ohonon nhw 'dw i'n gofio. Lino Giardelli o ardal Milan a Sabotti Guerino Cocochha o Ynys Sicilia. Yr ail oedd y pwdryn mwya' a gerddodd ar wyneb daear Duw erioed. Cael ei fagu ar ffarm 'na'th e. Roedd yn gas gen i feddwl sut olwg oedd ar y lle. Roedd hinsawdd y wlad yn rhy oer iddo a ddim yn cytuno ag e o gwbwl. Fe ddigwyddodd e ddod 'co i Dan'reglw's yn y gaea'. Wrth inni fynd gyda'n gilydd i garthu yn y bore dros y clos roedd e'n cadw ei ddwylo yn ei bocedi ac yn cario'r fforch dan ei gesel. Hen lyngyryn oedd e yn ei lusgo'i hunan dros y clos a hen un main didla. Afraid dweud mai byr fu ei dymor ef.

Dic Jones, fferm yr Hendre, Blaenannerch.

. . . Roedd Lino yn hollol wahanol. Ymhyfrydai yn nerth ei iechyd, yn codi '56' â'i ddannedd a phob rhyw strôcs fel 'ny. Roedd e'n greadur cryf ofnadwy, real 'Italian' a thywyll ei bryd . . . Ac roedd hwnnw yn fachan menyw, roedd e'n ddansierus. Yn ôl yr arferiad roedd e'n byw ar y ffermydd ac yn byw gyda ni yn y tŷ. Ac yng nghyflawnder amser yn mentro mas at ei gyfeillion a mentro mas ymhellach. Yn wir, os aech chi mas i 'steddfod Aberporth neu i'r pictiwrs yn y Pavilion yn Aberteifi, roedd carfan helaeth o'r gynulleidfa yn garcharorion rhyfel. Roedden nhw i fod i mewn yn y tŷ erbyn amser penodedig, ond, wrth gwrs, roedd pawb yn anghofio hynny. Roedd Syrjiant Jenkins Aberporth yn dod lan i Dan'reglw's weithiau ac yn cael gair neu ddau gyda 'nhad. A 'na beth oedd yn mynd 'mla'n. Roedd Lino yn dechrau bwrw'i gwils . . . yn gweld rhyw fenyw rhywle, a mas hyd orie mân y bore.' [o sgwrs gyda Goronwy Evans.]

Yn ei hunangofiant, *Os Hoffech Wybod* . . . (Cyfres y Cewri, Gwasg Gwynedd), yn y bennod 'Lifrai Caethiwed', meddai Dic Jones ymhellach . . .

217

'. . . Caent ymadael â'r gwersyll am ddiwrnodau benbwygilydd, ac o dipyn i beth enynnodd rhai ohonynt ddigon o ffydd yn eu gwarchodwyr i gael eu penodi'n rhyw fath o fformyn ar y gang, ac aent allan heb fawr neb ond gyrrwr y lori i edrych ar eu holau.

. . . A'r peth cyntaf i'w wneud wedi cyrraedd y gwaith fyddai penodi'r un mwyaf abl yn eu mysg i fod yn gogydd, ac un arall yr oedd elfen ynddo i fynd allan i hela a physgota, tra âi'r lleill ymlaen â'r gwaith caib a rhaw. Sawl gwaith y rhennais bryd bendigedig o fwyd gyda hwynt yng ngwaelod y cwm yma – cwningen wedi ei rhostio ar ddau bric uwchben tân agored, neu frithyll o'r nant, a minnau'n bwrw hanner dwsin o wyau a gawswn o nyth rhyw iâr yn dodwy mas, i'r pair cymdeithasol, ac nid oedd dim tryst na byddai'r iâr ei hun ynddo chwaith.

. . . Roedd [Lino] yn hoff eithriadol o blant, nodwedd Eidalaidd arall, mi gredaf. Yn wir, roedd gan Mam dipyn mwy o ffydd yn Lino i warchod Margaret a Mary nag oedd ganddi yn ei phlant hŷn!

. . . Ymhen dim amser roedd fel aelod o'r teulu, yn cysgu yn un o lofftydd y tŷ ac yn bwrw allan erbyn y nos i gwrdd â chydgarcharorion iddo mewn ambell ffarm gyfagos. Yn swyddogol câi ychydig sylltau o arian poced mewn rhyw fath o arian ffug bob wythnos. Yn answyddogol câi dipyn mwy. Y *currency* mwyaf derbyniol oedd sigarennau, sebon, olew gwallt a phast glanhau dannedd.

. . . Ar y Suliau fe'i cesglid i fynd i'r Offeren yn eglwys y gwersyll, y wyrth o eglwys honno a gododd y carcharorion eu hunain yng ngwersyll Henllan.

. . . Ar y dechrau, roedd cyfathrebu yn dipyn bach o broblem. Nid oedd ganddo ef, na ninnau blant o ran hynny, lawer iawn o Saesneg. Parablem ag ef mewn cymysgeth o Sysneg ffarm a Chymraeg, a rhoddai ef ninnau ar ddeall drwy bob cyfrwng a feddai – arwyddion, Eidaleg, Saesneg a Chymraeg. O dipyn i beth datblygodd rhyw fath o Esperanto rhyngom . . . Roedd gwahaniaeth mawr yn ei agwedd rhagor agwedd y dieithriaid o'r tu hwnt i Glawdd Offa. Roedd ef fel petai am ddod i gwrdd â ni; roeddent hwy fel petaent yn mynnu i ni ddod i gwrdd â nhw. Nid mater o fedrusrwydd iaith oedd y peth yn gymaint â mater o gydgyfarfod eneidiau, rywsut.'

218

Mab-yng-nghyfraith newydd

Siop pentref Blaencelyn (neu Fanc Elusendy gynt) oedd Celyn Parc dan berchnogaeth O.T. a Mari Owen, a'u merch Tudoria (wedi ei henwi ar ôl ei thad Owen Tudor Owen). Roedd eu mab, Goronwy, wedi mynychu prifysgol ac wedi graddio'n feddyg teulu a hefyd yn arbenigwr anesthetig mewn ysbyty. Cyflenwai'r busnes holl anghenion y fro a thu hwnt. Ond casglwr yswiriant oedd O. T. Owen ar un adeg, a chasglai'r ceiniogau prin o ddrws i ddrws ar gefn ei feic, nes iddo golli ei iechyd. Cadwai'r siop wreiddiol yn y parlwr cyn symud i'w safle presennol. Ychwanegwyd swyddfa'r post dros gownter pren newydd yn rhan ucha'r siop ym 1935. Heblaw anghenion bwyd beunyddiol y bwrdd a'r pantri, gwerthid yno 'fountain pens' Platignum, yswiriant, beiciau B.S.A. (i ddynion a menywod, rhai gyda '3-speed'), bwcedi â rifets neu blaen, brwsiau sgwirs – gyda phitsh neu blaen, a bwydydd anifeiliaid Spillers neu Weavers. Mewn cwpwrdd gwydr arbennig â chlo iddo, cedwid moddion a ffisig fel yr 'Hactos, Chest and Lung' bondigrybwyll i liniaru'r peswch a 'pink pills for pale people'. Medrech brynu baco 'shag', Franklyn's, paent Red-mans, 'methylated spirits' (dan drwydded) a hyd yn oed deipiaduron. Un o'r prynwyr oedd y Parchedig Gwilym Morris a ysgrifennodd ysgrif ddiddorol iawn yn y cylchgrawn *Porfeydd* ar deipiadur O. T. Owen. Tyb-

Tudoria Morgan (Owen), merch O.T. a Mari Owen, Celyn Parc, Blaencelyn.

iodd mai rhagluniaeth a'i cynghorodd i'w brynu oherwydd bu'n amhris-
iadwy wedi iddo ddioddef o effeithiau strôc. Gŵr diwylliedig iawn oedd
O. T. Owen, a gwythïen ystyfnig – cul, efallai – o Fethodistiaeth yn
rhedeg trwy ei waed. Eto, os bu Cristion ar y ddaear, ef oedd hwnnw.

Gwerthai lyfrau Cymraeg newydd. Yn eu plith ceid nofelau, cyfrolau o
farddoniaeth a Chyfansoddiadau a Beirniadaethau'r Eisteddfod Genedl-
laethol. Ac wrth iddo gynnig ei wasanaeth gofalus, caech ei farn ar
bregeth y Sul blaenorol, neu ar englyn diweddara' Isfoel neu Alun. Nid
oedd gwahoddiad i ymborthi wrth fwrdd y teulu yn anghyfarwydd.
Unwaith wedi i Isfoel eistedd, wedi talu'i fil, cynigiwyd llond plat o
gacennau hufennog iddo . . . 'Diolch yn fawr, Mari, well da fi'r bara
menyn. 'Dwi fawr o gacwr!'

Ac ymhlith y dillad a werthid roedd y 'bib a'r brês' ymarferol i seiri. A
phan ddaeth carfan o garcharorion Henllan i gwteru caeau fferm Castell-
myn gerllaw, ymddangosodd cwsmeriaid newydd wrth gownteri Celyn
Parc yn ystod yr awr ginio. Roeddent yn destun sgwrs a sylw yn eu dillad
porffor gyda'r trionglau a'r cylchoedd melyn, heb sôn am eu gwallt du
sgleiniog, eu hwynebau melynfrown o liw'r olewydd, eu hiaith ddieithr
a'r chwinciad disglair yn eu llygaid serennog. Clywid hwy yn canu alawon
gwerin a darnau adnabyddus o operâu enwog Yr Eidal wrth iddynt
geibio'n rhythmig ymhlith y gwteri.

Deuent i fyny i'r siop i brynu losin, baco a sigarennau. Medrai llawer
ohonynt Saesneg da a chymal neu ddau o iaith y nefoedd fel 'bore da',
'nos da', 'bara a jam', 'cer i'r gwely', 'rwyt ti'n bert' a 'dim cwpons'. Ac
o fewn ogof drysor y siop, roedd y 'bibs' wedi dal eu llygaid. Dynion
byr-dew oedd Eidalwyr y de, a gwisgent y dillad lleiaf o ran maint. Nid
oedd llawer o grefftwyr cyhyrog Blaencelyn a'r cylch yn eu prynu. Daeth
yr Eidalwyr awyddus yn farchnad barod. Gwerthwyd nifer helaeth o'r
'bibs' iddynt am ddwy bunt neu lai, heb y cwpons. 'Mentrwn ni hi,'
ebychai O. T. Owen, a heriai'r drefn yn aml i helpu cyd-ddyn.

Gŵr siaradus oedd O.T., a chodai sgwrs feunyddiol â'r carcharorion.
'I'd like to learn your language,' meddai wrthynt. Ond roedd un o'r
Eidalwyr hynny wedi codi'n gynnar. Â'i lygaid ar ei ferch, Tudoria,
atebodd: 'Now's your chance. You could be my father-in-law'.

Unwaith rhwymodd Tudoria bâr o 'bibs' mewn papur llwyd a lapiai
fwndel o'r *Welsh Gazette*, yn wythnosol. Ni sylwodd yn ormodol ar y
cyfeiriad ac fe'i casglwyd gan y prynwr dieithr. Yna daeth llythyr i

Tudoria trwy law un o'r carcharorion wedi ei gyfeirio 'Miss O. T. Owen, Blaencelyn Shop, Crosville Route (W. H. Smith), Aberystwyth – New Quay – Llangrannog Route: 'You are the kindest woman in the world. Come out on Sunday'.

Dychmygai Tudoria y dôi'r 'Romeo' draw i ginio dydd Sul, efallai, ar ei feic o wersyll Henllan. Cwnselodd gyda'i mam, a oedd fel ffrind gorau iddi. Aeth i'r ysgol gân i Gapel-y-Wig ar nos Sul ag wmbrela yn ei llaw. Ond nid oedd sôn am law. Gweddïai y dôi i fwrw glaw – glaw mân o leiaf. Medrai gysgodi a chuddio o dan ei ganopi pe byddai'r carwr yn ei amlygu ei hun. Ac yn wir disgynnodd chwa o law mân ger Pont-y-rhyd a chuddiodd ymhlith y garfan o'i ffrindiau. Ond ni welodd yr un 'Valentino'. A thua chwech o'r gloch ymddangosodd y 'carwr' ar ben lôn Blaencelyn. Ond arhosodd Tudoria y tu ôl i'r llenni a'i wylio o hirbell. A phan ddaeth yr Eidalwr bychan i'r siop ar fore Llun, ni roddodd Tudoria unrhyw arwydd iddo ei bod wedi derbyn y llythyr. Ni chafodd O. T. Eidalwr yn fab-yng-nghyfraith wedi'r cyfan.

Croeso Lizzie Mary

Cadwai Lizzie Mary Jones a'i gŵr, Sam, fferm ddeng erw o'r enw Pen-sarn yn ardal Pensarn ar gyrion Talgarreg. Ganwyd saith o blant iddynt. Canodd Donald Evans iddi:

> Y mae'n un ohonom ni – a hen wedd
> Y blynyddoedd arni;
> Y glewder drwy galedi;
> Rhuddin y werin yw hi.

A chofnododd hi yn ei llyfryn *Atgofion* (a gyhoeddwyd ym 1993 gan Wynfford Jones, ŵyr Lizzie Mary, a pherchennog Gwasg E. L. Jones ar y pryd):

> 'Bu fy mab hynaf, Lewis (Evan Lewis Jones, Argraffydd, Aber-teifi yn ddiweddarach) yn y fyddin drwy'r rhyfel a gwelodd frwydro ffyrnig yng ngogledd Affrica, pan oedd gyda'r 'Desert Rats' yn El Alamein. Roedd erbyn hyn yn 'Sergeant Major' ac yng nghanol erchyllterau ofnadwy. Anrhydeddwyd ef â'r 'Military Medal' am wrhydri tra oedd yn Normandi.'

221

Lizzie Mary Jones, Pensarn, Talgarreg, 1898-1994.
Tynnwyd y llun ym 1992, pan oedd yn 94 oed.

Ac yn ystod blynyddoedd yr Ail Ryfel Byd cnociodd swyddog o
Eidalwr ar ddrws Lizzie Mary gan ofyn iddi am ddŵr twym i wneud te
i'w ddynion. Pan sylweddolodd hi fod 32 o ddynion yn y lori y tu allan,
ni wylltiodd. Yn hytrach aeth ati i wneud brechdanau bara jam iddynt i
gyd o'i phantri prin ei stoc. Gwrthododd unrhyw dâl, ac aeth yr Eidalwyr
ati i dorri coed tân iddi. Fe'i gwaradwyddwyd gan gymydog a'i chyhuddo
o fwydo'r gelyn. Ond mynnodd ei bod wedi gweithredu'n ddyngarol yn
ôl ei chalon. 'Cofiwch, roedd y bechgyn yna yn feibion i rywun mewn
gwlad dramor,' meddai.

Cwningod, *Woodbines* ac Eidalwyr

Trên dau goets, neu efallai dri gydag injan, a fyddai fel rheol yn cludo
teithwyr o Gastell-newydd Emlyn a Henllan i Bencader. Âi'r trên ymlaen
i Gaerfyrddin neu ymunai â thrên Aberystwyth. Ond mae rhai yn cofio
am drenau hirion o dri choets ar ddeg a dwy injan yn cyrraedd Henllan a
Chastell-newydd Emlyn yn ystod y pedwardegau cynnar. Roedd yr injan
ôl yn rhydd ac yn gwthio ar ambell godiad tir yn unig. Gŵr sy'n cofio
dyfodiad carcharorion rhyfel yn y trenau arbennig yw Gwynfor Davies,
Aberteifi. Digwyddodd peth rhyfedd iawn pan gafodd ei gofrestru yn
faban.

'What is your son's name?' gofynnodd y cofrestrydd i'w rieni.
'Gwynfor . . . Gwynfor Davies.'
'Just the one name?'
Gwynfor . . . only.'
A chredwch neu beidio, fe'i cofrestrwyd yn swyddogol fel Gwynfor
Only Davies. Mab Ffrwd Wen, Pontweli, oedd Gwynfor ac roedd Margaret,
ei wraig, yn hanu o Dre-main.

Gwŷr y rheilffordd oedd teulu Gwynfor. Roedd yn eu gwaed. Bu ei
dad, James Davies, yn gweithio gyda'r G.W.R. am ddeugain mlynedd ac
yn cadw'r trac yn ddiogel rhwng Castell-newydd Emlyn a Chyffordd
Pencader. Bu ei frawd, David, yn ganger a fforman, a'i frawd arall, Johnny,
yn glerc yn Llanelli a Llansawel, ac yn orsaf-feistr ar orsafoedd Pencader,
Llandysul, Henllan a Chastell-newydd Emlyn.

Dechreuodd Gwynfor ei yrfa ar y rheilffyrdd pan oedd yn ddeunaw
oed, fel 'porter' (cludwr) yng Nghastell-newydd Emlyn a Llandysul, cyn
symud i wneud yr un gwaith yng Nghaerfyrddin. Llaeth a chwningod
oedd y brif fasnach a pheth portmantos a chasáu'r byddigions.

'Roedd crêts mawrion o gwningod yn mynd i Gaerdydd a Bir-
mingham. Rhaid oedd clymu coesau llawer o'r cwningod a oedd
yn rhydd. Os nad oedd label – wel, roedd cig cwningen yn ffein
iawn! Dôi caniau llaeth 17 galwyn i mewn o Landeilo a'r gamp
oedd eu rowlio, a hynny fesul dau ar y tro. Un yn troi'r llall. Os
oedd un yn tipo, cawn laeth sbâr o'r ffatri. Nid oedd pob clawr yn
ffito. Pe byddai can a gynhwysai hufen yn tipo, roedd yn rhaid inni
fynd o flaen ein gwell i Abertawe. Wrth gario cesys Syr D. O.
Evans, A.S. (Sir Aberteifi), arferai ddweud, 'Os yw'r 'fares' yn
codi bydd eich tip yn cwympo, fechgyn'.'

Achubwyd Gwynfor Davies o draethau Dunkerque, ac oherwydd ei
anafiadau fe'i rhyddhawyd o rengoedd y fyddin. Daeth yn ôl i Gastell-
newydd Emlyn fel 'porter' ac yna i Henllan fel 'signal-man'.

'Gwaith garw caled oedd e. Gweithiwn wyth awr ar y tro, a
theithiai deuddeg a rhagor o drenau heibio i'r bocs bob dydd . . .
Rwy'n cofio'r trenau a oedd yn cario'r carcharorion. Aent ymlaen i
Gastell-newydd Emlyn cyn eu cludo'n ôl i aros yn y ffatrïoedd

gwlân segur oddeutu Drefach-Felindre. Roedd eraill yn lletya mewn pebyll nes bod y gwersyll yn barod. Y gelyn oedden nhw ar y dechrau. Wedyn ymlaciodd pethau a byddai rhai ohonynt a oedd yn rhofio glo i'r sachau yn dod draw i'r 'signal box' i gael mwgyn a sgwrs. Roedd rhai o'r Eidalwyr yn siarad Saesneg da ac roedd toriad a hoe o'r iard lo yn seibiant derbyniol iddynt. Roeddwn i'n smoco fel shime pry'nny. Deugain y dydd. *Woodbines* a *Players* am swllt y pecyn. Wedyn es i rowlo *Franklyn's Mild*. Roedd y carcharorion wedi smoco llawer o'r rhain, a finne eu sigaréts hwythau.

. . . Cofiaf am y carcharorion yn gadael Henllan. Trenau hirion, mor hir fel roedd yn rhaid aros sawl gwaith i'w llwytho. Golygfa ryfedd iawn oedd gweld carcharorion rhyfel yn gadael gwlad eu carchariad ac eto yn gollwng dagrau ac yn diolch i amryw o'r gweithwyr lleol am eu caredigrwydd, am rannu bwyd a chymwynas, a gwên a chlust i wrando.'

Daeth ymadawiad yr Eidalwyr â chyfnod hanesyddol i ben i Henllan a'r bröydd cyfagos.

Wedi'r rhyfel bu Gwynfor yn gyrru lorïau Scamell Thornycroft ac yn dosbarthu nwyddau o orsafoedd Henllan a Chastell-newydd Emlyn i'r cwsmeriaid lleol. Cariai wlân o Halifax ac Abergafenni i felinau Drefach, tryncs morwyr, y tanc petrol cyntaf i siop Pontgarreg a hefyd reis, siwgr a grawn i ysguboriau arbennig rhag ofn y byddai prinder a newyn yn dilyn y gyflafan. Ac un o'r pethau rhyfeddaf a gludodd oedd 'Cranogwen'. Nid y ddirwestwraig a'r bardd o Langrannog ond carreg goffa iddi i'w gosod yng nghapel Bancyfelin.

Un o'i ffrindiau agosaf a chydweithiwr iddo oedd Bert Thomas o Aberbanc (tad y Dr Terry Thomas). 'Roedd lori Bert fwy yn y garej nag ar y ffyrdd. Roedd e'n bwrw bwlche lawr yn aml, yn enwedig ym Mlaencelyn a Llangrannog. Roedd y bylche'n gulach ffor 'ny, dywedai Bert. Byddai'n diawlio'r ffermwyr ac yn rhegi am y llaid ac fy ffonio wedyn am gymorth. 'Ffindia dy ffordd dy hunan adre,' atebwn, ond bron heb eithriad es i'w helpu a'i halio allan. Galwai Bert yn y 'Railway Inn' wedi gwaith, ond cadwai'r lori i droi y tu allan am orie ac anghofiai amdani yn gyfan gwbwl. Amser hapus iawn a llawer o atgofion arbennig, er mai amser rhyfel oedd hi.'

William Morgan, y Winllan, Penrhiwpal, yn dangos un o'i hoff adar.

Wil o'r Winllan (myn yffarn i!)

'Bachan! Bachan! William, pam na phryni di gar yn lle gwlychu dy hunan i'r croen bob tro yr ei di mas ar yr hen racsyn o foto beic 'na!' ebychodd cymydog wrtho. Cyflwynodd ei ateb parod gan fwytho'r sofl pigog ar ei ên: ''Tasen i'n prynu car mi fydde raid i mi fynd â'r hen iâr gyda fi wedyn i bob man!'

Ac wedi bod yn löwr yn ardal y Tymbl am flynyddoedd, nid rhyfedd iddo fabwysiadu'r hiwmor hwnnw sy'n nodweddiadol o gymdeithas glòs gweithwyr y ffas. Er bod y gwaith yn galed ac yntau'n gawr o ddyn ac yn ei blyg yn aml yng nghyfyngder y wythïen, mwynhâi'r cyfeillgarwch a'r gwaith i raddau. Ond ym 1935 dywedodd Dr Harper, Rhydaman, wrtho: 'Rydych yn dioddef o 'Primary Silicosis'. Byddai'n well pe baech yn cymryd swydd arall. Un yn y wlad lle nad yw llwch yn rhan o'ch gwaith.'

Symudodd Wil a'i wraig i'r Winllan, bwthyn bach dau ben ym mhentref Penrhiwpal, yn nyfnder Ceredigion. Bu'n labro ar hyd y fro cyn gweithio i gwmni Bryant. 'Fe weithes i ar godi camp Aberporth a champ Henllan. Yn Henllan dois i ar draws olion hanesyddol rhyw chwe throedfedd i lawr. Roedd sail pileri i'w gweld yn glir a bu archaeolegwyr yn twrio 'na am dair wythnos. A wedyn i lawr ar bwys y 'sewerage', pan o'n ni'n twrio ffor 'ny, daethom ar draws ffwrneisi, a'r 'charcoal' mor ber-ffaith â 'tase fe'n wythnos oed. Bu'n rhaid cau'r cwbwl lan ar ôl sbel.'

Yna gwnaethpwyd William Morgan yn is-reolwr y Ganolfan Drafnid-iaeth yng ngwersyll carcharorion Henllan, ac yn ail 'in command' i Alwyn Morgan.

Dwy bunt a chwecheiniog a gâi Wil dan ddaear yn y Tymbl; ond yn Henllan oddeutu 1942, chwyddodd ei gyflog i dair punt.

Er ei faint corfforol, gŵr addfwyn iawn oedd Wil. Er ei gryfder a natur ei waith, hoffai bethau cain, delicêt. Bridiai fydjis a chaneris. Golygfa wahanol a dynnai sylw oedd gweld pawennau mawrion Wil yn dal yr adar bach. Dangosai hwy i bawb. Ymhyfrydai ynddynt. Dyna baradocs oedd gweld Wil yn eu trafod. Ac yn ei ardd roedd ganddo fynwent a chroesau ag enw i bob aderyn oedd wedi ymadael â'i fenajeri. Cafodd ei geiliog gofeb anfarwol.

Gŵr cydnerth arall a ymddiddorai mewn bridio ac arddangos bydjis oedd Delme Thomas, capten tîm buddugol Llanelli yn erbyn y Crysau Duon. Ac un arall eto â'r un diddordeb er ei faintiolaeth sylweddol a'i nerth, a enillodd iddo'r teitl 'y Gŵr Cryfaf yn y Byd', oedd Geoff Capes, y codwr pwysau a fu'n cystadlu yn y Mabolgampau Olympaidd. Efallai fod y weithred o ofalu'n dyner am yr adar bychain hyn yn therapi ardderchog i'r ymdrechion corfforol.

Nid rhyfedd i Eidalwyr Henllan barchu a hoffi Wil, oherwydd yr oedd yn gadarn ei air a'i gomand. Treiddiai ei addfwynder i'w garedigrwydd. Ni chymerodd neb fantais ohono ac roedd yr Eidalwyr yn cofio amdano yn y 1970au. Cofiaf ymweld â chartref Aldo Redamante, yn Borgomanero, un o gyn-garcharorion Henllan. Gofynnodd imi: 'Do you remember . . . mm . . . m m m . . . n n . . . ff . . . r . . . n . . . i! What does it mean?' Nid oedd gennyf syniad! Ond wedi dyfalbarhad a dad-seiffro a gwrando'n astud, deuthum i'r casgliad mai byrdwn ei gwestiwn oedd, 'Do you know myn uffern i! . . . Wil Morgan?' Byddai Wil yn rheoli gweithgareddau'r 'Depot' ac yn rhannu gorchwylion y dydd. Ac yn aml âi allan mewn lorïau gyda deg ar hugain o garcharorion i gwteri a gweithio ar y fferm-ydd. Eisteddai gyrrwr a fforman yn y cab a Wil a'i ddryll 'nôl yn y cefn, ymhlith yr Eidalwyr, dan ganfas ac yn cael ei gorco fel menyn mewn budde. Wedi cyrraedd y fferm ceid un digwyddiad cyson, digwyddiad a

oedd mor nodweddiadol o'r gyfundrefn yn Henllan ac mor bell o
gyrraedd y rhyfel yng ngogledd Affrig . . . 'Open the tail gate, Aldo.
Jump down and hold my gun while I jump down!' Ie, 'hold my gun', ond
ni chymerodd yr un Eidalwr fantais ohono. Yna, 'Come down now all of
you, or, myn yffarn i, I'll be in there after you'. Ac fel 'myn yffarn i' y'i
gelwid gan y carcharorion.

A phan ddaeth Aldo Redamante a'i wraig Caterina draw i'm cartref,
Bryndewi, ym 1982, gwahoddais Wil Morgan a Ben H. Jones draw i
gyfarfod â'r ddau. Nid oeddynt wedi gweld ei gilydd ers 1945. Cofnodais
y digwyddiad ar ffilm 'cine'. Daeth Wil ac Aldo ynghyd ar y clos.
Cododd Aldo ei freichiau i'r awyr a gwaeddodd nerth ei geg wrth weld
Wil unwaith eto. 'MYN YFFARN I', dyna'r cyfarchiad cyntaf rhyng-
ddynt ers 37 o flynyddoedd. Yna cerddodd draw a chofleidiodd Wil yn ei
freichiau. Ni ddywedwyd dim. Ni fedrai Wil siarad Eidaleg; ni fedrai
Aldo siarad Cymraeg. Llifodd y dagrau dros ruddiau'r ddau. Dyna brof-
iad nas anghofiaf byth. Wil, y cawr o löwr yn cyfarfod â chyn-garcharor,
ac nid oedd angen geiriau. Dysgais wedyn fod Aldo ac Eidalwr arall o'r
enw Mario Pizzamiglio yn seiclo lan i'r Winllan yn y '40au i gael cinio ar
brynhawniau Sul. Ac arhosent ar yr aelwyd groesawgar hyd nes y dôi'r
amser i ddychwelyd i'r gwersyll. Roedd brawdgarwch a chariad at gyd-
ddyn wedi trechu unrhyw atgasedd a ffug-elyniaeth a grewyd gan ryfel.
Dyna i mi oedd enghraifft dda o'r werin wâr Gymreig a greodd y fath
argraff ar y carcharorion. Nid rhyfedd iddynt arddangos awydd i ddych-
welyd i Gymru. Meddai Aldo – 'Wil – he was like a papa to me!' Ni allai
neb gael gwell teyrnged.

Gwrthgyferbyniad arall ym mywyd William oedd i'w fab, a oedd yn
yrrwr trên yng Nghaerfyrddin, ennill bri fel ymosodwr enwog yn y
fyddin yn Arnhem, Yr Iseldiroedd. Lladdwyd miloedd o Brydeinwyr
mewn ymgyrch aflwyddiannus. Clwyfwyd ei fab yn ddifrifol a bu farw ei
ffrind gorau yn ei freichiau ar faes y gad. Ond wrth siarad ag ef yng
nghaban ei drên, arddangosai yr un addfwynder â'i dad.

Roedd gan William hanesion diddorol a doniol iawn am ei brofiadau
ymysg yr Eidalwyr.

'Rwy'n cofio cwteru cae rhyw fferm yn ardal Felinfach. Roedd
yr hen gwter wedi bod yn agored ers dyddiau. Un bore, roedd y
gwter yn fyw o lyswennod. Mewn eiliad, dyma un o'r Eidalwyr yn

dal un, torri spagyn o goeden, ei wthio trwy wddf y creadur, ac yna yn ei phleto 'nôl a 'mlaen, a'i rhosto uwchben tân agored gyda sbrinclad fach o halen. Gwledd wedyn . . . pedwar darn ar ddeg. Naddo, fytes i ddim!

. . . Pan gyrhaedden ni fferm, y ddyletswydd gynta' oedd cynnau tân. Diflannai'r Eidalwyr i bob cyfeiriad. Cyn bo hir deuent 'nôl. Tato gan un, garets, swets gan rai eraill. Mwswm sych, a briwydd mân . . . a chyn bo hir byddai tân braf a llond yr hen dun olew (glân) o ddŵr a llysiau i wneud cawl. Wedi awr a hanner o waith, te deg, ac awr a hanner arall, roedd y cawl yn barod. Ffein iawn hefyd. Roeddwn yn ca'l sawl 'helping' gyda'r Eidalwyr. Roedd yn ddiwrnod braf ac es i 'nôl y trydydd 'helping'. Wrth i mi gydio yn y lletwad a 'mystyn lawr i waelod y tun, yno . . . gwelais ddau dderyn du . . . wedi'u hanner plufio. Dyna ddigon ar gawl i fi. Fytes i ddim llwyed o gawl . . . byth wedyn. Roedd yr Eidalwyr yn bwyta adar bach fel y'n ni'n bwyta ffowls.

. . . Bois glew am gyweirio watsys oedd yr Eidalwyr. Roedd un bachan wedi gosod darnau un wats allan ar y ford ac fe adawodd nhw a mynd allan i 'nôl rhywbeth. Pan ddychwelodd roedd yr olwynion wedi diflannu. Roedd pioden swci wedi eu dwyn i nyth ar goeden dderw gyfagos. Pan edrychwyd yn y nyth, roedd pib y 'Commander' yno, llawer o weiyrs, papur sheino, ac wrth gwrs olwynion y wats. Pan ddisgynnodd y bioden y tro nesaf, fe'i daliwyd hi dan wagar – ac fe sgriwiodd yr Eidalwyr ei gwddwg hi. Ond ni chafodd ei rhoi mewn cawl.

. . . Arferai'r Eidalwyr hyfforddi'r adar bach, yn enwedig y ji-binc. Deuai'r binc i mewn i'r garej yn aml. Ni wyddem pam ar y dechrau. Mor ddof . . . ac, yn disgyn ar gledr llaw neu ysgwydd . . . am wobr!

. . . Rwy'n cofio un digwyddiad arbennig. Roeddwn wedi cadw pwmp gresho, a hwnnw yn un 'brass' o gwaliti da, oddi ar yr amser pan oeddwn i dan ddaear yn y Tymbl. Teclyn bach i stopo'r gwichal diddiwedd oedd e . . . ar whîls y drams. Fe wasges i'n shâr o resh ac roeddwn i'n ffond iawn o'r pwmp bach. Roeddwn i yn ei ddefnyddio yn y 'Depot' yn Henllan bron bob dydd, ond fe ddiflannodd yn sydyn ar ôl i mi ei adael ar y bensh. Ymhen rhai diwrnodau daeth llu o 'lighters brass' i'r golwg ar hyd y camp ac

228

ar y ffermydd. Nid oedd angen gofyn cwestiynau, roedd y pwmp wedi dodwy wyau 'brass' yn nwylo crefftus yr Eidalwyr! Ni ffindies i mas pwy doddodd y pwmp, ond na fe, roedd e wedi rhoi pleser i rywun.

. . . Pan aeth yr Eidalwyr 'nôl i'w gwlad eu hunain, roedd bwlch ar eu hôl. Ond am yr Almaenwyr, pobl hollol wahanol oedden nhw. Gweithwyr da ond caletach, anghynnes a phellach oddi wrthych chi. Rwy'n cofio edrych dan 'rocker casing' lori a oedd wedi cael *service* gyda'r Almaenwyr. Roedd rhyw sŵn aflafar yn dod o'r tu fewn. Pan 'dryches i roedd y biben olew wedi'i gwasgu a'i phlygu i stopo'r olew rhag dod lan. Creu niwsans, dyna'u hamcan nhw.

. . . Roedd gwell Saesneg ganddyn nhw na'r Cymry. Roeddynt wedi eu dysgu a'u trwytho i siarad Saesneg yn barod i fyw ym Mhrydain ar ôl i Hitler ennill y rhyfel! HITLER, MYN YFFARN I.'

Yr un a ddihangodd

'Teimlwn yn rhwystredig iawn. Ac roedd ofn arnaf. Cael fy nal yn El Alamein a'm cludo mewn llong i Glasgow. Yna taith hir yn y tywyllwch mewn trên i Lerpwl ac i le o'r enw Henllan. Ni wyddwn ymhle yr oeddem. Siglwyd fy hunan-barch. Un funud roeddwn yn filwr hyderus yn ymladd dros fy ngwlad ac yn erbyn y gelyn. Ac yna yn sydyn, roeddwn yn garcharor. Wedi colli'r cwbwl, y tu ôl i weiren bigog. Sut y cawn fy nhrin? Sawl blwyddyn y byddwn i yma? A gawn i weld fy anwyliaid byth eto?'. . . Dyna brofiad Annito Merli, un o'r carcharorion.

Roedd hafan ddiogel carchar Henllan yng ngwyrddlesni a thawelwch dyffryn Teifi yn fendith i lawer o'r Eidalwyr. Ac roedd ymarweddiad heddychlon y Cymry lleol hefyd yn falm i'r ofnau. Un funud roedd fflachiadau ffrwydron y magnelau yn serennu uwchben yr anialwch, a'r funud nesaf yn troi'n fflachiadau heulog rhwng canghennau deiliog afon Teifi (delwedd a welwyd yn ffilm R. Dilwyn Jones).

> O na chawn ail-fyw'n ei chôl, – dychwelyd
> I wlad fy mebyd i weld fy mhobol.

Roedd safle'r gwersyll yn Henllan mewn man strategol – pell o gyrraedd cyfandir a thir mawr Ewrop, pell o gyrraedd Sianel Lloegr, pell

229

Franco Crescini a Guisseppe Bardella, dau gyfaill a oedd yn gwybod
y cyfrinachau i gyd, o flaen allor Henllan.

o gyrraedd Yr Eidal ac yng nghanol ardal amaethyddol dyffryn Teifi.
Byddai gwaith beunyddiol ar y ffermydd a'r ychydig ryddid a ganiatéid
iddynt yn lliniaru peth ar eu hiraeth. Ac o'r herwydd 'doedden nhw byth
yn meddwl am geisio ffoi. Ond, er hynny, ceisiodd chwech ddianc.
Daliwyd pump ohonynt yn fuan ond llwyddodd un i barhau yn rhydd!
Dyma ei stori.

Ei enw oedd Scipione Guiseppe Bardella, ond Beppino i'w ffrindiau.
Magnelwr oedd ym myddin Mussolini ond gweithiodd hefyd yn y
swyddfa delegraff, oherwydd ei gymhwyster yn y maes hwnnw ac fel
ieithydd. Ond fe'i daliwyd ym mrwydr enwog El Alamein wedi i Mont-
gomery a'i fyddin atal Rommel a'r Almaenwyr, a'r Eidalwyr, rhag 'sgubo
ymlaen tuag at gamlas Suez. Fe'i cludwyd i Dde'r Affrig, wedyn i'r
Alban, nes iddo gyrraedd gwersyll Henllan yn y pen draw. Gweithiai yno
eto yn y swyddfa delegraff, a chlustfeiniai ar bob neges gyfrinachol a
chyffredin a ddôi trwy ei swyddfa. Roedd yn fanc symudol o gyfrinachau
ac yn ddefnyddiol iawn i'w adnabod.

Gŵr talsyth, dros ei ddwylath, o bryd golau oedd Bardella, ac yn
debycach i rywun o dras Ariaidd nag i brydwedd lliw olewydd gŵyr de'r
Eidal. Cydweithiai gyda Franco Crescini, prif swyddog heb gomisiwn a

230

swyddog cyswllt rhwng rhengoedd y milwyr a'r uwch-swyddogion. Ond credai llawer o'r Eidalwyr fod rhesymau cudd i'r berthynas.

Gerllaw Henllan sefydlwyd ysgol ar gyfer ifaciwîs Iddewig yn hen blas y Bronwydd, dan brifathrawiaeth Mr Eliasoff. A hefyd Iddew oedd y prif gyfieithydd swyddogol. Tybed a oedd Bardella yn cadw llygad ar ddiogelwch a budd yr ifaciwîs ac yn trosglwyddo gwybodaeth i Lundain? A thu allan i'r gwersyll roedd nifer o Eidalwyr rhydd, yn aelodau parchus o'r gymdeithas ac yn berchnogion tai bwyta a chaffis. Yn ystod y 1940au trefnwyd masnach ddu gudd rhyngddynt a'r carcharorion. Gollyngid basgedi dros chwarel serth Cwm Dwy Gaer, yn llawn o waith crefft yr Eidalwyr yn eu hamser hamdden. Yn dâl am eu gwaith caent siocled, sigarennau, offer a bwydydd. Ai Bardella a fu'n trefnu'r ymgyrch?

Beth oedd y ffordd hawsaf i ddianc o'r gwersyll, gofynnwch i chi eich hunain? Wel, ym Mehefin 1944, cerddodd Bardella allan yn naturiol trwy'r gatiau gyda'r cannoedd a âi allan mewn lorïau yn feunyddiol i weithio ar ffermydd y bröydd. A phan chwiliodd y milwyr a'r 'Home Guard' amdano a phump arall, dychwelodd Bardella eto i'r gwersyll yn ei amser ei hunan, mewn lori, a'i guddio ei hun dan lwyfan y theatr – am ddeng niwrnod. Daliwyd y pump a fu ar goll yn fuan iawn. Cariai Franco Crescini a Giovanni Marucci fwyd a blancedi iddo yn ei gell dywyll. Yna cerddodd allan eto trwy'r gatiau yng nghanol dydd, y tro hwn i ddianc am weddill y rhyfel. A oedd rhywun yn ei ddisgwyl? Diflannodd yn gyfan gwbl am gyfnod. Yn ôl yr hanes, cafodd lety a chuddfan gan ffrind, teulu neu gariad o'r enw 'Mari' rywle yng nghyffiniau Castell-newydd Emlyn. Dysgodd Gymraeg a chytunodd i gyfarfod â Crescini, ger pont Henllan, ar amryw droeon i dderbyn siocled, sigarennau ac i rannu gwybodaeth gyfrinachol nad oedd yn wybyddus i neb ond iddynt hwy ill dau.

Ond ymhen dau fis arall, daeth digwyddiad trist i sylw'r awdurdodau. Roedd carchariad yn siom ac yn ddryswch i amryw o'r carcharorion. Honnodd un Eidalwr, druan, iddo weld llun ei fam ar wyneb dyfroedd un o byllau dyfnaf afon Teifi. Cadwyd llygad arno ond diflannodd yn sydyn. Denwyd llygad craff cipar Llysnewydd i bwll ger Dôl Brenin gan sgrechen a chri haid o wylanod. Yno, darganfuwyd corff y truan ddau fis ar ôl ei ddiflaniad. Aeth Franco Crescini, y syrjiant-gyfieithydd, William Morgan a rhai swyddogion lawr i lannau afon Teifi i gyfarfod â'r cipar a'r heddwas lleol.

'Oes rhywun yn adnabod y corff?' gofynnodd y cyfieithydd.

231

'Oes,' atebodd Crescini yn bendant. 'Guiseppe Bardella yw e. Rwy'n hollol sicr.'

Cofnod cyflym a therfynol i ddihangfa Bardella. Corff yn y lle iawn ac ar amser cyfleus.

Ond ffug oedd y dystiolaeth. Pam roedd Crescini wedi dweud celwydd? Roedd Guiseppe yn Llundain. Ymddiriedodd yn Mario Ferlito yn ddiweddarach, ac meddai wrtho: 'Teithiais sawl taith ym 1944 o Lundain i Henllan a Chastell-newydd Emlyn ar gefn moto beic. Cyfarfûm â phâr ieuanc o Milan tra oeddwn yn Llundain. Roeddynt newydd briodi ac wedi dysgu Saesneg. Hefyd deuthum yn gyfeillgar â dau frawd Iddewig a oedd yn cadw siop ddillad plant ger gorsaf Victoria. Cefais waith ganddynt – gostwng a chodi hemiau'.

O ble y daeth yr arian i'w alluogi i deithio'n ôl ac ymlaen? A gafodd gymorth gan yr Iddewon? Sut y llwyddodd i osgoi gwylfannau'r heddlu sifil a militaraidd? Aeth ati wedyn i weithio fel gosodwr teiliau ac i archwilio hen adeiladau am drysor cudd. A oedd yr Iddewon yn arfer gwneud hyn? A ddiflannodd llawer o arian a thlysau cuddiedig yn ystod cyrch bomio'r Luftwaffe ar Lundain yn y 1940au? Fe'i dewiswyd hefyd i fynd i Ffrainc fel ysbïwr tanddaearol, a'i orchymyn i fynd y tu ôl i linellau blaen yr Almaenwyr. Tybed beth oedd y cyfarwyddiadau a gafodd! A oedd llywodraeth Churchill yn gwybod am ddiflaniad Bardella neu hyd yn oed yn noddi'r fenter? Ai Eidalwr oedd e? A osodwyd Bardella ym myddin Yr Eidal ymhell cyn dechrau'r Rhyfel ym 1939?

Ar ddiwedd y rhyfel ymddangosodd Guiseppe Bardella eto yn Yr Eidal pan gysylltodd â'i fam ger tref Brescia. Ceir cadarnhad i hynny ddigwydd trwy dystiolaeth gwraig Franco Crescini. Ac ym 1974, yng nghwmni ei ffrind Crescini, ymunodd ag aduniad cyn-garcharorion rhyfel gwersyll Henllan yn Ferrara. (Parhaodd yr aduniad blynyddol hyd 1995, pan euthum i a'm mab, Gareth Wyn, i'r un olaf.)

Parhaodd Bardella i fyw yn Llundain, lle daliai i weithio i'w ffrindiau Iddewig a mynd ar deithiau dirgel. Eto roedd yn barod i ryddhau peth gwybodaeth am ei waith a'i gefndir i Mario mewn sgyrsiau ac ar y ffôn.

'Bu farw un o'm brodyr a gadawodd £25,000 imi. Cefais £20,000 gan ffrind arall. Mae'r cwbwl yn ddiogel yn y swyddfa bost yn Paddington. Ac yn ystod fy ngwaith fel gosodwr teiliau eto deuthum o hyd i un 'kilo' o aur a gemau wedi eu cuddio yn y mur. Roedd gennyf hanner *milliard* (*lire*) mewn un cyfrif.' Ac yna cyfaddefodd Bardella: 'Bu raid i mi fynd ag arian i Israel!' Ni ddatgelodd pa faint o arian, i bwy y rhoddwyd yr arian hwnnw, nac ymhle y bu yn Israel. Cadwai ei gyfrinachau a'i fywyd cudd fel gele. Eto, trwy ateb cwestiynau yn fyr ac yn swrth, tynnai fwy o sylw ato'i hunan. Teithiodd gyda mi yn y car yn Verona, yn Milano ac yn Llundain, ond nid oedd yn barod i ateb llawer o gwestiynau treiddgar. Yr un oedd ei ymddygiad gyda'i ffrind Adriano Leva (cyn-garcharor arall o Henllan) ac â'i chwaer. Uwch pryd o fwyd yn ei chartref yn Verona gofynnwyd amryw o gwestiynau anodd iddo, ond ei ateb oedd: 'Peidiwch a gofyn cwestiynau smala imi. Fydd dim angen i mi ddweud celwyddau wedyn!' . . .'

Bu Mario, ei deulu a'i ffrindiau yn aros yn fflat Bardella, yn Norfolk Square, Paddington, ar dri achlysur – cyn iddo ddod i Henllan ym 1993. Yn ôl Mario: 'Roedd yn berchen ar fflat foethus. Eto roedd yn byw yn ddarbodus iawn ac yn gynnil ofalus o'i wario. Cadwai focs ac ynddo ychydig arian mewn cwpwrdd. Rhoddai hawl i ni i ddefnyddio'r arian pan oeddem mewn angen. Eto, cysgai yn nhŷ'r ddau frawd Iddewig ger gorsaf Victoria pan oeddwn i yno. Cawsom gyfarwyddiadau ganddo i'w dilyn yn ofalus ar bob achlysur. Yn Llundain, ac i bawb o'i ffrindiau, ei enw oedd George. Rhaid oedd ateb pob galwad ffôn â'r geiriau 'Dyma fflat George!' Unwaith anghofiais, gan gyfeirio at Guiseppe Bardella. 'Pwy yw hwnnw?' ebychodd y llais yn gwta iawn. Nid esboniodd Bardella pam yr oedd angen defnyddio'r cyfenw annisgwyl hwnnw.'

Bu Guiseppe Bardella yn lletya ym mhlasty Werfil Grange trwy garedigrwydd Ionwy Lewis, Pentre Gât, ger Llangrannog yn ystod 1993. Ymwelodd â'n haelwyd ni – Bryndewi – amryw droeon, gan aros unwaith i gael swper. Bûm innau yn gofyn cwestiynau iddo, gan geisio procio'i gof. Ond bob tro dywedai: 'Cefais ddamwain ar y moto beic pan ddihengais o Henllan. Cefais gnoc ar fy mhen a chollais beth o'm cof!'

Yn ystod ymweliad 1986, tywysais y garfan o Eidalwyr oddeutu Dyfed gan ymweld ag Eglwys y Carcharorion yn Henllan, Eglwys Gadeiriol Tyddewi, Aberystwyth, Pentre Ifan, Llangrannog, Aberaeron, Mwnt, Sain Ffagan ac Eisteddfod Genedlaethol Abergwaun. Ymdoddai Bardella i mewn i'r garfan a'i gweithgareddau yn hawddgar ac yn naturiol.

Ymddangosodd ar lwyfan Neuadd y Ddraig Goch, Drefach-Felindre, ym 1993 pan gynhaliwyd cyngerdd arbennig i Mario Ferlito a Guiseppe Bardella. Roedd y neuadd dan ei sang a chafwyd datganiadau gan Gôr Bargod Teifi (arweinydd W. S. Evans), Washington James, a Siân Rees ac

233

Emma Pugh (dwy a fu'n ddisgyblion yn Ysgol Llandudoch). Cyfieithwyd gweithgareddau'r noson ar y pryd gan Carina Jones. Yn ystod yr ymweliad cyflwynodd Mario bedwar ar ddeg o luniau o'i eiddo o orsafoedd y ffordd i Olgotha i'r eglwys yn Henllan.

Parhaodd yr aduniadau rhwng Mario, Leva, Crescini a Bardella. Ac ym Mai 1995 wrth i Mario ffarwelio â'r tri ym Milan, cytunodd y ffrindiau i gyfarfod eto cyn i Mario ddod i Gymru ar bererindod arall. Ond ar 7 Gorffennaf 1995 derbyniwyd newyddion brawychus am farwolaeth Bardella yn Verona. 'Gallwch ddychmygu'r sioc a gawsom pan glywsom am ei farwolaeth,' meddai Mario, 'a'r modd y digwyddodd y trasiedi. Fe'i trawyd gan fodur wrth iddo groesi'r ffordd ar groesfan sebra i fynd i siop bapurau newydd. Nid oedd ond 200 medr o gyrraedd ei gartref. Roedd yn ŵr iach, a chymharol heini, a'i wynepryd a maintiolaeth ei gorff yn gyffredinol yn awgrymu oedran llawer yn iau na'i wir oedran. Euthum i, Adriano a dau ffrind arall o Milano i'r angladd.'

Ond nid dyna ddiwedd y saga ryfedd. Parhaodd y dirgelwch; yn wir, gellir dweud fod y digwyddiadau rhyfedd wedi parhau a'u dirgelwch wedi dyfnhau.

Gwelodd Mario weddillion Bardella yn yr arch. Nid y Bardella a adnabu ydoedd. Roedd yr arch yn rhy fyr i ddal y Bardella tal, gosgeiddig o ddwy lath a rhagor a gofiai. Ac yn rhyfeddach fyth, aeth darlithwraig o Abertawe draw i'r Eidal ar 7 Gorffennaf 1995, a bu'n siarad â Guiseppe Bardella ar y ffôn, a hynny bum awr ar ôl i feddygon ddatgan ei fod wedi marw.

Wyth mis yn ddiweddarach, Chwefror 1996, derbyniodd cyfeillion Bardella o Milano alwad ffôn, y gyntaf o lawer, naill ai o Loegr neu, yn fwy tebygol, o Israel: '. . . George sydd yma, pronto, chi parla? George . . . byddaf yn eich ffonio yn ddiweddarach!' Roedd y galwadau yn tarddu o dŷ bwyta neu dafarn, yn ôl sŵn y cefndir. Yr un neges, yr un llais.

Mae rhywun yn ysu am gael gwybod y gwirionedd. Beth oedd ystyr y galwadau ffôn ganol nos o wledydd tramor? Gresyn na fuasai Adrian Leva a Franco Crescini yn fyw i ddatgelu rhai o gyfrinachau Guiseppe Bardella. A ydyw'r cyfan wedi mynd i'r bedd? A ydyw Bardella yn fyw ac yn trigo yn Israel? Ai angladd a marwolaeth ffug oedd y cyfan?

'Gallwch fod yn amheugar fel rwyf innau, neu chwerthin,' meddai Mario, 'ond mae'r cofnodion am yr hyn a ddigwyddodd yn hollol wir!'

Bob tro yr af i Gastell-Newydd Emlyn i siopa, rwy'n syllu'n ochelgar

ar unigolion sy'n crwydro'r mart, y meysydd parcio a'r stryd fawr . . .
rhag ofn!

'Bwrw dy fara ar wyneb y dyfroedd . . .'

Nid bod David Parry a Clara Jones, fferm Bryn Pedr, y Ferwig, wedi
bwriadu elwa o'u cymwynasau a'u caredigrwydd. Roedd y rhagoriaethau
hynny yn rhan o'u hanianawd ac wedi eu meithrin yn eu magwraeth.
Hanai David Parry o ardal Glynarthen a'i wraig Clara o Ffynnone Gleis-
ion, Boncath.

Roedd cadw gweision a morynion yn rhan o drefn hwsmonaeth cefn
gwlad Ceredigion a'r cyffiniau yn ystod hanner cyntaf y ganrif ddiwethaf.
Ac ar ddechrau'r Ail Ryfel Byd, manteisiodd y teulu ar y drefn o gael
carcharor rhyfel o Wersyll 70 Henllan i weithio fel gwas ar y fferm.
Awgrymwyd y dylai'r Eidalwr a ddewisid fod yn un a allai ymdoddi'n
naturiol i fywyd fferm yn rhinwedd y ffaith fod ganddo brofiad o'r
gwaith, a'i fod, hefyd, yn fodlon gweithio'n galed. Dewiswyd gŵr o'r
enw Mario, a thrwy ei barodrwydd i gydweithio ac ymddwyn yn gyfrifol
fe'i gosodwyd yn y llofft uwchben y gegin fach ym Mryn Pedr lle bu
gweision eraill yn lletya yn eu tro drwy'r blynyddoedd. Roedd yn ystafell
breifat a chynnes ond heb fynediad i unrhyw ran arall o'r tŷ.

Cafodd fwyta gyda'r teulu a rhannu aelwyd a chael caniatâd, yn ei
aeddfedrwydd fel carcharor rhyfel, i gyfarfod â charcharorion eraill yn y
fro ar hwyrnosau ac i fynd i weld ffilmiau yn y Pafiliwn yn Aberteifi.
Roedd ffair Aberteifi hefyd o fewn ei derfynau. Câi gynrychioli'r teulu ar
ffermydd eraill ar achlysuron fel gosod a thynnu tato a chynaeafu gwair a
llafur. Yn wir, roedd ansawdd ei fywyd mor dderbyniol ac mor wahanol
i'w sefyllfa yn y fyddin ac fel carcharor yn ddiweddarach, fel y bu i'w
arhosiad yn y 'Bryn' fod yn lloches o fwynhad a phleser iddo. Yn ei
hiraeth profodd hwyl a sbri a llawenydd. A dysgodd bytiau o Gymraeg
fel y gwnaeth llawer ohonynt. Ysgrifennodd lythyron at ei rieni yng
nghanolbarth Yr Eidal gan ganmol croeso, caredigrwydd ac agwedd
teulu'r Bryn. Ond ni wyddai'r teulu lleol am gynnwys y llythyron.

Yn ystod yr un cyfnod saethwyd awyren Brydeinig i lawr uwch Yr
Eidal ac yn agos iawn at gartref rhieni'r Eidalwr-garcharor a oedd yn
gweithio ar fferm y Bryn. Dihangodd y peilot trwy neidio allan o'r
awyren mewn pryd ac fe'i hachubwyd gan ei barasiwt. Ac oherwydd yr
'amser da' a'r cymwynasau a gafodd eu mab hwythau ym Mryn Pedr, y

235

O'r chwith – Nan Jones (mam-gu, mam Huw a gweddw'r diweddar Stephen), Meinir, Sara, Huw Jones, ac Elen – yng nghwrt fferm y Bryn, y Ferwig. Yn y cefndir gwelir y ffermdy ac ystafell y llofft uwchben y gegin fach lle lletyai Mario, y carcharor rhyfel.

Ferwig, yn ystod ei gyfnod yno fel gwas, fe benderfynon nhw guddio'r peilot yn eu cartref rhag iddo gael ei ddal gan yr Almaenwyr. Gosodwyd y teulu mewn perygl mawr, ond roeddynt yn benderfynol o dalu'r gymwynas yn ôl. Roedd hynawsedd teulu'r Bryn, a weithredai fel cyflogwr a gwarchodwr i'w mab, wedi creu argraff ddofn arnynt. Fe guddiwyd y peilot am gyfnod hir nes i'r Almaenwyr gael eu gwthio allan o'r Eidal tua'r gogledd.

Ac ar ddiwedd y rhyfel derbyniodd teulu'r Bryn lythyr o ddiolch oddi wrth y peilot hwnnw, a oedd bellach wedi goroesi'r rhyfel yn ddiogel ac yn iach ac yn byw yn Llundain: 'Due to your Christian attitude and kindness and the civilized way you adopted the Italian prisoner into your household and way of life . . . you saved my life. Your kindness was returned in full to me after my escape by parachute by his parents and relatives in Central Italy. Despite the cruelty and horrors of war there existed love, comradeship and compassion. I am in your debt.'

Yn wir, roedd Idwal Jones (Gotrel), David Jones (y Bryn) a Lewis Williams (Heolgwyddil) yn cludo carcharorion fel Gaetano Rago, Carlo Fuscone, Capella, Pompillio (Stepside) a Mario (Bryn) i wersyll Henllan bob yn ail Sul, i'w gwasanaeth boreol.

Ac oherwydd y caredigrwydd a ddangoswyd i'r carcharorion, nid rhyfedd i lawer ohonynt aros yng Nghymru ar ddiwedd y rhyfel. Ni thaflodd y cymwynaswyr fara ar wyneb y dyfroedd er mwyn sicrhau lle yn nheyrnas nefoedd, ond cymwys yw cofnodi ail ran pennawd yr hanesyn hwn . . . 'a thei a'i cei drachefn'.

'Gino'

Oherwydd mai cymdogion oeddem fel teulu i fferm Garnwythog, ger Blaencelyn, treuliwn lawer o amser oddeutu rhyfeddodau'r beudy, y clos, yr ydlan a'r anifeiliaid. Chwech oed oeddwn ar ddechrau'r Ail Ryfel Byd. Roedd diwrnodau arbennig yn apelgar iawn i chwilfrydedd crwtyn ieuanc. Nid oedd diwrnodau tynnu a gosod tato efallai mor boblogaidd oherwydd y gwaith caled. Ond am gynnwrf a chyffro a phrofiadau newydd roedd diwrnodau dyrnu (a'r injan stêm – 'Ehedydd y Bore'), y cynaeafau gwair a'r llafur a'r ymweliadau â'r felin yn aros yn y co'. Ond efallai mai'r diwrnod mwyaf ysgytwol i grwtyn oedd diwrnod lladd moch. Roedd tomen dail ar ganol y clos a llu o weithwyr wedi dod ynghyd i helpu gyda'r gorchwylion.

Gallaf glywed o hyd Owens (Maesypentre), y cigydd lleol, yn hogi ei gyllyll miniog. Gwelaf fflachiadau llafn ei ffefryn – hen gyllell, gymharol fer wedi mabwysiadu ffurf chwarter lleuad yn ei thraul. Edrychai yn fwy bygythiol na'r rhai mwy o faint yn ei gasgliad a chymerwn gam yn ôl – o bellter hefyd. Daw arogl y mwg tân coed o'r tŷ pair i'm ffroenau, a chynnwrf y dorf a sgrechfeydd y mochyn ar ben y domen i'm clyw, a gwelaf y gwaed yn pystyllio i'r gwellt sych. Ac rwy'n cofio'r cyffro wrth chwarae pêl-droed â'r bledren, os oedd un dros ben!

Ond cofiaf un digwyddiad rhyfedd pan oeddwn oddeutu wyth oed. Roedd dieithryn ymysg y dorf ar y clos. Safai ar wahân i bawb arall oherwydd ei wisg, sef siwt o liw siocled a daflai fflachiadau ac awgrym o borffor yn yr haul, a phatsyn melyn crwn ar ben-glin ei drowsus ac ar gefn ei diwnic. Roedd o bryd o liw'r olewydd gyda gwallt du sgleiniog

John a Lena Griffiths, y Garn, Blaencelyn, y tu allan i'r 'sgubor a'r beudy.
Roedd y ffenestr fechan yn rhan o'r ystafell lle cysgai Gino.

fel y frân. Siaradai iaith ddieithr a chysgai mewn ystafell a adeiladwyd yn arbennig iddo yn rhannol uwchben y gwartheg yn y beudy a'r ysgubor.

Wedi dychwelyd i Glendale, ein cartref dros dro, gofynnais i Mam-gu pwy oedd y dieithryn. Atebodd yn syth ond gyda mwy o awdurdod nag arfer: 'Carcharor rhyfel yw e. Gino yw ei enw. Roedd yn ymladd yn erbyn dy dad. Mae e wedi'i ddal a'i garcharu a'i gadw yn Henllan. Ond gan ei fod yn bihafio yn dda mae'n cael aros yn y Garn, fel gwas. Gofala di nad ei di lan i'w ystafell. Falle y bydd e'n treial dy wenwyno. Paid â bwyta dim mae e'n ei gynnig i ti'.

Fe dybiech, oherwydd rhybudd Mam-gu a'r ffaith ei fod yn 'ymladd yn erbyn fy nhad', a oedd yn gapten llong yn y Llynges Fasnach, mai dyna fyddai diwedd unrhyw berthynas ag ef. Druan o Mam-gu, roedd yn meddwl y gorau. Mentrais wthio fy mhen dros y rhastal fwy nag unwaith wedi dringo'r ysgol bren tuag at ei ystafell. Nid oedd yn fwy na dwy lath neu dair sgwâr gyda 'linoleum' sgleiniog ar y llawr. Gwelais wely isel y tu ôl i'r drws, gyda 'dressing table' bychan mewn un gornel, cwpwrdd bychan i ddal ei ddillad, a stôf 'Primus' yn y gornel arall. Ar y muriau wedi eu papuro roedd casgliad o luniau o ferched prydferth, rhai o sêr

Hollywood os cofiaf yn iawn. Yr unig wahaniaeth y sylwais arno oedd y ffaith nad oeddynt yn fy ystafell i nac yn unman yn ein cartref! Gyda'r nos roedd yr ystafell yn gynnes braf uwch y gwres canolog parhaol. Ymhen amser ynganai ambell air yn Gymraeg – 'nos da', 'bore da', 'bara jam', 'dere lan', 'presant i ti'. A rhoddodd whît o bren sycamor imi o'i waith ei hun. Dangosodd y grefft imi, gan ddewis darn syth, ieuanc o bren sycamorwydden yn llawn o sudd tyfiant y gwanwyn. Fe'i sugnodd yn ei geg a phob yn ail ei daro â charn ei gyllell boced dros ei ben-glin. Gwnaeth doriad pedair modfedd i mewn o'r pen, a chyda thro ei law gadarn daeth y rhisgl i ffwrdd. Wedi rhagor o doriadau, medrai delori fel eos, ac fe'i cedwais, yn ôl y gorchymyn, mewn cwpaned o ddŵr ger fy ngwely. Roedd bellach yn ffrind oes i mi!

Bob rhyw bythefnos, berwai ddail dynad mewn sosban ar y 'Primus', ac wedi i'r cynhwysion oeri a setlo roedd ganddo jel iachus, yn llawn fitamin, ïoden a haearn, i'w roi ar ei wallt. Roedd yn gan gwaith iachach a mwy effeithiol na 'Brylcreem'. Cefais innau driniaeth i'm gwallt ac oherwydd natur gyrliog a chras fy ngwallt euraid, euthum adref yn edrych fel draenog pync! A phwy a oedd yn fy nisgwyl ond Mam-gu!

Câi Gino fynd â Wyn (mab John a Lena Griffiths) yn y pram am wâc, âi i'r cwrdd yng Nghapel-y-Wig ac i draethell Cwmtydu i lwytho graean a thywod ar gyfer adeiladu. Tynnai sylw'r merched ar bob achlysur gyda'i wynepryd golygus.

Roedd Gino yn weithiwr cymen, diwyd ac ymroddgar iawn. Cyn-rychiolai'r teulu ar ffermydd cyfagos yn ystod cynaeafau gwair a llafur, ac ar adegau gosod a thynnu tato. Âi i ffermydd Ffynnon-lefrith, Arthach a Phwllywhîl, a'r bwced dros ei ysgwydd. Cadwai ardd y Garn yn daclus heb chwynnyn i'w weld yn unman, ac roedd ganddo ddiddordeb arbennig mewn tyfu llysiau. 'Medrai aredig, llyfnu, hau a rowlio gyda cheffylau, a hynny yn llawer mwy cymen na mi,' meddai John Griffiths. 'Rwy'n cofio, ar ôl i mi aredig cae cyfan, gadawem ryw damaid o sofl ym mhob cornel, ond yna deuai Gino â'i raw-bâl a phalu pob modfedd nes cyrraedd y clawdd. Byddai hefyd yn cloddio â chlits. Mae ei gloddiau yma hyd heddiw yn gadarn ac yn grefftus eu gwedd . . . Dôi swyddogion y gwersyll yma i archwilio'r safonau ac addasrwydd y lle cyn i Gino ddod. Roeddwn i yn talu 19 swllt (95 ceiniog) i'r gwersyll bob wythnos am ei wasanaeth, ac yna roedd e'n cael arian poced a sigaréts gan y swyddogion yn Henllan. Rhaid oedd llanw amryw o ffurflenni ac adroddiadau misol am ei ymddygiad ar y dechrau. Cyn bo hir, gwelodd yr awdurdodau fod Gino yn ymgartrefu yn ddidrafferth'.

Pan oedd angen llu o weithwyr i wneud gwaith arbennig rhaid oedd ffonio neu anfon cais ysgrifenedig at D. J. Morgan ('Pant a Bryn' oedd enw ei golofn gyson yn y *Welsh Gazette*) fel cadeirydd y 'WAR AG' – y 'War Agricultural Committee'.

Yn ôl John Griffiths eto: 'Cysylltai D. J. Morgan â'r swyddogion yn Henllan. Rwy'n cofio fel 'tae ddoe. Ym 1943 daeth rhyw ugain o Eidalwyr acw i gwteru ac i bibo dŵr i lawr o'r caeau uchod. Roedd yna darddiant naturiol, a chyn whap roeddynt wedi ceibo gwter i lawr i'r clos, gosod pibau asbestos a'u llenwi'n ôl. Y peth diddorol yw mai dyna'r system sydd acw heddiw, nid y 'mains', a hyd yn oed yn ystod haf sych 1976, roedd digon o ddŵr yn y tŷ ac i'r anifeiliaid. 'Dwi ddim erioed wedi talu ceiniog i'r Bwrdd Dŵr. Yn y garfan honno, roedd un Eidalwr pwdwr (heddgeidwad o ran galwedigaeth), a gorfodwyd i mi gan yr Eidalwyr eraill i roi cyfri amdano i'r swyddogion am ei fod yn rhoi enw gwael iddynt fel gweithwyr. Anfonwyd ef yn ôl i'r gwersyll. Difyr hefyd yw nodi nad ymunai Gino â'r gweithwyr (ei gyd-wladwyr) pan aent i Langrannog i gael dip, oherwydd teimlai mai aelod o'r teulu ydoedd. Dôi i draethell Cwmtydu gyda fi i garto grafel, gyda dau geffyl a chart. Cariwn y grafel o'r traeth mewn llwythi cwarter, eu harllwys ar yr hewl ger yr odyn, yna pan fyddai digon, ail-lanwn y cart hyd yr ymylon ac awn lan drwy riw Cilie. Byddai rhai ffermwyr yn herio Evan Dafis, Eryl, i gario tywod a grafel mewn lori ar ôl i Dan Rees, Pantyrynn, gario'r gro i ben y traeth. Yn Llangrannog John Williams, Cefncwrt, a wnâi'r gwaith.'

Fe'i cofiaf yn cerdded heibio i'n cartref gyda'r hwyr, bron bob nos, i gadw cwmni â merch leol a oedd yn byw ar ei phen ei hun mewn ffermdy unig. Gwyddai'r fro fod y ddau yn gariadon mynwesol. Ond diflannodd yr Eidalwr ieuanc yn sydyn wedi i 'rywun' gysylltu â'r awdurdodau ynglŷn â'i gyfathrach â'r ferch. Fe'i gyrrwyd ymhell o wersyll Henllan (yn unol â'r rhybudd swyddogol), ac er i mi geisio dod o hyd iddo lawer o weithiau, dim ond atgofion melys yn unig sydd gennyf i a theulu Garnwythog am Gino. Ni feddyliodd John a Lena Griffiths ofyn iddo am ei enw llawn a'i gyfeiriad – yn eu dedwyddwch!

Ac fel ôl-nodyn i'r stori am y garwriaeth, dyweddïodd y ferch â gŵr lleol gan wisgo'i fodrwy werthfawr am gyfnod. Yna mewn pwl o ddiflastod ac o hiraeth am ei chyn-gariad o'r Eidal, taflodd ei fodrwy i ddyfnder y

tonnau yng Nghwmtydu!
 Bu bron iddo dorri ei galon pan adawodd. Aeth yn ôl, mwy na thebyg, i heulwen Yr Eidal. Ni chlywsom oddi wrtho byth wedyn. Ond erys yr atgofion. Nid oedd y rhyfel mor beryglus â hynny imi wedi'r cyfan, os oedd pob gelyn-filwr fel Gino.

Antonio Gallo
Clerc o 'ryw fath' oedd Antonio cyn y rhyfel a hanai o ddinas boblog Napoli, dan gysgod y llosgfynydd Fesiwfiws, nid nepell o ddinasoedd Pompeii a Herculaneum. Lluniais yr englyn canlynol i Fesiwfiws:

> Ôl eira'n dal i orwedd, – nwy a thân
>   O wythiennau'r perfedd;
>   A'r llwch fu'n cuddio'r llechwedd
>   O'r rhwyg fu . . . yn garreg fedd.

Daeth Antonio at deulu Blaenpant, ger Llechryd, yn garcharor o Wersyll 70 i weithio ar y fferm. Yn ôl Siân James (gynt o Flaenpant, cyn iddi symud gyda'i merch, Betsan, i Bantyrhelyg, Llechryd):

'Roedd y gwaith yn ddieithr iddo; pob peth yn wir yn ddieithr. Roedd gweld pwdin reis ar y ford yn dân ar ei groen. Meddai wrthyf yn wgus: 'Rice with sugar for me, same as potato with sugar for you'. (Byddai'r gwragedd modern yma yn gallu ei blesio). Hiraethai am facaroni'r Eidal, a phan gâi'r gegin yn rhydd fin nos, yno y byddai'n cymysgu ac yn rholio blawd ac wyau nes y byddai ganddo raffau hirion o facaroni o ryw fath yn hongian ac yn sychu ar lein yn groes i aelwyd y simne fawr. Yna'r sosban fawr ar y tân, ac wedi ychwanegu tomatos a pherlysiau, byddai yn cael gwledd wrth fodd ei galon.
    . . . Roedd wedi bedyddio pob buwch a llo ag enwau Eidalaidd. Yn fuan wedi dod atom, rhedodd i'r tŷ yn wyllt â'i wynt yn ei ddwrn, ar ôl troi'r gwartheg mas i'r glowty, gan weiddi: 'Quick, boss, Lucretia very sick!' Aeth y 'boss' i weld beth oedd yn bod a chwarddodd yn iach. Roedd Antonio mewn penbleth.
    'Not sick, boss?'
    'Yes, sick with love,' oedd yr ateb a gafodd, a dyna'r disgrifiad fyth wedyn o'r cyflwr diddorol a naturiol hwnnw mewn buwch ac

241

anner.

. . . Gwaith wrth ei fodd oedd trwsio'r tarw bach erbyn sioe ac arwerthiant Caerfyrddin. Rhedodd i'r tŷ i 'nôl rhagor o sebon, ac allan ag ef i barhau'r gwaith. Ond dyma fe'n ôl eto, fel dyn gwallgo. 'Bull escape,' llefai, gan redeg o gylch y clos â'i ddwylo i fyny yn yr awyr. 'Pa! Not possible,' llefai, ac roedd fel petai'r ddaear wedi llyncu'r tarw bach. Bu llawer o chwerthin pan welwyd fod y tarw wedi gwthio'r drws ar gau arno'i hun mewn 'catch' arall, ac Antonio wedi gweld y 'catch' lle dylai fod – yn wag!

. . . Trannoeth, roedd y sioe a'r arwerthiant. Aeth Antonio i Gaerfyrddin gyda'r llo tarw yn y lori, ac roedd i fod i ddychwelyd gyda'r 'boss' yn y car. Erfyniodd am gael deng munud i brynu rhywbeth mewn siop. Ond wedi hir ddisgwyl 'ddaeth e ddim yn ôl. Roedd wedi cael mynd i'r 'lock-up' am grwydro trwy'r siope heb gap ar ei ben. Trannoeth daeth swyddog o Henllan ag e'n ôl. Rhyw blismon busnesgar oedd wedi cydio ynddo. 'Perche? Perche?' meddai Antonio a gwep fawr dros ei wyneb.

. . . Gŵr ofnus ac ofergoelus iawn oedd e. Un noson yn yr haf, daeth i'r tŷ â golwg bryderus arno. Taerodd fod rhyw anifail rheibus yn chwyrnu arno yn y tŷ pair. Gwyddwn innau mai tylluan wen oedd yno yn magu ei chywion yn y simne, ond chwythai fel draig pe clywai sŵn rhywun yn agos.

. . . Pan gyhoeddwyd fod Yr Eidal wedi ildio, ei feddwl cynta' oedd: 'Please kill big quack-quack before Antonio go back to Italy!' Fe gafodd sawl cinio Nadolig, ac ar ôl hynny help i gladdu'r ŵydd.

. . . Pan ddaeth diwedd y rhyfel â rhyddid i blant y gaethglud i ddychwelyd i'w gwlad, roedd y chwant i fynd adre wedi cilio, ac fel llawer un arall o'i gyfoedion, arhosodd ar ôl am lawer blwyddyn.'

Primo ac Enid Faccio
Roedd cyfnod yr Ail Ryfel Byd yn ddryswch i lawer, yn enwedig i drigolion cefn gwlad. Cofiai nifer o unigolion a theuluoedd am gyflafan y Rhyfel Mawr. Codwyd cofgolofnau bron ymhob pentref. Gosodwyd coflechi mewn neuaddau, capeli ac eglwysi. Eto roedd bygythiad Hitler a'r Natsïaid yn fyw iawn ac yn nes at galonnau pobl a ffordd o fyw. Daeth y cyfryngau torfol â'r rhyfel yn nes – trwy radio, sinema, papurau

a chylchgronau. Gwelwyd llawer o wrthdystio a gweithredu cydwybodol. A phan ymddangosodd carcharorion rhyfel Eidalaidd ac Almaenig yn y bröydd, daeth brodorion de-orllewin Cymru ac ardaloedd eraill yng Nghymru wyneb yn wyneb â'r 'gelyn'. Eto i'r Eidalwyr, y Cymry, y Prydeinwyr, oedd eu gelynion hwythau. Onid dyna a ddysgwyd iddyn nhw gan bropaganda Mussolini? Ond newidiodd pethau yn gyflym!

Roedd Enid Sexton yn byw mewn bwthyn o'r enw Llaindala, neu Fwthyn y Clebryn, ger Cenarth, gyda'i mam. Hi oedd y lleiaf ond dau o saith o blant, dau o'r briodas gyntaf a phump o'r ail. Collodd ei thad ym 1927 o effeithiau'r Rhyfel Mawr, sef y diciâu a malaria. Roedd bywyd yn galed ond llafuriodd ei mam i sicrhau pob siawns i'w chywion niferus.

Cof cyntaf Enid am yr Ail Ryfel Byd oedd gweld ieuenctid y fro yn ymuno â'r fyddin wedi ymweld â'r Bwrdd Meddygol yn Abertawe. Adeiladwyd 'pill-box' ar sgwâr pentre' Cenarth. Sefydlwyd uned 'Home Guard' ac fe'u gwelwyd yn martsio, nid fel pendil cloc nac fel uned gyda'i gilydd i ddechrau. Ymunodd hen 'ffeirad y pentre', J. R. Jones (Jac Rob) â'r criw lliwgar. Llusgwyd traed, ond nid oedd 'left-right-left-right' y garfan yn ddim byd ond anhrefn a dryswch. Gwthiwyd gwellt dan drowsus un goes a gwair dan y llall. A chlywyd y platŵn, gyda phawb yn cario coes brws, yn gweiddi, 'gwellt-gwair-gwellt-gwair' – gan wella fel peiriant amddiffynnol bob cam o'r daith. Daeth cyfreithiwr o'r enw Jeffrey George i'w dysgu, mewn iaith â thwang reit Seisnigaidd. Ond meddai un forwyn, Blodwen, wrth wylio'r pantomeim, 'Diawch, *left* ychan, nid *le-eft*, *le-eft*!'

Wedyn daeth carcharor o'r enw Vincenzo di Beneditto i weithio ar fferm Penygraig. Yn wir, roedd yn byw gyda'r teulu yn y tŷ. Fe'i saethwyd gan fwled a dorrodd rych ar draws ei dalcen. Dyn lwcus iawn. Cofia Enid amdano yn cael rhyddid o'i waith caled ar y fferm ar hwyrnosau braf o haf. Hoffai fenthyg gwisg nofio aelod o'r rhyw deg. Neidiodd i mewn i Bwll y Defaid gan ddiflannu o'r golwg i'w ddyfroedd du. Ymhlith y dorf roedd gŵr o'r enw Walter Croft, a neidiodd yntau i mewn i achub Vincenzo. Bu bron iddo foddi, ond roedd yn ŵr lwcus eto!

Daeth rhagor o garcharorion i Allt y Bwla, Gelli Dywyll a Pharctŵad. Crynhôi llawer ohonynt ar sgwâr y pentre', a chan fod y bechgyn lleol, ac eithrio meibion ffermydd, wedi ymrestru i ymladd, tynnai'r Eidalwyr sylw'r morynion lleol.

Mynychai Enid a'i mam wasanaethau Sul yn eglwys Sant Llawddog,

243

Cenarth, yn rheolaidd. Prin iawn oedd eu habsenoldeb. Ac ar brynhawn Sabath hoffai Enid fynd am dro ac eistedd ar wefus greigiog uwchben y rhaeadr enwog. Yno, ymgollai yn ei llyfr darllen. Ond unwaith torrwyd ar draws ei thangnefedd gan un o garcharorion Henllan, yn ei wisg liw siocled a'i phatsys melyn. 'Buon giorno, senorina. How . . . are . . . you?' gofynnodd yn nerfus ac mewn Saesneg ansicr. 'Go away, go away. I have a sweetheart,' atebodd Enid, yn eithaf llym ei thafod. Dychwelodd yr Eidalwr i'r bont gan syllu i lawr ar y Gymraes brydferth. Yna, dynesodd Eidalwr ati. Hen ŵr oedd hwn a'i groen melyn wedi crychu yn heulwen y Môr Canoldir, ac roedd ganddo lond ceg o ddannedd pwdr. Hyd heddiw mae Enid yn ansicr ai'r Eidalwr cyntaf a anfonodd yr ail i lawr i ochr y dŵr i'w phryfocio neu ai dod yno ohono'i hun a wnaeth.

Primo Faccio oedd y 'romeo' cyntaf. Gŵr urddasol ydoedd a gerddai yn dalsyth, gan awgrymu mai swyddog ydoedd. Ond roedd wedi dal llygad Enid er ei hymateb swta ar y dechrau. Hanai Primo o ogledd yr Eidal, heb fod ymhell o Verona, ond symudodd ei deulu i gorsydd y Pontine dan gynllun Mussolini i amaethu'r gwlyb-diroedd. Yno bu ei dad a thri ewythr, gyda mul, moch a thwrcïod ac ychydig ieir – heb drydan na dŵr – yn crafu bywoliaeth. Ond anfonwyd Primo, fel y mab hynaf, i'r fyddin. Cyrhaeddodd anialwch y Sahara, yn aelod o'r milwyr-traed (yr *infantry*), a'i brif ddyletswydd oedd saethu trwy wn mawr at awyrennau'r gelyn. 'I couldn't kill. I always aimed to miss. I couldn't kill an animal on the farm,' dywedai Primo.

Ond fe'i carcharwyd yn Sidi Borrani ar ôl dim ond pythefnos ar y llinell flaen. Fe'i cludwyd o borthladd Alexandria, yn yr Aifft, i Bangalore, yr India, lle bu'n gwasanaethu ar y tir ac yn adeiladu ychydig. Yno, y tu ôl i wifren bigog, daeth ar draws un o'i gyd-bentrefwyr – Lucca Favrio. Ymhen ychydig amser fe'i cludwyd mewn llong fawr i Brydain ac i garchar Henllan yng ngwyrddlesni a thawelwch dyffryn Teifi.

Oherwydd ei gydweithrediad parod â'r awdurdodau a'i natur hawddgar, fe'i llogwyd fel 'carcharor cyfrifol' ('trustee prisoner') ac ymhen pythefnos fe'i hanfonwyd i fferm Parc Nest ger Castell-newydd Emlyn.

Cafodd aelwyd groesawgar a chwmni Eidalwr arall yn ogystal ag Eidalwyr a ddôi mewn lori i weithio un diwrnod ar y tro. Ond roedd gan Enid le hefyd i werthfawrogi hynawsedd a charedigrwydd Gwyn Jones, Parc Nest. Llwyddodd i ennill lle yn Ysgol Ramadeg Aberteifi trwy'r 11+, ond ni allai ei mam fforddio ei chynnal yn yr 'academi'. Trwy gym-

Primo ac Enid Faccio a'u mab, Richard.

wynasau Gwyn Jones, cafodd ei mam docyn gwerth pum punt ar hugain (o gyllid y 'British Legion'), i'w galluogi i brynu gwisg yr ysgol, esgid-iau newydd, tei a bag lledr i'w merch, popeth yr oedd ei angen arni ar gyfer y pum mlynedd nesaf o'i haddysg. Mae'n parhau hyd heddiw i gofio'r gymwynas ac i anrhydeddu'r weithred.

Daeth Enid a Primo i adnabod ei gilydd yn well. Ond nid oedd ei mam, y gymdeithas na'r awdurdodau yn fodlon i berthynas felly ddat-blygu – 'There will be no fraternisation between the prisoners and female elements of the local community. In the event of such misdemeanours all privileges will be withdrawn and the guilty prisoner will be sent to a

245

distant detention centre'. Cafodd llawer eu hanfon i ganolfannau o'r fath. Ond roedd Primo ac Enid yn benderfynol o barhau â'u carwriaeth. Ymhle, a phryd a sut y gallent gyfarfod â'i gilydd yn gudd, o olwg y pentrefwyr busneslyd?

Gwisgai Primo gôt law 'oilskin' lwyd dros ei wisg swyddogol. Roedd dau agoriad ynddi i ddefnyddio ei ddwylo. Ond edrychai fel bwbach yn aml. Dywedai Enid wrth ei mam, 'Rwy'n mynd i weld yr hen wraig ar bwys y capel'. Aethant i garu i borth yr eglwys (nid oedd golau trydan wedi dod i'r fro), hefyd i dwll ym mwa'r bont dros afon Teifi uwchben y lli, i benffordd gaeëdig ar heol Cwmcou ac mewn caeau. Pe dôi modur yn annisgwyl, medrai Enid, a oedd yn llai na phum troedfedd, guddio ar amrantiad o dan gôt law Primo, rhag y goleuni. Cofia Enid amdani ei hun yn dringo'r graig serth oddi ar lwybr y graig uwchben ceunant afon Teifi, gan afael yng ngwreiddiau a deiliach cadarn y clychau glas ar y llechwedd cyn ymlusgo a'i thynnu ei hun o dan byst a gwifren bigog i'r cae uwchben i gyrraedd breichiau cynnes Primo. Yno, dan y deri cnotiog, canghennog, aeddfedodd y garwriaeth. Roedd y rhyfel a'r Eidal ymhell i Primo wrth iddo gofleidio'i gariad. Teimlai Enid yn ddiogel yn ei gwmni. Roeddynt o'r un anian. Ond roedd yn rhaid taflu llygad dros ysgwydd yn rheolaidd rhag cloncwyr y pentref. Ac roedd amodau ei mam wedi eu hargraffu yn barhaol ar ei chof.

'Roedd mam yn 'strict' iawn. Rhaid oedd dod gartref bob nos cyn hanner awr wedi saith. Byddai'n gweithio yn yr ardd yn yr haf ac yn taflu clust yn aml am sŵn fy nhroed yn dod o bellter. Ond trwy reddf famol, daeth yn ddrwgdybus o'm wâcs rheolaidd, a phan ddaeth i wybod am fy mherthynas i â Primo, roedd yn lletchwith iawn. Bu bron i'r Trydydd Rhyfel Byd dorri! Eto, dros amser, a thrwy ddod i adnabod Primo a dysgu llawer am ei natur a'i gymhellion, ac yn sicr am ein cariad at ein gilydd, fe'i derbyniodd yn y diwedd â breichiau agored.'

Dychwelodd yr Eidalwyr o garchar Henllan i'w cartrefi yn yr haul, ond, fel y dywedwyd eisoes, arhosodd llawer yn nyffryn Teifi. Ac er mai diweithdra oedd y rheswm a gyfrifai am hynny yn ôl y farn gyffredinol, 'Fi oedd y rheswm am i Primo aros!' meddai Enid.

Dyweddïodd y ddau ym 1947, ond oherwydd problemau ariannol,

torrwyd y cytundeb am ysbaid. Aeth Primo i weithio am flwyddyn ar fferm Ffrwd-wenith Ganol, ger y Ferwig, yn gwmni i Luigi Ferrarinni dan oruchwyliaeth gytûn Wil, Tom ac Edith May Davies. Ymhen y flwyddyn symudodd eto o fewn y fro i fferm y Lleine, yn was i'r hoffus Rice ac Eileen Davies. Er hynny, ysgrifennai Enid lythyr beunyddiol at Primo ac nid edrychodd ar un bachgen arall yn y cyfamser. Teithiodd ei frawd draw i Gymru i ennill arian cyn dychwelyd i orffen ei system ddyfrhau yn sychder yr Eidal. Erbyn hyn roedd Primo wedi ennill tyst-ysgrif, 'naturalized alien', a bu i drefn rhagluniaeth ymyrryd ym mywyd y ddau.

Ysgrifennodd Enid lythyr at Esgob Tyddewi i ofyn am ganiatâd i briodi ei chariad yn eglwys Llanllawddog, Cenarth. Clymwyd y ddolen yng Ngorffennaf 1953 ac atseiniodd y clychau drwy'r cwm. Roedd rhyw-beth mwy na phriodas wedi digwydd ar lannau afon Teifi y diwrnod hwnnw. Roedd cariad dau, o'r naill ochr a'r llall yn ystod y rhyfel, wedi trechu lladd, wylofain a thristwch. Llanc ieuanc 19 oed oedd Primo pan ymunodd â'r fyddin, ond bellach, ac yntau yn 33 oed, dychwelodd ar ei fis mêl yng nghwmni ei dwmplen fach o wraig i Borgo Montanero i aduniad emosiynol iawn â'i deulu. Gwelodd Primo newidiadau sylweddol yng nghymdeithas ei famwlad. Roedd Ffasgaeth wedi diflannu o'r tir. Daeth heulwen, llawenydd a gobaith yn ôl i'r teuluoedd, ond nid oedd yn rhan o ddyfodol Primo ac Enid. Ymsefydlodd y pâr ieuanc yn yr hen gartref yn Llaindala, ar lannau afon Teifi ac ailgydiodd Primo yng nghyrn yr arad goch ar fferm Aberdwylan, Abercych, a gwasanaethodd yn ym-roddgar yno am bymtheng mlynedd. Bu hefyd am gyfnod byr yn gweithio ar fferm Iet. Fe'i hystyrid ef yn weithiwr dyfal, gonest ac ymroddgar drwy gydol ei yrfa o 41 mlynedd a rhagor.

Parhaodd Primo ac Enid i fyw yn 4 Dan y Graig, Cenarth, a ben-dithiwyd yr aelwyd ym 1966 â mab bychan, Richard Anthony (Ricardo i'w berthnasau yn yr Eidal). Bu farw Primo yn Ebrill 2003 ac mae ei weddillion yn gorwedd ar bwys ei fam-yng-nghyfraith (Hannah Sexton) ym mynwent Llanllawddog.

Teithiodd Primo ac Enid ddeuddeg o weithiau i'r Eidal ac mae'r mab wedi bod yno wyth o weithiau ac wedi mwynhau croeso cynnes iawn hanner arall ei deulu. Un o brofiadau melysaf Primo oedd cael cyfarfod â hen ffrind, Giovanni Marin, ar ôl 58 mlynedd wedi iddo gael ei anfon i Rwsia yn ystod y rhyfel. Trawodd y ddau ar ei gilydd ar stryd eu pentref genedigol.

Ond roedd digon o gwmni Eidalwyr gan Primo yng Nghymru, oher-
wydd arhosodd 23 o garcharorion Henllan yn nyffryn Teifi ar ddiwedd y
rhyfel. Ymhlith ei gyfeillion roedd Toni Vasami, Nicola Currado, Felice
Cereda, Carlo Fusconi a Guerino Monti.

Meddai Enid: 'Yn ystod y rhyfel, nid cymdeithas a phobl gytûn oeddem,
ond carfanau o bentrefwyr, carcharorion, gelynion a gwarchodwyr. Ac er
bod y Cymry wedi dangos agwedd Gristnogol tuag at y dieithriaid, nid
oeddynt yn cymeradwyo perthynas rhwng merch leol a charcharor.
Roedd rhai yn edrych arna' i fel croten cornel y stryd, ond roeddwn i a
Primo yn hollol gartrefol a chynnes yng nghwmni ein gilydd. Roedden ni
o'r un anian, fel petasen ni wedi ein tynghedu i fod gyda'n gilydd. Ac
felly y bu am hanner can mlynedd'.

Y ddau ddarn hanner coron

Mae naws ddamhegol a thestun pregeth i'r pennawd. Yn wir, o gofio ystyr
'dameg' o ddyddiau'r Ysgol Sul – 'stori ddaearol ac iddi ystyr ysbrydol' –
mae'r pennawd yn gweddu'n berffaith i'r stori a adroddir.

Brodor o Sisili (Sicilia) oedd Flavio Barresi, er iddo dreulio blynydd-
oedd ei blentyndod yn Tripoli, Libia, yng ngogledd yr Affrig. Ac yno yr
ymunodd â byddin Yr Eidal ym 1940.

Yn ôl erthygl gan Rheinallt Llwyd (*Y Ddolen*, rhifyn 102, Tachwedd
1987): 'Bu mewn nifer o frwydrau ffyrnig yng ngogledd yr Affrig cyn
cael ei gymryd yn garcharor rhyfel yn El Alamein ym Mehefin 1942.
Treuliodd rai misoedd yn garcharor yn Alexandra (Yr Aifft) a gwlad
Groeg. Ond erbyn diwedd 1942, roedd yn un o bedair mil o garcharorion
Eidalaidd ar eu ffordd mewn llong i Lerpwl. Didolwyd saith gant
ohonynt a'u symud i wersyll Henllan (P.O.W. 70) ger Llandysul. Roedd
Flavio yn eu plith. Bu yn Henllan am ryw ddeufis yn helpu i adeiladu ac
ehangu'r gwersyll'.

Yn gynnar ym 1943 dewisodd Flavio fynd i wasanaethu fel carcharor i
fferm Brynchwyth, Llangwyryfon. Lleolir y fferm 132 erw deuluol ryw
filltir a hanner ar gyrion Llangwyryfon ar y ffordd i Ledrod. Hwsmon-
aeth draddodiadol oedd y drefn gyda gwartheg, defaid, moch, ieir a
cheffylau. Roedd y tir yn gymharol wastad ac fe adfeddiannwyd y rhostir
a sugnen y waun. Ac er bod y plant – Dan, Gilbert, Jane a Lisi – yn gefn i
waith y fferm, credai John Jones a'i wraig y byddai dwylo ychwanegol
yn dderbyniol iawn. Yn ôl Daniel Jones: 'Roedd Flavio yn ŵr ifanc cyd-

Flavio Barresi ym 1940.

nerth ac yn weithiwr diwyd a chydwybodol'.

Rhoddwyd ystafell iddo yng nghefn y tŷ a rhannai aelwyd, bwrdd bwyd, gŵyl a gwaith a throeon gyrfa'r teulu cyfan. Heblaw'r gorchwylion ym Mrynchwyth, câi Flavio ei anfon i helpu ar rai o ffermydd eraill y gymdogaeth, fel Rhandir Uchaf a Facwn.

Yn ôl erthygl Rheinallt Llwyd:

> 'Ond er mor gymeradwy oedd o gan deulu Brynchwyth ceisiodd John Jones ei orau glas ei gael i aros yno ond yn niwedd 1944, penderfynu gadael a wnaeth Flavio Barresi. Fel arwydd o'u hedmygedd tuag ato fe gâi goron yr wythnos yn ychwanegol at y tâl swyddogol o 19 swllt (95c) a dalai'r ffermwr i'r awdurdodau yn Henllan.
>
> . . . Ond ar ddiwedd ei wythnos olaf ym Mrynchwyth cyflwynodd John Jones ddau ddarn hanner coron arall iddo dros gledr ei law – fel arwydd o ffarwel ac edmygedd o'i ymroddiad. Teimlai'r teulu golled fawr ac elfen o hiraeth yn sgil ei ymadawiad annisgwyl. Roedd y Rhyfel yn dod i ben a pheth naturiol fyddai iddo aros tan

Flavio Barresi a Daniel Jones, Brynchwyth, Llangwyryfon, gyda'r ddau ddarn
hanner coron a ddychwelwyd ar ôl 43 o flynyddoedd, llun a ymddangosodd
gydag erthygl ar dudalen flaen *Y Ddolen*, Tachwedd 1987.

i gymylau'r drin godi.

. . . Treuliodd Flavio weddill cyfnod y rhyfel ar fferm ger
Hwlffordd cyn dychwelyd adref ym Mai 1946. Dychwelodd ei
deulu o Tripoli i'r Eidal yn fuan iawn wedyn ac ymsefydlodd
yntau yn Trapani, Sisilia. Yno y priododd ac y magodd ei dri
phlentyn. Aeth y ferch hynaf i fyw bellach yn Fenis (Venezia), ei
fab hynaf i'r Brifysgol a'i fab ieuengaf yn gemegydd mewn ffatri
feddygol yn Trapani. Ymddeolodd Flavio ei hun wedi gweithio
mewn amrywiol swyddi. Ond er iddo ddychwelyd i'w gynefin,
creu gyrfa iddo'i hun a dod yn benteulu hapus, roedd rhyw hiraeth
rhyfedd yn cyniwair ynddo drwy'r blynyddoedd am gael dych-
welyd i Frynchwyth a Llangwyryfon.'

*   *   *

'Ar nos Sadwrn, 24 Hydref 1987, derbyniodd Mr a Mrs Daniel Jones, Brynchwyth, neges go anarferol o un o'r blychau ffôn ger gorsaf Aberystwyth. Roedd Flavio a'i wraig wedi cyrraedd yn saff ar ôl teithio o'u cartref yn Trapani, Sisilia. I Flavio roedd yn daith emosiynol a phwysig dros ben, yn gyfrwng iddo wireddu hen freuddwyd a throedio hen lwybrau,' meddai Rheinallt Llwyd.

Roedd y dasg o wireddu'r freuddwyd wedi dechrau'n gynharach (ym 1987) pan anfonodd Flavio lythyr at offeiriad Llangwyryfon. Ac wedi 43 blynedd, dychwelodd Flavio Baressi i ben draw ei enfys. 'Roedd yn gartref oddi cartref i mi, ac rwy'n falch iawn fy mod i wedi gallu dod yn ôl,' meddai'r Eidalwr hoffus.

Yn ôl Rheinallt Llwyd eto: 'Roedd yn hawdd deall hynny oherwydd roedd o'n adrodd gyda brwdfrydedd heintus yr atgofion oedd ganddo o deulu Brynchwyth ac ardal Llangwyryfon ym 1943-44.'

Llifai'r atgofion cynnes yn ôl iddo ar aelwyd groesawgar teulu Brynchwyth. Cafodd Flavio a'i briod lety a chroeso twymgalon iawn ar y fferm am bron i wythnos.

'Cafodd gyfle i ail-ymweld â mannau yn yr ardal a oedd yn dal yn fyw iawn yn ei gof, a chafodd dreulio p'nawn yn Aberystwyth a diwrnod yn Henllan a Hwlffordd. Nid fel carcharor rhyfel y dychwelodd ond fel cyfaill yn llawn teimladau da. Ac o fewn ychydig oriau wedi iddo ddychwelyd roedd nifer o eiriau Cymraeg a oedd mor gyfarwydd iddo gynt yn llifo dros ei wefusau'n gwbl naturiol – 'bachan bach, cau'r drws bachan, cer mas ci, adre'r ast', ac ati.

. . . Rhai o'i atgofion oedd y rhai hynod ddigri megis y tro hwnnw pan fu bron i'w drowsus fynd ar dân oherwydd nad oedd wedi diffodd ei sigarét yn iawn cyn ei rhoi yn ei boced. Neu'r tro hwnnw pan lwyddodd i dawelu buwch anhydrin mewn arwerthiant yng Nghorsgoch gan ennyn edmygedd ardal gyfan oherwydd ei ddewrder a'i gryfder. Roedd yn cofio hefyd gyda manyldeb anhygoel am rai o'r gorchwylion beunyddiol a wnâi ym Mrynchwyth – trin y ceffylau yn y bore bach, godro â llaw, torri ysgall â phladur, ac ati.

. . . Ond y weithred gyntaf a mwyaf amlwg ond annisgwyl a

gyflawnodd ar gyrraedd aelwyd Brynchwyth wedi 43 mlynedd oedd dychwelyd y ddau ddarn hanner coron a roddwyd iddo gan John Jones ar ei ymadawiad – yn ôl i ddwylo cadarn Daniel Jones.'

Maent ym meddiant y teulu o hyd – yn atgof ac yn gysylltiad â phrofiadau cyfoethog a oedd tu hwnt i ryfel a'i drais. Profodd yn fuddsoddiad o frawdgarwch a greodd elw yng nghalonnau dynion.

Heolgwyddil, y Ferwig, 1943-1946
(Hanes Michele, Richie, Primo a'r teulu)
Roedd teulu'r Williamsiaid yn deulu niferus â chiwed o naw o blant, saith o fechgyn a dwy o ferched. Ac roeddynt i gyd yn berchen fferm yn y fro a'r Gymraeg yn llifo trwy eu bywydau beunyddiol. Trigai Lewis Williams, yr hynaf, a'i deulu ar fferm Heolgwyddil, a'i sylwadau ef yw'r cofnodion canlynol.

'Gwrandawai Michele (carcharor Eidalaidd o Henllan) ar 'Lord Haw-Haw' bob nos cyn mynd i'w wely. Ond siglai ei ben dro ar ôl tro, er i'r hen 'Haw-Haw' broffwydo mor ffyddiog y deuai buddugoliaeth i'r Almaen. Gwnâi i bawb gredu fod y fuddugoliaeth gyda'r gelyn, a ninnau'n gwybod fod hwnnw'n hongian bron gerfydd yr edefyn olaf. Ych a fi – dyna amser!

. . . Cofiaf amdanaf yn mynd gyda Michele i ddyrnu i fferm gyfagos. Roedd yr injan stêm a'r peiriant mawr yn yr ydlan, lori'r carcharorion o Henllan ar y clos, cymdogion wedi ymgasglu at ei gilydd i helpu . . . ond druan o wraig y tŷ. Dôi'r gymanfa fawr i mewn i'r gegin i ginio. Tair bord yn llawn i'w hymylon a thair iaith yn llamu yn ôl ac ymlaen dros y byrddau. Eidaleg byrlymus a 'stumiau wynebau a breichiau rhwng yr Eidalwyr; Saesneg bratiog rhwng yr Eidalwyr a'r Cymry, a'r Cymry hwythau â'u Cymraeg. Er cymhlethdod y parablu, roedd y Tŵr Babel hwn o brofiad yn hyfryd a'r cyfeillgarwch yn glòs.

. . . 'Tomorrow,' meddwn wrth Michele, 'we shall castrate the pigs'. Tair torred oedd y gorchwyl. 'You do not do this,' oedd yr ateb. 'In Italy only doctor do this.' Hogais y gyllell boced. 'You see, Michele, it will only take half a minute each and it will be over very quickly.' 'Oh no, Boss! Oh no, Boss! 'No catch pig.' Bu'n rhaid chwilio am gymorth gan rywun arall. Llwfr oedd yr

Eidalwr yn y pethau hyn.

. . . Nid anghofiaf byth y tro hwnnw pan oeddem yn trwsio hen iet ar lawr y cartws. Roedd Michele a minnau wrthi gyda morthwyl a hoelion. Ond yn sydyn, clywais waedd uchel. Roedd bys Michele wedi dal yr ergyd yn lle'r hoelen, a'r ergyd wedi mynd yn lletwith. Neidiodd Michele ar ei draed gan barablu geiriau dieithr a gwasgu'i fys. 'Come . . . stato?' Y noson honno euthum at y geiriadur Eidaleg-Saesneg. 'What were you saying when you knocked your finger? They are not in this dictionary.' Chwarddodd y ddau ohonom, bron â bosto, ac yna daeth esboniad am y rhegfeydd Eidaleg – oherwydd brodyr ydym i gyd yn y pethau hyn.

. . . Digwyddiad arall oedd y 'special treat'. Roedd Michele wedi ei addo ers wythnosau. Daeth y cyfle ond roedd un amod bwysig, sef y byddai'n rhaid i Ela, fy ngwraig, fod oddi cartref ar y pryd. 'Don't eat much for tea. Special treat for supper. I make for you spaghetti. It will be the big treat in all your life.' Roedd pentwr o does ar y ford bren a'r pin rowlo yn mynd drosto, 'nôl a 'mlaen, nes ei fod fel 'wafer'. Allan y daeth y gyllell i'w dorri yn stribedi fel garre sgidie cyn eu berwi mewn sosban fawr. Roedd wyau rywle yn y broses a sôs coch lliwgar. 'You no eat nothing like this before.' Roedd yn fy atgoffa am was bach o Sais a oedd wedi ceisio dysgu Cymraeg, ac yn gweithio gyda ni pan oeddem ni yn blant. Anfonodd fy nhad ef allan i weithio ar fferm arall am y dydd ond pan ddychwelodd meddai, ''Na gino heddi, we neb ynddo fe'. Cawl tenau oedd e'n feddwl, dim cennin, persli, tato na moron. Ond am *spaghetti* Michele, gallwn gredu wrth weld y pethau a aeth i fewn fod pawb a phopeth ynddo. Pryd i ddau oedd e i fod, er bod y sosban yn llawn. 'When you will be eating, you will be quick with fork and you will watch me swing the spaghetti round to me mouth.' Daeth y berwi i ben o'r diwedd, a llanwyd dau blât mawr hyd yr ymylon gan fwydod brith! Bochiodd Michele y bwyd gan ei ganmol i'r cymylau, ond roeddwn i wedi dod i 'dead-stop', ac yn methu cael dim i lawr y lôn goch. Roedd gennyf drueni mawr drosto. 'I don't know what is wrong with me, Michele, after all your trouble. I am sorry. I can't eat it. It is nice, I know. Perhaps you will eat it tomorrow'. 'Yes,' mynte fe, ac ar hynny daeth fy ngwraig, Ela, i fewn. 'Beth yw hwnna sy gyda chi i swper heno?' gan dopi, a chopa ar y cyfan. Ni allwn helpu Michele.'

253

*   *   *

Bu Eidalwr arall, Richie, yn byw ac yn gweithio gyda'r teulu am gyfnod ym 1946. Daeth diwedd y rhyfel a bu raid iddo ddychwelyd i Henllan cyn mynd yn ôl i'r Eidal. Roedd hiraeth ar bawb pan ymadawodd oherwydd roedd yn fachgen hyfryd.

Yn ôl Lewis Williams eto:

'Stori'r lladd mochyn yw hon. Wedi torri'r mochyn, rhaid oedd gwrando ar gyngor Richie. Roedd am roi'r cig mân i gyd drwy'r 'mincer', gan gynnwys y ffrei blasus y byddai pawb yn disgwyl ei gael ar y ffreipan. 'Oh no, it will be much more nice in sausage'. Bu Richie wrthi yn malu ac yn malu am oriau lawer. Roedd pob tamaid o gig wedi mynd drwy'r 'mincer' ar wahân i'r darnau mawrion a gafodd eu halltu. Ni welais well selsig erioed; roeddynt yn edrych yn flasus tu hwnt, yn fendigedig. 'Pity not make the whole pig into sausage,' meddai Richie ar ôl i mi ei ganmol. Y cam nesaf oedd eu hongian yn yr hen simne fawr fel rhaffau o winwns. 'Why hang them up there?' gofynnais innau. 'Stop there for three weeks, boss. When dry, very delicious,' oedd yr ateb. Nid wyf yn deall beth a ddigwyddodd, ond pe baent wedi eu cymysgu â siment ni allen nhw byth fod yn galetach. Mwy na thebyg roedd wedi gweld ei fam wrthi. Rwy'n siŵr mai'r crasu a wnaeth y drwg a gormod o dân dros amser hir. Yr unig gylla a welodd y rhain oedd cylla'r cŵn. Dyna drueni, ar ôl yr holl ffwdan – colli'r ffrei a cholli'r cyfan. 'Doedd dim i'w wneud ond chwerthin gyda'n gilydd wedi i bopeth fynd yn ffradach!

. . . Roedd Richie, fel y lleill, mor garedig a hynaws wrth y plant, yn trwsio'u teganau ac yn rhoi o'i orau i'w difyrru. Ar un adeg, roedd chwech o'r carcharorion yn byw gyda ni fel teulu, ar fferm mam, a ffermydd fy mrodyr a'm chwiorydd.

. . . Rwy'n cofio'n dda am Primo, gweithiwr caled a chydwybodol, a mab i fferm yn Sicilia. Yn ystod y cyfnod y bu yma, roedd nos Wener yn noson bwysig iawn iddo. Âi i lawr i dref Aberteifi ar brynhawn Sadwrn ac roedd yn rhaid paratoi'n drylwyr i gyfarfod â'i gyd-Eidalwyr. Ac wedyn, mynd i'r pictiwrs yn y Pafiliwn.

. . . Rhaid oedd clirio'r ford bren yn y gegin am o leiaf ddwy awr

– 'to press the suits, boss'. Rhwng y lliain llaith, yr heyrn smwddio, y tuchan a'r ager, roedd yn broses ofnadwy. 'Get the lines, copy straight on the trousers – is very important'. Wedi iddo lanhau'i esgidiau un tro, edrychais ar y brws. Synnais ei fod yn dal wrth ei gilydd. Chwythai anadl ar y lledr nes bod ei dalcen yn tasgu o chwys – 'I like to see my face in them, boss!' Rhaid i mi gyfaddef nad wyf wedi gweld neb yn caboli 'sgidie fel Primo, druan. Ymfalchïem mai ni oedd wedi prynu'r esgidiau yn newydd i Primo am weithio amser ychwanegol. Nid oedd hawl gennym i'w dalu gydag arian, dim ond talu i'r 'camp', ond ychwanegu rhyw ychydig at 'rations' y sigaréts yn unig a wnâi hynny. Hen fachgen hyfryd oedd Primo, ond ni allai ddarllen nac ysgrifennu. Ond chwarae teg iddo, roeddem wedi cael hanes y teulu bach yn Sicilia. Ond wedyn daeth llythyr, y cynta' ers amser maith, ac roedd yn ddagrau ac yn llawenydd i gyd. Awgrymais y dylai fynd at un o'r Eidalwyr eraill i'w ddarllen iddo ar unwaith. Ond na. 'You possible try, boss. Perhaps me understand'. Blanc oedd y cyfan i mi, a blanc oedd e i Primo. I mewn i'r tŷ â ni i ginio wrth y bwrdd, a geiriadur Eidaleg o'm blaen, ond 'doedd hwnnw'n ddim help. Es ati. Cefais well hwyl arni na'r disgwyl, er na wyddwn beth roeddwn yn ei barablu. 'Si, si!' ebychai Primo, gyda chwerthiniad uchel ac ergyd i'w benglin â chledr ei law. 'Very good, boss. Very good, boss. My wife O.K. All O.K. My little girl Maria start school. Oh! very good, very good, go on'. Ac ymlaen yr es i.

. . . Aeth draw at ei gyfaill Hugo y noson honno i gael gwell darlleniad ac ar unwaith ysgrifennodd ei ffrind ateb yn ôl i'w deulu. Darllenais lawer llythyr i Primo wedi hynny, ac mor falch oeddwn fod pob llythyr yn dweud fod popeth yn iawn gartref. Nid oedd un llythyr wedi creu chwithdod iddo. Roedd ein cydymdeimlad fel teulu yn fawr iawn â Primo, a meddyliwn lawer tro sut y byddwn i pe bawn yn cael fy rhoi yn ei le.

. . . Eidalwr arall a fu gyda ni oedd Nino. Bachgen sengl, canwr di-stop, a chwibanwr heb ei ail wrth odro a glanhau'r beudy ydoedd. Fe godai galon pawb. Roedd yn grefftwr medrus hefyd. Un diwrnod roeddwn newydd ddod allan o'r car â rhaca wair bren yn fy llaw. 'Boss, boss, you pay for everything! Why not make yourself? Plenty of wood down in forest'. Daeth â rhaca fach arall i mi – un well na'r un o'r siop. O'r fforest wrth gwrs. Gwnaeth fodrwy i mi, fel un aur, o biben bres, a breichled o'r pishine bach tair arian, a phethau eraill di-ri. Dim rhyfedd fod merch newydd ganddo o hyd!'

Luigi Ferrarinni, y pen-garddwr.
Arhosodd Luigi i ffermio yn ardal Felinwynt.
Siaradai Gymraeg graenus.

Luigi

'Dewch yn nes! Ac eto . . . yn nes! Welwch chi'r garej yn siŵr – mae'n ddigon o faint! Ond wedyn sylwch dan y drws. Anghyffredin iawn, ddywedwn i, ac mae'r arogl yn wahanol. Pleserus, i ddweud y gwir. A meddwol! Nid yr arogleuon fferm arferol – tail, llwch y cynhaeaf neu fwg y peiriannau!'

A'r gŵr croesawgar oedd Luigi Ferrarinni, Eidalwr o Parma, ardal yr ham a'r caws Parmigiani enwog, a chyn-garcharor rhyfel o wersyll Henllan a ddaeth i wasanaethu ar fferm Ffrwdwenith Ganol, ger Aberporth, ym 1943.

'Prynhawn da, Luigi.'

'Prynhawn da. Sut y'ch chi. Dewch mewn,' atebodd yntau mewn Cymraeg gloyw, graenus.

'Beth sy 'mla'n 'da ti yn y garej?'

256

Erbyn hyn roedd ffroth ac ewyn yn byrlymu'n sylweddol a'r swigod yn dianc ac yn hedfan cyn diflannu yng ngwres cynnes haul Haf Bach Mihangel. Agorodd Luigi'r drws. Yn hytrach na modur y teulu gwelwn resi o finiau plastig o gylch y garej a'r ffroth trwchus yn dianc ohonynt o dan y caeadau fel carped hud.

'Fan hyn rwy'n gwneud gwin. Daw lori fawr draw i Gaerfyrddin o Sicilia ym mis Medi neu Hydref â llwyth o rawnwin. Bydd yr Eidalwyr lleol yn ei chwrdd ac yn prynu rhan o'r llwyth yn eu tro i wneud gwin. Mae tipyn o chwarae yn y 'bins' heddiw, oherwydd y gwres. Ond mae'n argoeli'n dda. Wyt ti am ddracht?' Tynnodd botel i lawr o silff gerllaw. Er bod hen label arni yn ei haddurno, gwin Luigi ydoedd – 'Vino di tavola della Ceirios', sef enw ei gartref.

Cymeriad hoffus ac adnabyddus iawn oedd Luigi. Oni bai am ei bryd tywyll, ei wallt du ac ychydig o oslef estron i'w leferydd, gallech dyngu mai Cymro ydoedd. Fe'i carcharwyd yng ngogledd yr Affrig cyn ei symud i Blackpool ac yna i Henllan. Roedd teulu Ffrwdwenith Ganol yn meddwl y byd ohono, nid yn gymaint am ei barodrwydd i weithio'n galed ond am ei hynawsedd a'i ddidwylledd. Fe'i derbyniwyd yn fuan iawn yn un o'r teulu. Gwasanaethodd yntau yn ffyddlon iawn. Ond ym 1965 daeth profedigaeth i'r teulu a phenderfynwyd ymddeol, os yw ffermwyr byth yn gwneud hynny. Ystyriwyd parhau gyda'r fferm, a Luigi i gymryd y gofal a'r baich. Ond roedd yn ormod iddo. Gwerthwyd y fferm ac fel cydnabyddiaeth a gwerthfawrogiad o wasanaeth cydwybodol Luigi, adeiladwyd tŷ newydd – Ceirios – yn Felin Wynt, a gwahoddwyd Luigi i rannu aelwyd gydag Edith Mary a William James Davies, ei brawd. Yno câi ei gydnabod yn aelod llawn o'r teulu. Rhennid yr ardd yn ddwy, un rhan i William ac un i Luigi. Ac ar ymweliad â Cheirios, roedd y naill a'r llall yn canmol ei Eden ei hun i'r eithaf. Roedd y gystadleuaeth yn eithafol, ond mewn ysbryd hwyliog a diniwed. Ar bob ymweliad roedd yn rhaid derbyn samplau o'r cynnyrch, ac ar bob ymweliad dilynol gyfaddef pa un oedd yn rhagori.

Aeth Luigi i weithio i gwmni adeiladu Howell o Gilgerran, lle y bu iddo ei amlygu ei hun eto fel gweithiwr dibynnol a chrefftus. Ac yn ystod ei oriau hamdden parhâi gweithgaredd y ffatri win a'i pheraroglau yn y garej. A phan ymwelwn ag ef, gwyddai ar unwaith fod fy llygad a'm tafod yn gwyro'n drymach tuag at y garej yn hytrach na thua'r ardd.

Luigi a drefnodd y swper a'r adloniant llwyddiannus iawn i Mario

Ferlito a'i ffrindiau yn y Llew Coch yng Nghaerfyrddin. Roedd am arddel ei wlad fabwysiedig ger bron gwesteion ei famwlad. Ac ymunodd Edith Mary Davies ag ef droeon pan âi i Parma i weld ei deulu, a chael croeso cynnes wrth iddi brofi'r 'brio' Eidalaidd. Ond dychwelyd i Geirios a wnaeth Luigi bob tro.

Daeth ei ddyddiau ar y ddaear i ben yng Ngheirios. Talwyd y deyrnged olaf iddo gan y teulu, a'i barchu a'i anrhydeddu trwy roi ei weddillion i orwedd ym medd y teulu ym mynwent Ffynnon-bedr. Mae'r weithred honno yn llefaru cyfrolau, am y teulu yn ogystal ag am Luigi.

Plas y Bronwydd
Taith ddiddorol oedd mynd o Langrannog i Henllan yn y 'Western Welsh' ar hyd ffyrdd troellog a chul. Ond y rhan fwyaf cyffrous oedd disgyn ac esgyn rhiw Bengallt (Bronwydd) ar gyrion pentref Aberbanc. Yn y pell-ter, rhyw hanner milltir i ffwrdd uwchben y cwm coediog ar gefnen o

Plas y Bronwydd (llun: Iolo Jones).

dir, roedd adeilad trawiadol Plas y Bronwydd. Yn ystod fy mhlentyndod cofiaf amdano mewn cyflwr cymharol dda cyn iddo ddadfeilio a throi'n furddun cegrwth. Roedd ei bensaernïaeth gymysglyd yn cyffroi chwilfrydedd plentyn. Gyda'i dyrau Gothig a Normanaidd eu cynllun, y ffenestri canol-oesol eu naws, y toau serth a'i amlinelliad yn erbyn goleuni'r gorllewin, roedd yn gyfuniad o sawl nodwedd bensaernïol. Ynddo roedd gwrachod y Fall ac ystlumod yn llercian. Ynddo roedd straeon Jacob a Wilhelm Grimm a Hans Christian Anderson. Ynddo, efallai, roedd cuddfan y Tylwyth Teg. Roedd yn fy nghyffroi i'r byw bob tro y'i gwelwn. Teimlwn ofn, chwilfrydedd, arswyd, ac awydd ambell waith i ymweld â'r lle. O! am fyw mewn lle felly, neu, yn fwy diogel, ar ei bwys. Â'i gatiau haearn addurnedig a'i lodj breifat lle trigai Leisa Thomas i agor a chau'r giatiau gyda phob mynd a dod, roedd yn agored i fyd o ramant a dirgelwch.

Canodd Isfoel gerdd weddol faith i 'Hen Blas y Bronwydd' (*Ail Gerddi Isfoel*, 1965), cyn i'r 'Sensor o Beniel', ei frawd S. B. Jones, daro'i bensil piws drwy'r un pennill ar hugain gwreiddiol a chwtogi'r gerdd:

Hen balas y Bronwydd a'i dyrau a'i do
Trwy'r oesau fu'n ymffrost a balchder y fro . . .

Yng nghyfnod ola'r plasty, cyn iddo gael ei werthu, gyda'r stad, a mynd â'i ben iddo, teulu Syr Marteine Owen Mowbray Lloyd oedd yn byw yno. Roedd ganddo ef a'i wraig Katherine Helena bedwar o blant:

1. Nesta Constance Muriel (Gregson Ellis) – 1879-1943
2. Peverel de Lormet – 1887-1953
3. Joan Henlys – 1898-1973
4. Marteine Kemes Arundel Lloyd (a laddwyd ym mrwydr y Somme) – 1890-1916.

Roedd ei dad, Syr Thomas Davies Lloyd, yn adnabyddus iawn hefyd i'r bröydd. Gadawn i Isfoel ddweud y stori:

Bu enw Syr Martin a'i deidiau o'i fla'n
Yn noddi traddodiad a'i gadw yn lân.
Efe oedd ein harglwydd, ein ceidwad a'n tad,

Efe oedd y brenin i ddeiliaid y stad.
Hen balas Torïaidd o'i gorun i'w draed,
A choch oedd sianelau a gwreiddiau y gwaed;
Lliw coch oedd pob cerbyd a symbol a sedd,
A choch fu'r hen sgweiar o'i febyd i'w fedd.

Ymdyrrai penaethiaid y gwledydd i'r plas,
Uchelwyr o urddas, doethineb a thras,
Ei deulu a'i hanes, ei gysgod a'i rad
Fu'n gefn ac yn nodded i werin y wlad.

Yn Eisteddfod Fawr Llangrannog, 6 Awst 1890, er enghraifft, Syr Marteine
Lloyd (Baronet) oedd y llywydd; y beirniaid oedd Eos Morlais, Watcyn
Wyn a Chranogwen, a noddwyd yr ŵyl gan foneddigion y bröydd hyd at
swm o 52 gini. Y prif ddarn cerddorol oedd 'Toriad Dydd ar Gymru' am
14 gini o wobr. cyflwynedig gan Syr M. O. M. Lloyd (Bart).

Noddid eisteddfodau, cyngherddau ac achlysuron arbennig yn helaeth
gan y teulu. Ac yn ôl Isfoel: 'Ni châi fynd allan o unman cyn cael gair o
Gymraeg ganddo.' Unwaith, wedi gwrando ar ddarlith gan Cranogwen
yng Nghapel y Drindod, cynigiodd Syr Marteine y diolchiadau ar y diwedd:
'A fi'n balch iawn bod yn cadeirydd i Miss Rees, a fi'n lico clywed
sharad Cwmrâg. A fi wedi bod yn cadeirydd i ddyn gwryw lot o weithe,
ond dyna tro cynta' i fi fod yn cadeirydd i ddyn menyw!'

Ei goedydd mawreddog llydanfrig eu tw,
Na welwyd yn Liban rai cyfled â nhw,
Ei erddi cyfoethog, cyforiog o rin,
Ei ddyfnion seleri a'i gafnau o win . . .

Hen sgweiar y werin, caredig a mwyn,
Fermilion ei siaced ac unlliw ei drwyn,
'Rôl esgyn i'w warthol a sythu fel cawr
Ymgrymai'r tenantiaid yn wylaidd i'r llawr.

Pendefig pob helfa a'i farch yn dyheu
Am sŵn y bytheiaid a dilyn y crei,
Addurnodd ei furiau â phennau ei brae

I gofio'i orchestion mewn fforest a chae.

Bu pum cenhedlaeth o deulu Mrs Irene Flint (Branfield) yn byw yn Quarry Cottage gyferbyn â Phlas y Bronwydd. Roedd ei hen dad-cu, John Davies, yn brif was, a'i thad-cu, George Davies, yn yrrwr y goets a'r unig un arall a gâi wisgo côt goch wrth hela, heblaw'r 'mistir'. Cyflogid llu o weithwyr yno – morynion gwallt, gweision, cogydd, morynion ystafelloedd, boneddiges breswyl (Miss Butt), garddwyr, grŵm, 'sgubwr y dreif a cheidwad y lodj (Leisa Thomas).

Ond bu farw Syr Marteine ym 1933, ac erys atgofion am ei angladd yn glir yng nghof yr ardalwyr. Arweiniwyd y gaseg wen, a oedd yn ddall mewn un llygad, gan John Whitbread, gan dynnu cert gambo a gludai'r arch drom â'i leinin o blwm. Rhoddwyd ei weddillion i orwedd yng nghladdfa breifat y teulu ym mynwent eglwys Llangunllo. Gadawodd Ledi Katherine ddarn o lês o'i gwaith ei hunan dros wefus ei harch. Mae i'w weld hyd heddiw, pan fydd y gladdfa ar agor, ar gyfer claddedigaeth deuluol yn unig. Aeth hithau i fyw i Gastell Trefdraeth cyn iddi farw ym 1937.

> Ond wele, daeth chwalfa, arswydus yn awr,
> Fe syrthiodd y castell a'i gwymp a fu fawr,
> Y Bronwydd, dŷ breiniol, sylweddol ei wedd
> Sydd heddiw yn garnedd a'r Syr yn ei fedd.
>
> Fe loriwyd y pinwydd, y deri a'r ynn
> O Gapel y Drindod i fanc Coedybryn;
> 'Does un ffenest gothig i'w gweld yn y lle
> A'u seiliau yn gandryll a noethion i'r ne . . .
>
> Daeth chwyn i deyrnasu dros furiau yr ardd,
> Lle tyfai y lafant, y mwyar a chwardd,
> Ni thraidd y perarogl dros feysydd y wlad,
> Daeth tylwyth *Gadara i feddiant o'r stad.
>
> Mae'r llwynog fel cynt ar bileri y glwyd
> Yn arwydd symbolig o statws a nwyd;

(* Dinas gadarn, eang ar ochr ddwyreiniol yr Iorddonen
sy'n adfeilion bellach.)
Y 'Baedd' ar y dorau – er cadw mewn co'
Y rhamant a'r mawredd a'r holl dali-ho.

Gogoniant y plas oedd ei goedydd byth-wyrdd
A'r blodau fu'n gwisgo ymylon y ffyrdd,
Fe wylodd y Marchog pan syrthiodd y pîn
Ac wylodd gwlad gyfan pan syrthiodd ei hun.

Gyferbyn â Phlas y Bronwydd, ar yr ochr arall i'r cwm, roedd fferm
Penrallt-y-Gigfran, cartref Ann Lewis a'r teulu, tenantiaid y stad. Talwyd
punt yr erw o rent blynyddol a chyflwynid bocs o gartridjis iddynt i
saethu brain. Safai'r plas fry ar y bryn yr ochr arall i'r dyffryn a gosodai
pawb eu clociau yn gywir o gryn bellter i ffwrdd i ganiad cloch y plas –
am saith y bore, un y prynhawn neu chwech yr hwyr. Mae cof gan Tom
Lewis o weld Syr Marteine a Ledi Lloyd yn gyrru heibio i Ysgol Aber-
banc. Dysgwyd i'r bechgyn godi cap neu i'r merched blygu pen-glin o'u
gweld naill ai o iard yr ysgol neu ar y ffordd gartref. Ac wrth groesi'r
cwm ar hyd y llwybr rhaid oedd cerdded y tu ôl i fur gardd y plas ac nid
yng ngŵydd y brif fynedfa. Ond wrth gerdded heibio i'r hen chwarel a'r
fynwent anifeiliaid ger y gerddi creigiog, gwyddai Tom, ei frawd Benji
a'i chwaer Eirian fod Ledi Lloyd wedi bod yno . . . 'Ni welsom hi yno
erioed ond gallem arogli ei phersawr. Roedd yn hofran uwch y lle tawel a
chysgodol am oriau. Ac rwy'n cofio un peth arall diddorol ar ddiwrnod
angladd Syr Marteine, roedd y blodau yn arogli hefyd o'r un persawr'.

'Cofiaf weld lamp drydan am y tro cyntaf yn llaw Syr Marteine
wrth iddo gerdded ymlaen o'i gôr i'r pulpud i ddweud gair yn
ystod eisteddfod Bryngwenith. Hoffai ddweud rhywbeth bob
amser yn ei Gymraeg bratiog. Pan briododd merch Blaenwenllan-
fach ar y stad, dymunodd Syr Marteine yn dda iddi trwy ddweud:
'Ma'r ledi a fi balch iawn i chi ca'l gŵr cyn bedd'. Rhoddent
nawdd i gyngherddau, eisteddfodau ac unigolion. Ym mhrysurdeb
y dydd cadwai'r *chauffeur* lygad barcud arnynt i weld pa ffordd y
byddent yn ei hwynebu wrth fynedfa'r tŷ. Yna golchai'r hanner
agosaf iddynt yn unig o'r modur cyn eu casglu.'

Ond ar ddiwedd y tridegau tarfodd Rhyfel Cartref barbaraidd Sbaen ar dawelwch ac anheddfa wag Plas y Bronwydd. Cynllun craidd creulon y Cadfridog Franco a'i gyd-ffasgwyr oedd lladd pobl gyffredin yn system-ataidd. A phan ddinistriwyd tref Guernica, yng ngwlad y Basgiaid, gan y Natsïaid i greu ofn ar y boblogaeth rhag gwerthsefyll yn eu herbyn, gweithredwyd paratoadau brys. Ofnid mai dinas Bilbao fyddai'r un nesaf i gael ei dinistrio. Hwyliodd llong o'r enw *Habana* o Bilbao i Southampton ar 21 Mai 1937 ac arni 3,826 o blant, athrawon a chynorthwywyr gwirfoddol. Aeth llawer o Gymry ynghyd â rhai eraill o wledydd Prydain i ymladd ar ochr y gweriniaethwyr yn Sbaen, ac anfonwyd bwyd a dillad at y ffoaduriaid.

Gosodwyd gwersyll o bebyll mewn cae ger North Stoneham, Southampton, cyn dosbarthu'r plant i wahanol ardaloedd, gan gynnwys Plas Parc Sgeti, Machynlleth, Tŷ Felinfoel, gwersyll Cynarth Brechfa, a llocheswyd rhyw 30-40 ohonynt ym Mhlas y Bronwydd, cyn i Ben Evans Llan-non, Llanelli, a'i gefnogwyr brynu'r lle. Plant dinas Bilbao oeddynt, ac yn strydgall ac eofn. Cofir amdanynt yn cerdded y fro, yn mwynhau rhyddid, yn crwydro drwy'r heolydd a'r llwybrau gan ddringo coed a chwarae pêl-droed yn erbyn y bechgyn lleol. Roedd llawer ohonynt, er mai yn eu harddegau roeddynt, wedi bod yn cario bwyd ac offer yn y ffosydd rhyfel ac wedi dioddef yn seicolegol o effaith y lladdfa. Cofia Dr Leslie Baker Jones ddisgrifiad ohonynt: 'Roedd llawer ohonynt yn wael a gwelw eu gwedd, pan ddaethant yma, ac yn ddiflas iawn, fel alltudion mewn anial dir'.

Cofia Tom Lewis a'i chwaer Eirian amdanynt: 'Roeddynt yn blant gwyllt, anturus iawn, a siaradent eu hiaith ddieithr eu hunain. Fe ddysgon ni iddyn nhw gyfri lan hyd at ddeg a dweud 'bore da', 'prynhawn da', a 'nos da'. Roedd llawer o ystafelloedd yn y plas, lleoedd da i chwarae cwato. Clywsom eu bod wedi creu llawer o ddifrod yn ystod eu cyfnod yno'.

Ond wrth i gymylau duon yr Ail Ryfel Byd agosáu, dychwelodd plant y Basgiaid yn ôl i'w gwlad eu hunain yng ngogledd Sbaen, ac i fyw dan faner 'niwtraliaeth' drwy gydol y rhyfel.

Ni fu Plas y Bronwydd yn wag yn hir oherwydd symudodd carfan o 50 o Iddewon yn eu harddegau cynnar yno o Brighton yn ystod 1940. Daethant yno yng nghwmni athrawon, staff a chogydd o'r enw John

Flint. (Cyfarfu ef ag Irene Branfield a'i phriodi ar ddiwedd y rhyfel. Buont yn byw yn rhif 3, un o anheddau gwersyll Henllan, am ddwy flynedd cyn symud i dŷ cyngor yn y pentre'. Mae Irene Flint yn parhau i fyw yn yr un tŷ ac yn ofalwraig weithgar a gofalus ar eglwys Llangynllo.) Prifathro'r academi yn y Bronwydd oedd gŵr o'r enw Mr Eliassoff, a bu yntau a'i wraig a chynorthwywyr yn cadw ysgol lwyddiannus.

Yn dilyn dyfodiad carcharorion rhyfel Eidalaidd i wersyll Henllan ym 1943, anfonwyd amryw ohonynt draw i Fronwydd yn ddyddiol i helpu'n gyffredinol. Gweithient yn y plas, yn crafu tato, golchi llestri a dillad, helpu'r cogydd i baratoi'r bwyd a'i gyflwyno, glanhau'r ystafelloedd dosbarth, 'sgubo'r cynteddau, atgyweirio ambell ddrws a ffenestr a desg ynghyd â chadw llygad gwarcheidiol ar y plant yn ystod amser hamdden. Dychwelent i'r gwersyll bob nos.

Bu'r Eidalwyr yn crwydro'r hen blas gan gynnwys y tŵr uchel (*campanile*), lle'r ymgrogai'r gloch. Cofia Lesli Baker Jones weld cloch gymharol fechan ond yn pwyso oddeutu 56 pwys yn gorwedd ar lawr uchaf y tŵr. Cofia T. Llew Jones weld cloch a oedd yn hongian yn tŵr ac yn debyg o ran cynllun i gysgod lamp neu het dyn o Tseina. Ai cloch dros dro yr Iddewon oedd hon? Ond roedd yr Eidalwyr wedi llygadu'r

Deg o garcharorion o'r Eidal yn Henllan. Yn y cefn (canol) mae Franco Loddo.

264

gloch drymaf am resymau arbennig, sef fel cloch i'r eglwys yr oeddynt yn ei hadeiladu yn y gwersyll. Dygwyd hi gan Gaetano Sauli a'i ffrind. Rhufeiniwr oedd Sauli, a chyfarfûm ag ef yn ei gartref ar ymweliad â'r ddinas dragwyddol. Yno cyfaddefodd ei weithred. Symudwyd y gloch yn ôl i'r gwersyll yn y lori fechan cyn ei chludo i'w mangre newydd dan glogyn tywydd gwlyb. Yno fe'i crogwyd yn y *campanile* pren ger yr allor iwtiliti, nid i alw morynion a gweision at eu gwaith y tro hwn ond i alw carcharorion Pabyddol at allor yr eglwys i addoli ac i gyfranogi o'r bara a'r gwin.

Arhosodd yno hyd y pumdegau pan ddefnyddid y safle fel ysgol uwchradd. Yna fe'i symudwyd gan y Tad David, yr offeiriad Catholig lleol, i hongian yn eglwys newydd y ffydd yng Nghastell-newydd Emlyn. Pan briododd yntau a symud allan o'r fro ac o'r offeiriadaeth aeth â'r gloch gydag ef i'w gartref newydd.

Yn ôl Mario Ferlito ymhellach: 'Roedd Gaetano Sauli, y gŵr a ddygodd y gloch, yn gyfeillgar iawn â'r athro, Mr Eliassoff, a elwid yn 'Uncle Elli' gan ei ddisgyblion Iddewig. Roedd yn ddisgyblwr llym ac roedd ei gosb yn ddidrugaredd. Roedd cyfeillion eraill i mi, Arturo Calogero a Franco Loddo, yn gweithio yno. (Credaf i Loddo ymgartrefu yn Abergwaun.) Cysgai Loddo yn y plas a'i waith beunyddiol oedd maglu cwningod i fwydo'r pac o gŵn 'Alsatian' a oedd yn cael eu bridio yno. Dychwelai i'r gwersyll yn ystod y penwythnos. Âi Arturo a Gaetano draw i'r plas yn ddyddiol ar gefn beic. Roedd Arturo yn fachan am fenywod, a chafodd berthynas 'dwym' iawn gydag un o'r merched yn y Bronwydd – am gyfnod! Er gwaethaf y carchariad a chyfnod anodd y rhyfel, er gwaethaf y bywyd annaturiol a diystyr, roedd teimladau a dyheadau naturiol y ddynol-ryw yn parhau i flaguro ac i'w hamlygu eu hunain mewn mannau mor annisgwyl!'

Atgofion cynnar
(Elgar Rees, Dolifor, Penrhiw-llan)

'Pymtheg oed oeddwn i yng Nghorffennaf 1943, yn byw yn Nolifor ac yn llawn direidi, siŵr o fod, fel pob crwtyn arall. Rwy'n cofio amdanaf yng nghwmni haid o fechgyn lleol, ar y bont ffordd yn Henllan sy'n croesi'r rheilffordd, yn gweld y carcharorion o'r Eidal yn cyrraedd ar y trên o Glasgow. Roeddwn yn rhyfeddu at drefn y gorymdeithio, fel pendil gyda'i gilydd – fel milwyr siocled,

Elgar Rees, Dolifor.

70-80 ar y tro. Roedd yn drên hir iawn. Ac ar y dechrau roedd llawer ohonynt yn byw mewn pebyll.'

Cofia Elgar Rees weld y carcharorion yn adeiladu'r eglwys. Roedd 'sentries' ar hyd y lle, ond roedd hefyd dyllau yn y ffens allanol. Hawdd oedd i fechgyn yn eu harddegau fusnesa ar y gweithgareddau dieithr. A hawdd oedd dianc trwy dasgu a neidio fel ysgyfarnogod i loches y cwm.

Yn yr adran sifil agosaf at y pentref, ceid sinema a chynhelid gyrfaon chwist a dawnsfeydd. A byddai'r Elgar ieuanc yn mynychu'r gweithgar-eddau yn gyson, a'r lle yn llawn o ferched deniadol. Ond roedd y 'romeos' o'r Eidal y tu ôl i weiren bigog uchel.

Gydag amser daeth nifer o Eidalwyr yn weision i fferm Dolifor, ac i ffermydd eraill y fro yn ogystal – Trecagal, Gors, Blaendyffryn, Blaen-llyn, Blaenuthu, Nantgwynfaen a Penhill.

'Roedd y rhai a gawson ni yn Nolifor yn weithwyr da. Efallai eu bod braidd yn ofnus ar y dechrau, ond rhai glew iawn oedden nhw, ymarferol dros ben, ond hen ffasiwn efallai, yn godro â dwylo. Bois da am dorri cloddie ac arbennig o dda yn yr ardd. Bwytawyr da. Roedden nhw yn cysgu ar y llofft gefen uwchben y gegin ac roedden nhw yn rhan o'r teulu. Dim trwbwl o gwbwl. Caent fynd allan yn yr hwyr, ac roedd llawer yn mynd yn ôl i'r camp. Ond roedd yn rhaid dychwelyd oddi yno am naw. Byddent yn ôl yn Nolifor erbyn hanner nos. Yr Eidalwr cynta' oedd gyda ni oedd Patazzio Antonio, un o fois y de. Roedd e'n byw lawr yn sawdl Yr Eidal.'

Dychwelodd yr Eidalwyr yn ystod haf 1946 ond wedyn symudodd carcharorion Almaenig i mewn i'r gwersyll. Buont yno yn ystod eira mawr 1947. Cofia Elgar Rees amdanynt yn clirio'r ffordd i fyny at Ddolifor i agor llwybr i fynd â'r tshyrns llaeth i'r 'Cow & Gate' yng Nghastell-newydd Emlyn.

'Roedd yr Almaenwyr yn galetach ac yn well gweithwyr. Nid oeddynt yn becso am oriau. Rhai disgybledig oedden nhw. Llifwyr coed arbennig iawn ac wedyn byddent yn hollti'r blociau yn faint derbyniol i'w gosod ar y tân. Daeth Almaenwr ifanc i Ddolifor. Un tal, cryf oedd e, nodweddiadol o'i dras gyda gwallt golau, llygaid gleision a'i wynepryd trawiadol yn arddangos penderfyniad di-droi'n-ôl. Ac er mai un ar bymtheg ydoedd roedd yn gyn-aelod o'r S.S. ac yn arddangos rhif arbennig y gatrawd honno trwy datŵ o'i rif ar ran uchaf ei fraich dde.

. . . Ymdoddodd i drefn ein teulu ni yn hawdd iawn. Roeddwn yn rhannu gwely ag e ar brydiau. Roedd gwaith a chwarae yn drefnus iawn, a'i agwedd yn hyderus ac yn gywir. Dôi i hela gyda mi, ac i lan y môr yng Ngheinewydd i gerdded yn droednoeth trwy'r ewyn. Cofiaf am sied wair Penrhiwpryan yn mynd ar dân, ond ni ddyw-edodd yr Almaenwr ieuanc ddim wrthyf. Gofynnais iddo: 'Pam na fuaset ti wedi dweud wrtha' i fod y sied ar dân?' 'Rwy' wedi gweld pethau llawer gwaeth na hynna!' atebodd. Dychwelodd i'r Almaen ac ni fu cysylltiad pellach rhyngom.'

Bu'r cysylltiad â'r Eidalwyr yn berthynas fuddiol, hapus a chytûn. A heddiw, ers blynyddoedd, er pan oedd ond 16 oed, cyflogir gwas yn Nolifor sydd yn un o ddisgynyddion cyntaf un o gyn-garcharorion rhyfel Henllan.

Y 'Depot'a Santa Klaus

267

Wedi adeiladu'r gwersyll yn Henllan ar ddechrau'r pedwardegau a disgwyl dyfodiad y carcharorion, un o'r adrannau pwysicaf oedd yr Adran Drafnidiaeth. Ar y pryd trigai Alwyn Morgan yn Vyrnyw, Llandyfrïog. Fe'i gwahoddwyd gan John Eynon, Ffostrasol, ar ran y 'War Agricultural Committee' (y WAR-AG), i fod yn bennaeth â gofal ar yr Adran Drafnidiaeth. Yn ôl Alwyn Morgan: 'Un sied a thri 'Morris Commercial' wedi eu taflu allan gan gwmni Thomas Evans (Corona) oedd gennym ar ddechrau Chwefror 1942. Roedd y gwersyll yn llanw'n gyflym â charcharorion. Derbyniwn bob math o gerbydau, rhai heb bistonau, a llawer yn hollol anaddas i'w rhoi ar y ffordd.

'Ond wedyn daeth tro ar fyd. Cyn bo hir, fel mana o'r nefoedd, cawsom 40 o lorïau (yn cynnwys trafnidiaeth y 'Land Girls'), 50 o feiciau, a 12 o foto-beiciau. Pan fyddai'r lorïau yn disgwyl y carcharorion i fynd allan yn y bore, ymestynnai'r llinell o gerbydau o'r bont i fyny hyd at sgwâr y pentre'. Roedd marcyr bach pren yn y clawdd i ddynodi safle pob lori. Caniatéid i garcharorion a oedd yn gweithio ar ffermydd cyfagos, o fewn amgylchedd o bum milltir i'r gwersyll, deithio'n unigol bob dydd ar gefn beiciau.'

Mario Pizzamiglio oedd yr Eidalwr cyntaf i ymuno â charfan Alwyn Morgan fel peiriannydd. Gŵr hynaws, deallus a chrefftwr di-ail oedd Pizz, a fu'n gyfrifol am gasglu'r peirianwyr gorau o'r gwersyll i weithio yn y 'Depot'. Yn ei sgwad roedd gwŷr â phrofiad o weithio yn ffatrïoedd Alfa-Romeo, Fiat a Masserati. Dechreuai Pizz ei waith o flaen pawb arall. Byddai yno cyn wyth, âi yn ôl i'r gwersyll i gael cinio, yna dôi'n ôl eto ac aros tan bump o'r gloch. A chymerai gymaint o falchder yn ei waith. Dôi yn ôl i'r 'Depot' ar y Sul i olchi'r cerbydau ac i roi sglein arnyn nhw.

Cyflog Alwyn Morgan oedd pum punt yr wythnos. Gwelai'r wawr yn torri a'r lleuad yn codi yn aml. Os oedd lorïau wedi pallu mewn ardaloedd anghysbell, rhaid oedd anfon cymorth yno ac aros efallai hyd at oriau mân y bore i dderbyn a gwella'r cleifion, heb dâl ychwanegol. Roedd gweithio ar y Sul yn gyffredin, ac roedd y Sabath yn ddydd gwaith yn aml. Cludid carcharorion i Henllan o wahanol ganolfannau ac allan i hostelau Eglwyswrw, Llanddarog, Llannon a Hwlffordd. Âi cerbydau (moduron) â'r cleifion i'r ysbytai a chlinigau.

Anfonwyd dwy lori bob dydd i ymweld â charcharorion a oedd yn lletya'n barhaol ar ffermdai. Ynddynt byddai barbwr a swyddogion milwrol i newid dillad gwely, i oruchwylio cyflwr esgidiau'r carcharorion ac i gasglu gwybodaeth am eu hymddygiad a'u hagwedd at waith a gorchwylion y fferm.

Yn y 'Depot' gweithiai'r canlynol dan oruchwyliaeth Alwyn Morgan: dau saer, i weithio coesau i'r offer gwaith, fel rhofiau a phicasau (anfonai Alwyn Morgan lori i felin Abercych i gasglu'r coesau gan y trowyr coed a'u cludo i Henllan); dau chwistrellwr paent, i baentio'r offer a'r lorïau ar ôl damweiniau (câi'r rhain beint o laeth bob dydd oherwydd natur eu gwaith); dau of, i wneud offer haearn fel picasau ac i atgyweirio cerbydau; ac un gŵr i baratoi'r 'gumboots' pan fyddent yn gollwng dŵr trwy eu fylcaneiddio. Ac un o'r gorchwylion mwyaf blinedig a thorcalonnus, i raddau, oedd pwmpio pum can galwyn o betrol coch i mewn i stumogau gwancus y lorïau bob wythnos. Gwnâi Alwyn a Wil Morgan y gwaith a nodwyd â llaw. Dim ond dau bwmp Bouser oedd ar gael.

Ond roedd ochr ysgafn a direidus i'r gwarchod difrifol. Diflannai'r offer yn gyson i'w 'benthyg' ar gyfer gweithgareddau hwyrol yr Eidalwyr. Cynllun Alwyn Morgan oedd paentio'r eiddo mewn gwahanol liwiau – coch, melyn, glas, gwyn – roedd digon o baent ar gael. Diflannai lledr o gefn hen seddau i ailymddangos fel waledi crefftus ar hyd a lled y gwersyll, i'w gwerthu yn y pentrefi a'r ffermydd am arian i brynu nwyddau ychwanegol. Roedd canfas yn addas iawn ar gyfer arlunio. Troid darnau metal, dros nos, yn 'lighters' a darnau arian yn fodrwyon. Nid oedd dim yn ddiogel rhag llygaid craff a dwylo crefftus a chreadigol yr Eidalwyr.

Ond er mai amser rhyfel ydoedd y cyfnod 1942-46, ac er mai carchar a'i weithgareddau beunyddiol oedd cefndir gwaith Alwyn Morgan, crewyd cyfeillgarwch arbennig iawn rhyngddo a'r carcharorion. Un ffordd y medrai 'Pizz' a'r carcharorion eraill fynegi eu diolch i'r pennaeth a'i dîm oedd cyflwyno anrhegion (swfeniriau) o'u gwaith eu hunain iddynt. Mae amryw ohonynt yn parhau ym meddiant Gerwyn Morgan, Muriau Gwyn, Biwla, Castell-newydd Emlyn. Mae ganddo hen gloc Austin 7 (1932) wedi ei focsio mewn prennau hicori ac eboni a wnaed gyda darnau o goesau rhofiau oddi ar lawr y gweithdy. Amser i'w gadw – i gadw amser. Hefyd mae ganddo fodel pren a chynfas gyda bonet a 'mud-guards' metel o lori Austin K4 gyda'r rhif cofrestredig POW 70. Cyflwynwyd yr awyren a'r lori yn anrhegion Nadolig i Gerwyn. Y Santa oedd yr Eidalwr Bergon-

Gerwyn Morgan, Muriau Gwyn, Biwla, yn arddangos y teganau a'r
gwaith llaw a dderbyniodd fel anrhegion gan rai o'r carcharorion.

zonni. Mae ganddo hefyd focsys sigarennau a ffrâm luniau, ac, yn ogystal,
ddau lun bychan olew, ond nid o waith Mario.

Derbyniodd Gerwyn anrhegion eraill nad ydynt bellach ar glawr: melin
wynt, deunaw modfedd mewn uchder, gyda geriau a chortyn i'w gweithio;
clown, eto â chortyn a ffrâm i'w gwasgu gan dasgu'r clown i fyny i'r
awyr a chreu acrobát, a bocs o friciau pren. Darganfu Gerwyn y rhain

wrth ochr ei wely un bore Nadolig. Roedd y paent amryliw heb sychu a'r briciau wedi gludo wrth y papur oddi tanynt. Gresynai Gerwyn fod Santa mor ddidoreth ac anhrefnus yn gadael y paentio i'r funud olaf. Hefyd cafodd ffon a'r bwlyn wedi'i gerfio fel pen Mussolini. Mae hon wedi mynd ar goll.

Mae amser i bob peth, fel y dywed y Gair. Roedd dychweliad yr Eidalwyr i'w gwlad eu hunain yng Ngorffennaf/Awst 1946 yn achlysur a gorddai deimladau cymysg. Yn rhyfedd iawn, roedd yn amser o hiraeth a gollwng dagrau ar y ddwy ochr; amser i ryddid a thorri cyfeillgarwch; amser o lawenydd; amser i Alwyn Morgan a'i staff ffarwelio â'u carcharorion trwy siglo llaw a chofleidio; amser i gyflwyno melysion, siocledau a sigaréts yn anrhegion ffarwél. Ac wrth i'r Eidalwyr orymdeithio eto yn urddasol â phennau uchel, i gyfeiriad arall y tro hwn, sef yr orsaf, gadawsant gwlwm o adnabod nas datodwyd nes i Mario Ferlito ymweld â Chymru a Henllan ym 1977 trwy wahoddiad plant a thrigolion y Ferwig. Pawb yn eu hiwnifform werdd; pawb yn symud tuag at ryddid; pawb am fynd?

Y ddau a aeth adre'

Meddai T. Llew Jones yn ei gyfrol ddifyr, *Fy Mhobol i*: 'Treuliais dair blynedd a hanner anhapus ymhell o gartre . . . Daeth diwedd y Rhyfel a ches i fy rhyddhau i ddychwelyd at fy nheulu a 'mhobol a chael cyfle i fyw'n naturiol unwaith eto'.

Wedi derbyn yr alwad i fynd i'r Awyrlu, ei uchelgais oedd derbyn hyfforddiant i fod yn beilot awyren, ond oherwydd gwasgedd gwaed uchel ni wireddwyd ei freuddwyd. Roedd wedi bod yn llwyddiannus yn ystod yr hyfforddiant cynharaf ar gwrs 'morse code' ar gyfer graddio fel 'air telegraphist', ond bu'n aflwyddiannus yn y dasg o gyrraedd targedau o eiriau angenrheidiol mewn munud. Cofia am ŵr o'r enw John Davies, Maesyrafon, yn derbyn hyfforddiant ar yr un cwrs, ar yr un pryd.

Wedi'r 'square-bashing' yn Blackpool, hwyliodd o gwmpas Penrhyn Gobaith Da a threuliodd flwyddyn a hanner yn Yr Aifft. Ac yn dilyn llwyddiant y cynghreiriau ym mrwydr El Alamein croesodd y Môr Canoldir i Taranto gan ddilyn gwthiad y llinell flaen i fyny'r Eidal tuag at Napoli a Rhufain.

Daeth ar draws abaty enwog Monte Cassino, â'i gynllun pensaernïol trawiadol a'i gyfoeth amhrisiadwy o luniau clasurol, wedi ei falurio'n bentwr o rwbel. Oherwydd ei safle strategol ar gopa hen losgfynydd a

271

godai o'r tiroedd gwastad i bob cyfeiriad, roedd iddo bwysigrwydd militaraidd i reoli symudiadau'r byddinoedd i'r naill gyfeiriad a'r llall. Credai'r cynghreiriaid i'r Abaty a'r tir o'i amgylch lochesu miloedd o Almaenwyr mewn tyllau dyfnion. Disgynnodd cawodydd o fomiau ar yr adeilad a'i ddiddymu. Er hynny, dim ond ychydig o Almaenwyr a ddarganfuwyd. Bu'r pris yn ddrud a chollwyd llawer o fywydau.

Cofia T. Llew Jones am awyren fechan yn hedfan uwch maes y gad yn chwistrellu diheintydd dros y cyrff. Yng nghanol y dinistr, roedd 'pentyrrau o annibendod rhyfel modern – cerbydau a thanciau drylliedig, ac offer o bob math, fel gwrec ar draeth ar ôl storm'.

Erys yn ei gof un digwyddiad, ar fore Sul, wedi iddo fynd am dro ar hyd lôn fach gul. Mewn llannerch yng nghanol coed ar ddôl gyfagos . . . 'roedd hen Eidalwr â'i ych a'i arad yn aredig! Ie, yn aredig fel 'tai dim byd yn bod! Roedd hi'n wanwyn, a'r pridd yn galw am 'i drin, ac roedd e fel ei dad a'i gyndeidiau, wedi ateb yr alwad'. Roedd amser fel petai wedi aros. Pam na fyddai neb wedi dwyn ei fustach! Yr oedd yr holl anwareidd-dra wedi ymddangos mor ddwl a diystyr.

Ac wrth gofio'r digwyddiad hwnnw heddiw, daeth atgof arall o'r gorffennol. Ar ddiwedd y rhyfel, oddeutu 1946, cynhaliwyd Eisteddfod Galan Rhydlewis. Roedd Dewi Emrys yn byw yn 'Y Bwthyn', Talgarreg, ar y pryd, ac ef oedd y beirniad llên. Rhannwyd y wobr am y delyneg rhwng T. Llew Jones a'r Prifardd Gwilym Ceri. Ac er bod T. Llew yn enwog am ddyfnder ei gof, ni all ond cofio un pennill o gerdd ei gyd-enillydd. Roedd Gwilym Ceri wedi portreadu Eidalwr a oedd yn garcharor rhyfel yng ngwersyll Henllan. Breuddwydiai, wedi pedair blynedd a hanner o gaethiwed, am ddychwelyd i'w wlad ar ôl y rhyfel:

> Yn ôl dros gulfor perl Messina
> Hyfryd dychwelyd wedi'r drin,
> Rhydd Mair Fendigaid ei thiriondeb eto
> I lasu'r winllan grin.

Pan ddychwelodd T. Llew Jones i wyrddlesni dyffryn Teifi o wres a llwch a thanbeidrwydd haul crosboeth y Sahara, daeth yn ôl at dirwedd di-graith a heddychlon. Heblaw'r anwyliaid a gollwyd, a phrofiadau dynion a merched a ddychwelodd o'r gad, yr oedd rhyfel ymhell bell o dawelwch cymharol cefn gwlad.

Eto, ym mhrofiad T. Llew Jones, pan oedd yn agosáu at Rufain, cafwyd gwybodaeth 'fod y ddwy ochr wedi dod i gytundeb nad oedd y naill na'r llall yn bomio na defnyddio arfau rhyfel tu fewn i'r ddinas'. Felly, ni fu brwydro ar strydoedd Rhufain o gwbl, a thrwy hynny llwyddodd i osgoi'r llanast a oedd o'i chwmpas ymhob man. Trefnwyd i dynnu tocyn allan o het i'r milwyr i benderfynu pwy a gâi'r siawns i fynd mewn i Rufain am ddiwrnod i flasu ei hysblander. Ni fu T. Llew Jones yn lwcus.

Onid gêm i'r gwleidyddion yw rhyfel? Os poen, dagrau, dinistr a marwolaeth yw rhyfel, pam felly ei greu i ymyrryd â heddwch naturiol? Onid y tlawd, y gwan a'r newynog sy'n dioddef fwyaf? Onid yw rhyfel yn anhepgor oherwydd natur anwadal a hunanol dyn? A all rhyfel fod yn gyfiawn?

Yng nghanol brwydro ffyrnig roedd digon o dosturi a synnwyr i achub y ddinas dragwyddol, ddihenydd rhag cael ei dinistrio. Pam, felly, na allai cytundeb o'r fath fodoli cyn dechrau'r ymladd? Roedd y ddau, y Cymro a'r Eidalwr, a ddychwelodd i'w cartrefi siŵr o fod yn gofyn yr un cwestiwn.

Arbenigrwydd neilltuol
Yn ôl J. Tysul Jones, cyn-brifathro Ysgol Uwchradd Fodern Henllan, mewn erthygl a ysgrifennodd yn arbennig i mi fel prifathro Ysgol Gynradd y Ferwig, y disgyblion, y rhieni a'r ardalwyr:

> 'Daeth adeiladau Gwersyll y Carcharorion Rhyfel, Henllan, Sir Aberteifi, yn gartref i Ysgol Uwchradd Fodern Henllan o fis Medi 1949 hyd diwedd Mawrth 1958. Tra bu'r ysgol yn Henllan, yr oedd dan ofal Pwyllgor Addysg Sir Aberteifi, er bod plant o Sir Gaerfyrddin a Sir Aberteifi yn ddisgyblion ynddi, fel yn yr Ysgol Uwchradd Ramadeg yn Llandysul. Yr oedd agor Ysgol Uwchradd Fodern i blant dyffryn Teifi o'r ddwy ochr i'r afon yn ddigwyddiad chwyldroadol, a phrofiad newydd iawn. Yn sicr roedd yn dipyn yn chwithig ar y cychwyn i blant ac athrawon cynradd y cylch i symud y plant i un ganolfan yn Henllan o gylchoedd mor bell â Phontgarreg, Pontsiân, Capel Cynon, Capel Iwan a Threlech.'

Y gŵr a gafodd y weledigaeth a'r egni a'r gefnogaeth i'w gwireddu oedd y Dr. J. Henry Jones, Cyfarwyddwr Addysg Sir Aberteifi – yn ystod y cyfnod wedi'r Ail Ryfel Byd. Meddai unwaith wrth ffrind – 'Hoffwn

Staff Ysgol Henllan.

Rhes gefn (o'r chwith i'r dde): Dai Llewellyn (Gwyddoniaeth), Dai Williams (Saesneg, yn lle Tom Davies).
Rhes ganol: Ieuan James (Daearyddiaeth), Jack Davies (Garddio), Eric Jones, Dai Lewis (Ymarfer Corff), Jimmy Thomas (Ysgrythur), Eric Elias (Cymraeg, Gwaith Coed).
Rhes flaen: Rosalind Richards (Ysgrifenyddes), Elsie Davies (Gwyddor Tŷ), Miss Harwin (Cymraeg), Tysul Jones (Prifathro). Vera John (Cerddoriaeth), Doreen Phillips (Gwaith Llaw), Beryl Evans (Llewellyn; Ymarfer Corff).

droi a gweddnewid yr hen garchar 'ma yn Henllan a sefydlu Ysgol Fodern i ddisgyblion 11-15 oed. Mae mewn man delfrydol a chanolog i'r ddwy sir. Mae galw amdani ac mae'r adeiladau yma yn barod'. Trwy ei sefydlu ychwanegwyd rhagor o ganmoliaeth ar statws a pholisïau blaengar y Pwyllgor Addysg yn Sir Aberteifi.

Meddai J. Tysul Jones ymhellach: 'Er ein bod yn sylweddoli bod i'r ysgolion modern hyn eu swyddogaeth a'u pwrpas arbennig, dibrofiad ac aneglur ein gweledigaeth oeddem fel athrawon, ac yn barod i groesawu cyngor a phrofiad aeddfetach o ba gyfeiriad bynnag y deuai. Safai'r ysgol mewn man gogoneddus, ac er na ellid ystyried yr holl adeiladau yn ddelfrydol addas ar gyfer ysgol, perthynai rhyw arbenigrwydd neilltuol i Ysgol Henllan a'i hamgylchedd'.

Wrth sgwrsio â chyn-athrawon a disgyblion, buan iawn y daw balchder i wynebau ac i loywi'r ymadroddi. Bron heb eithriad mae elfennau o berthyn ac o falchder yn parhau yn gynnes ac yn fyw ym mhrofiadau'r co'. Braidd yn annisgwyl oedd yr ymateb oherwydd mae atgofion ysgol yn gyffredinol yn amrywiol ac yn tueddu i fod yn sarcastig oherwydd bod cyfnod ysgol yn anhapus iawn i rai.

'Plant y wlad, y werin Gymreig, oedd rhan fwyaf ohonynt. Plant serchus, cwrtais a hawdd eu trin oedden nhw i gyd. Roedd yn fwynhad pleserus i'w dysgu a'u harwain. Ni chlywais un plentyn yn ateb yn ôl yn anghwrtais. A phan ddaeth plant yr Eidalwyr, y cyn-garcharorion a oedd wedi aros yn y bröydd, i'r ysgol, roeddynt hwythau hefyd yn ufudd ac yn gwrtais ac yn awyddus i ddysgu.' Dyna oedd profiad Vera John, bellach yn 92 oed, ac yn gyn-athrawes cerddoriaeth yn Ysgol Henllan.

Cofrestrwyd dros gant o blant pan sefydlwyd Ysgol Henllan ym Medi 1949. Yn ystod y blynyddoedd blaenorol parheid i addysgu disgyblion a oedd wedi bod yn aflwyddiannus yn yr arholiad 11+ yn yr ysgolion cynradd hyd at 14 oed. Enwid y ffrwd yn 7X yn ysgol Pontgarreg. Ond ym 1949 diddymwyd y drefn. Symudwyd pawb a oedd yn 11 oed cyn 1 Medi 1949 i ysgol ramadeg neu ysgolion uwchradd modern. Safai rhai yr arholiad 11+ flwyddyn o flaen eu hamser neu fe'u symudid i Henllan am flwyddyn cyn sefyll yr arholiad yno. Roedd y llinell ddeallusrwydd rhwng goreuon ffrydiau'r ysgol fodern a'r rhai llai galluog yn yr ysgol ramadeg yn denau iawn. Oherwydd hyn, symudodd amryw o ddisgyblion Henllan ymlaen i ysgolion gramadeg Aberteifi a Llandysul. Erbyn 1956 roedd rhwng 200 a 300 o ddisgyblion yn Ysgol Henllan. Sefydlwyd ysgol-

Bu disgyblion Ysgol Henllan yn ymweld â fferm Gilfach-chwith, Horeb, yn gyson, ac yn llunio adroddiadau am waith y fferm gan sylwi ar hwsmonaeth yr anifeiliaid a'r cnydau. Yn y llun gwelir disgyblion y ddwy flwyddyn olaf yn yr ysgol gyda Mr Dai Llewellyn.

ion tebyg yn Ninas (Aberystwyth), Y Santes Fair (Aberteifi) ac ysgolion dwyochrog (*bi-lateral*) yn Aberaeron, Llanbed a Thregaron. Wrth sefyll ar y ffordd a syllu at y fynedfa i'r safle yn Henllan gwelir fod rhai o'r adeiladau agosaf o wneuthuriad bric a rhai eraill o goncrit wedi eu hatgyfnerthu. Yng nghyfnod y lle fel carchar roedd cabanau eraill, y tu ôl i'r adran weinyddol, o wneuthuriad pren, bordiau plaster a muriau wedi eu gorchuddio â ffelt tar a tho asbestos. Yr un yw gwneuthuriad yr eglwys. Ym 1949 defnyddid yr adeiladau agosaf fel ystafelloedd gweinyddol, swyddfeydd, dosbarthiadau a chartrefi i'r athrawon. Yn y blaen rhwng y ddwy fynedfa roedd ystafell ddosbarth ac yn gwmws y tu ôl iddi roedd ystafell y prifathro, yr athrawon a gardd yr ysgol. I'r chwith roedd ystafell ddosbarth ar gyfer gwaith coed a metel ac ystafell gerddoriaeth. Yn y blaen roedd ystafell astudiaethau cymdeithasol. I'r dde roedd ystafell gelf ac arlunio ac o'i blaen cyn cyrraedd ystafell y swyddogion Prydeinig ('Officer's Mess'), yr adeilad a fu'n gartref i Vera John, yr athrawes gerdd, ac i Dai a Beryl Llewelyn wedi iddynt briodi.

Yn ffinio â'r ardd roedd y neuadd lle cynhelid gwasanaethau boreol, ac i'r chwith iddi labordy a chegin a thŷ gwydr i dyfu tomatos, llysiau a blodau. Ychydig yn ôl ac i'r chwith roedd y neuadd ganolfan lle cynhelid cyngherddau gan y disgyblion ar ddiwrnodau arbennig.

Yn ystod 1942-46, sef cyfnod y safle fel carchar rhyfel, defnyddid un ar hugain o gabanau i letya'r Eidalwyr a rhai Almaenwyr (1946-47). Defnyddid tua phymtheg ohonynt fel ystafelloedd dosbarth ac fe'u gwresogid, fel yng nghyfnod y rhyfel, gan y stofiau cast a'u pibellau yn diflannu trwy'r nenfydau fel gyddfau jiraffiaid. Gofalwr diwyd ac ymroddgar yr ysgol oedd gŵr o'r enw Evan Evans o Drefach. Ac ymhlith ei orchwylion cynnar roedd glanhau, llwytho'r stofiau â glo, coed, ac ychydig bapur a'u cynnau i greu ystafelloedd cynnes ar gyfer addysg y dydd. Fe'i gwelid yn enwedig ar dywydd oer yn gwthio ei whilber drom yn llawn glo o gaban i gaban i stwmo'r stofiau ac i sicrhau fod pawb yn gysurus ac yn gynnes.

Defnyddid yr un darn o dir â'r cyn-garcharorion i chwarae pêl-droed a hoci, a hen gwrt tenis neu fowliau i chwarae pêl-rwyd.

Gyrrai'r bysiau yn eu tro i'r safle gan ollwng y disgyblion ger y neuadd cyn diflannu eto fel y gwnaethai lorïau diddiwedd yng nghyfnod y rhyfel â'u llwythi o garcharorion Eidalaidd.

Ymwelai rhieni yn weddol gyson â'r ysgol ar ddyddiau arbennig

megis Gwasanaeth Carolau, Eisteddfod yr Ysgol a'r Dyddiau Agored a'r
Arddangosfeydd, pan fu'r canlynol yn eu tro yn westeion ac yn siaradwyr
gwahoddedig: Dr J. Henry Jones (Cyfarwyddwr Addysg Sir Aberteifi);
Mr Iorwerth Howells (Cyfarwyddwr Addysg Sir Gaerfyrddin); Mr A. D.
Lewis (Prifathro Ysgol Ramadeg Ardwyn); Mr Tom Owen; Dr William
Thomas; Mr Iorwerth C. Peate; Dr D. J. Williams (Abergwaun) a Miss
Norah Isaac.

Yn y cyfarfodydd a'r arddangosfeydd hyn câi'r rhieni gyfle i weld
gwaith yr ysgol a digon o achos i lawenhau yn nheilyngdod ymdrechion
eu plant dan gyfarwyddyd medrus yr athrawon a'r athrawesau.

Un o'r mentrau arloesol yn Ysgol Fodern Henllan oedd y Cynllun
Addysg Amaethyddol. Bu'n llwyddiant ysgubol ac yn esiampl dda i greu
cynlluniau tebyg trwy Gymru a'r tu hwnt. Yn ôl Dai Llewelyn, yr athro
gwyddoniaeth gyffredinol (1950-58):

'Tua chanol y 1950au, mewn arolwg o'r ysgol, awgrymodd un
o'r prif arholwyr, Dr T. I. Davies, y dylem arbenigo mewn addysg
amaethyddol yn ystod dwy flynedd olaf yn yr ysgol, oherwydd
natur a chefndir yr ysgol. Roedd cynllun newydd wedi ymddangos
mewn un Ysgol Uwchradd Fodern wledig yn Lloegr a gymeradwy-
wyd gan Undeb y Ffermwyr, sef bod yr ysgol yn mabwysiadu
fferm yn yr ardal a bod y plant yn ymweld â'r fferm yn gyson ac
yn llunio adroddiadau am waith y fferm gan sylwi ar hwsmonaeth
yr anifeiliaid a'r cnydau.

Penodwyd Mr D. G. M. Thomas yn Swyddog Addysg Amaeth-
yddol Ceredigion ar y pryd (bu'n bennaeth ar Goleg Amaethyddol
Felin-fach wedyn). Dewiswyd fferm Mr Evans, Gilfach-chwith,
Horeb, fel enghraifft dda o fferm tua 80 erw o faint, a bu Mr Thomas
yn arolygu ein gwaith. Cawsom dderbyniad croesawgar gan Mr a
Mrs Evans a chawsom bob cymorth ganddynt. Un canlyniad hapus
i'r cynllun oedd i un o'r bechgyn fynd yn was fferm at deulu
Gilfach-chwith, a bu yno am weddill bywyd Mr a Mrs Evans. Gan
nad oedd ganddynt blant eu hunain, bu fel mab mabwysiedig
iddynt.'

Yn ôl J. Tysul Jones eto:

'Ond ni synnwn i ddim mai ystafell neu gaban, nas defnyddid at waith beunyddiol yr ysgol, a adawodd yr argraff fwyaf arhosol ar feddwl a phrofiad yr holl ymwelwyr a fu yma ar hyd y blynydd-oedd. Y caban a droes hiraeth a defosiwn y carcharorion yn eglwys ar lun a delw eglwysi eu pentrefi genedigol yn Yr Eidal. Wedi ymweld â chabanau (ac ystafelloedd dosbarth yn nyddiau'r ysgol) digon unffurf, cyffredin a diaddurn, fe'ch trewid yn sydyn â rhyw syndod a pharchedig ofn wrth sylweddoli eich bod yng nghwmni'r anghyffredin. Gwyrth crefftwyr ac artist oedd yr eglwys ac edmygem eu camp. Nid oeddwn yn adnabod yr un ohonynt, a 'doeddwn i ddim yn gwybod eu henwau hyd yn oed, hyd nes i brifathro Ysgol y Ferwig a'i ddisgyblion ymchwilgar yn Awst 1977 ddod â Mario Ferlito a'i ffrindiau yn ôl o ogledd Yr Eidal i weld gwaith eu dwylo i'r union fan lle y creasant eu campwaith trwy grefft a dyfeis-garwch rhyfeddol.

. . . Mor gywir y mynegir profiadau'r llu pobl a welodd yr eglwys hon gan y Prifardd W. J. Gruffydd:

Sychwch eich traed.
Yn yr ystafell hon bu gweddi ac offeren,
A dyfeisiadau gwyrthiol y carcharor-addolwr.'

. . . Pan oeddwn yn ysgolion Henllan ac Emlyn yn cadw dydd-iadur desg, ysgrifennwn ynddo rai o brif ddigwyddiadau'r ysgol o wythnos i wythnos. Dyma rai dyfyniadau ohonynt sy'n lled-gyffwrdd ag arbenigrwydd yr eglwys yn ysgol Henllan ac ag amrywiaeth cenedl, iaith a lliw llawer o'r ymwelwyr a'i gwelodd.

2 Mehefin 1953: Yng ngofal Mr. D. C. C. Evans, darlithydd yn Institiwt Addysg Prifysgol Llundain, ymwelodd nifer o fyfyrwyr o wahanol genhedloedd â'r ysgol a'r mwyafrif ohonynt wedi gorffen eu cwrs coleg yn bwriadu gweithio mewn amrywiaeth o swyddi cyfrifol yn Tanganiyka, Nigeria, Tseina, Y Traeth Aur, Swdan a Hong Kong.

23 Hydref 1951: Ymwelodd Miss Cassie Davies A.E.M. (a'i chwaer Miss Neli Davies) a Mrs Irene Myrddin Davies â'r ysgol gan fynd i rai o'r dosbarthiadau a rhyfeddu at yr eglwys.

279

Parti Cerdd Dant Ysgol Henllan yn Eisteddfod Genedlaethol yr Urdd, Abertridwr.
Rhes gefn (o'r chwith i'r dde): Mair Evans (Troedyraur), Eleri Jones (Penfedw,
Brongest), Beti Jones (Shadog, Pentrecwrt), Brenda Davies (Brynmelyn, Capel Dewi).
Rhes flaen: Anne Thomas (Tŷ-coed, Dre-fach), Gwyneth Owen
(Cillech, Blaencillech), Maria Vasami (Capel Iwan), Ann Gaynor Evans
(Penlan Villa, Castell-newydd Emlyn).

9 Mehefin 1955: Yr oedd rhai o blant yr ysgol yn Eidalwyr. Enwir
Maria Vasami yn y dyfyniad canlynol o'r *Cymro* (9-6-1955), am ei
bod yn perthyn i Gôr yr Ysgol a fu'n cystadlu yn Eisteddfod yr
Urdd yn Abertridwr: 'Pan ddaeth Maria Vasami, 14 oed, i fyw i
Gapel Iwan o Sicilia, dair blynedd a hanner yn ôl, Eidaleg yn unig
a siaradai, ond ymysg y plant yn ysgol wledig Capel Iwan,
dysgodd Gymraeg yn fuan ac yn rhugl. Bellach gall siarad Saesneg
hefyd, ond mewn Cymraeg ac Eidaleg y mae fwyaf cartrefol wrth
sgwrsio. Yn ystod y rhyfel yr oedd tad Maria yn garcharor mewn
gwersyll yn Henllan. Pan ryddhawyd ef, dychwelodd i Sicilia at ei
deulu, ond oherwydd y gwres, pallai ei iechyd yno. Dychwelodd i

280

Gymru i weithio ar fferm yng Nghapel Iwan, nid nepell o'r hen garchar. Bellach mae'n amaethu ei dyddyn ei hun. Trowyd y gwersyll yn Henllan yn Ysgol Eilradd Fodern, ac yno lle bu ei thad yn garcharor gynt, yr addysgir Maria yn awr. Eidaleg yn unig a sieryd ei mam; Eidaleg, Saesneg ac ychydig Gymraeg a sieryd y tad ac Eidaleg, Cymraeg a dim Saesneg a sieryd ei brawd bach Gino, 8 oed, sy'n aelod o 'Glwb Plant' y 'Cymro'. Yn Abertridwr roedd Maria yn aelod o barti Cerdd Dant Ysgol Henllan a enillodd y wobr gyntaf. A'r geiriau a ganent? 'Eu Hiaith a Gadwant' (Eifion Wyn).'

18 Gorffennaf 1956: Ymwelodd dau offeiriad Catholig o Gaer-fyrddin â'r eglwys. Mawr eu syndod a'u diddordeb. Y Tad Hilary Culhane a'r Tad Havian Morgan.

4 Gorffennaf 1957: Dr Stephen J. Williams a Mrs Williams, Aber-tawe, yn ymweld â'r ysgol a gweld yr eglwys ar eu ffordd i'r Cil-gwyn.

11 Gorffennaf 1956: Arddangosfa a Dydd Agored yr Ysgol. Miss Norah Isaac, Coleg Y Barri, oedd y gwestai. Drannoeth i'r ŵyl derbyniais nifer o benillion oddi wrth un o rieni plant yr ysgol, sef Mrs Ann Evans, Dôl-grogws (sy'n byw ym Mryn Tysul, Llandysul yn awr), chwaer i'r diweddar Barchedig D. Jacob Davies.

Cyflwynaf y ddau bennill i gyn-ddisgyblion Ysgol Henllan ac i Brifathro Ysgol y Ferwig – y rhai cyntaf wedi gorfod bodloni ar y fraint fawr o syllu mewn rhyfeddod ac edmygedd ar bryderthwch yr eglwys heb adnabod y crefftwyr medrus. A'r genhedlaeth iau o Ferwig wedi cyflawni'r gymwynas fawr o ddwyn Mario Ferlito a'u ffrindiau yn ôl i Henllan unwaith eto i'r Eglwys a 'adeiladwyd gan dlodi' ac o 'gyd-ddyheu' rhyfeddol.

> Mor hyfryd oedd rhodio rhwng blodau yn gwenu
> Lle gynt roedd y gwifrau a'u pigau mor hyll,
> Mor bêr ydoedd gwrando ar chwarae a miri
> Lle gwelwyd caethiwed, a'r gwyliwr â'i ddryll;
> Ac oedi am ennyd yng nghysgod yr Eglwys

I gofio'r carcharor a'i galon mor friw,
Ymhell o'i gynefin, ei balas a'i fwthyn,
Yn estron i bob un, ond agos at Dduw.
O fechgyn a merched, a wnewch chwi adduned,
I weithio yn galed, dros heddwch o hyd,
Rhowch siampl o Gymru drwy adrodd a chanu
Ac estyn llaw siglo i bobol y byd.
Os byth ewch ar grwydr, dros wlad neu gyfandir,
Rhowch hanes eich ysgol, yn falch ac yn glir,
A pheidiwch anghofio, beth bynnag a ddelo,
I gadw eich heniaith bob amser yn bur.'

Pontio'r Blynyddoedd

Saif fy hen gartref, Cilfor, ar grib gallt Pontgarreg, ac fe'i hadeiladwyd ar ddechrau'r 1950au ar gynllun traddodiadol. Tŷ unllawr ydoedd gydag ystafelloedd cymharol fychain. Ond ar ymddeoliad fy nhad, a oedd yn gapten llong, newidiwyd cynllun mewnol yr adeilad. Tynnwyd muriau i lawr i greu cynllun agored a lle fel petai ar bont ei long – *Lefiathan*. Roedd hefyd digon o wagle i ddal mwg ei sigârs.

Gwelodd Mam hysbyseb mewn papur Sul a nodai fod rhai o gerrig un o bontydd enwocaf Llundain (*London Bridge*) ar werth. Ailgodwyd y bont enwog dros Lyn Havasu yn nhalaith Arizona, Unol Daleithiau America. Prynodd lwyth o'r cerrig arbennig hyn i adeiladu grât a lle tân a ymestynnai dros hyd yr ystafell – pum troedfedd ar hugain bron. A'r gŵr a wahoddwyd i wneud y gwaith, oherwydd ei allu fel crefftwr a'i enw da, oedd Santo Amedeo, un o gyn-garcharorion Henllan. Arhosodd yng Nghymru ac yn ardal Penrhiwpal, gerllaw. Roedd y byw ym Mlaen-arthen, tyddyn bychan ger sgwâr bychan islaw pentre' Penrhiwpal. Ac roedd galw parhaol am ei wasanaeth, oherwydd safon ei waith a'i allu i gwblhau'r gwaith yn gyflym. Cafodd rybudd cyson gan ei feddyg i arafu. Cofiaf amdano fel gŵr hynaws a chynnes ei ymarweddiad, ac roedd rhyw agosatrwydd a charisma ynddo wrth drafod pobl. Byddai ef a'i gyd-weithwr, Luigi, yn canu darnau enwog o operâu Eidaleg, gan amlaf, nerth eu pennau. Roedd yn hoff iawn o blant a chynhaliai sgwrs â ni'n pedwar yn gyson. Creodd le tân unigryw â champ bensaernïol arno. Mae'n parhau yn ei le yn 'ystafell Siberia', chwedl 'Nhad, ond bellach yn eiddo

282

Thomas Davies (Pengelli Uchaf) yn gosod y fricen sail wrth ddechrau
codi festri newydd Bryngwenith.

i deulu lleol arall. Un o orchmynion olaf 'Nhad oedd: 'Gofala dy fod yn
gwerthu Cilfor i Gymry'.

Adeiladwyd festri Bryngwenith ym 1961, a gosodwyd y ddwy garreg
sylfaen gan T. Davies, Pengelli Uchaf, a Mrs Hannah Evans, Llwyncad-
for, ar Awst 1 1961. Codwyd y muriau gan yr aelodau dan gyfarwyddyd
J. Jones, Tremallt, a'i weithwyr a fu'n gyfrifol am do'r adeilad. Hefyd
bu'r canlynol yn helpu: John Evans (Blaenpant), D. J. Davies (Aelybryn),
Thomas Davies (Pengelli Uchaf), Arthur Owens (Cil-llech), Ben Elias
(Cwrws), John Rees (Blaenwinllan), Enoc Jones (Argoed), Dan Davies
(Blaengwenllan), Hywel James, Dai Davies ac eraill. Yna mewn sgwrs
gyda Tom Lewis, awgrymodd Santo Amedeo: 'Helpa' i chi i blastro mur-
iau'r festri ac fe wna i'r gwaith am ddim, ar yr amod y caf orffwys ym
mynwent Bryngwenith pan ddaw fy nyddiau i ben'.

Mae'r gwaith celf trawiadol i'w weld hyd heddiw. O amgylch y festri,
dros hanner isaf y muriau, mae Santo wedi creu effaith o wythiennau
rhuddgoch crisial fel marmor. Ac mae aml i ymwelydd wedi gofyn pwy

283

Santo a Pauline Amedeo a'u merch fach, Anna.

Alesandrina Belotti, Brongwyn Bach, yn dangos celfwaith a greodd ei thad-cu,
Santo Amedeo, pan oedd yn garcharor yn Henllan.

oedd y crefftwr dawnus.

Yn nhir cysegredig mynwent Capel Annibynnol Bryngwenith gwelir bedd a charreg goffa – SANTO AMEDEO, a'i wraig Pauline.

Gwyn, Gwyrdd a Choch – Deublyg

'Rhaid i mi gofio'n iawn, Gino, dau lased wedest ti, nid dwy boteled o win coch i gadw'n iach bob dydd,' meddai Dai Jones, Llanilar, â'i dafod yn ei foch wrth ffilmio Gino Vasami a'i deulu yn Allt y Cnydau, ger Croeslan, Llandysul. Ac fel cyfresi ardderchog Geraint Rees a Dai Jones yn ystod cyfnod o bum mlynedd ar hugain a rhagor, mae'n gofnod cymdeithasol o'r Gymru a oedd ohoni ar gyfer archifau'r dyfodol. Ffilm-iwyd dwy raglen yn 2001. Un yng Ngheredigion ac un yn Ciro Marino yng Nghalabria yn Ne'r Eidal – cartref teulu Gino Vasami yn wreiddiol.

O adnabod Gino a'i wraig Graziella, daw nodweddion arbennig i'r amlwg yn fuan iawn. Mae eu croeso mor dwymgalon a didwyll, yn llawn o'r 'brio' Eidalaidd, eu caredigrwydd yn gorlifo a'u hymroddiad i deulu a gwaith mor naturiol a diffwdan. Ar gyfer gofynion beunyddiol, bydd Graziella yn gwneud gwin (o rawnwin a ddaw mewn lori o Sicilia), pasta a chaws *parmigiano*, a *ricotta* o laeth y fferm. Hefyd bydd yn paratoi picls o winwns yr ardd, a saws o'r tomatos a'r garlleg. Mae byw ar eu cynnyrch eu hunain yn ffordd o fyw iddynt. O'r tŷ gwydr a'r ardd daw pigoglys (*spinach*), betys, *chicory*, pupurau a riwbob. Ac yn y llaethdy ceir gwinwryf i wasgu grawnwin. ''Dyw troi hwn yn ddim byd, o feddwl am ei flasu e,' meddai Dai Jones . . . 'Mae'r holl fwydydd Eidalaidd yma mor flasus, a diawch yn Llandysul y'n ni!'

'Rwy'n codi am bump bob dydd,' meddai Gino, 'ac yn gorffen tua chwech. Rwy'n glanhau'r slyri bob dydd ac yn mynd mas ag e. Cofia, rwy'n torri cefen y gwaith yn y bore. Ond rwy'n mwynhau beth rwy'n 'neud. Byddai pedwar neu bum gwas yn gwneud yr un gwaith yn Yr Eidal.'

Luigi Nicodemo Vasami. Dyna enw bedydd yr hoffus Gino a'i enw canol wedi ei fabwysiadu oddi wrth un o saint enwocaf de'r Eidal. Fe'i ganed ar wadn troed yr Eidal yn Ciro Marino ar ddechrau'r Ail Ryfel Byd, ond fe gymerwyd ei dad, Antonio (Toni) Vasami, yn garcharor rhyfel ger Tobruk, Lybia, a'i ddwyn i Wersyll 70, Henllan, wedi i'w long ddadlwytho yn Lerpwl. A rhwng 1943 a 1946 bu Toni Vasami yn gwas-anaethu'n achlysurol ar ffermydd yn ardaloedd Henllan, Tregaron, Eglwyswrw, ac am gyfnod hwy ym Mlaenachddu, Capel Iwan. Bu'n sâl

Graziella a Gino Vasami.

o'r apendics tua diwedd y rhyfel yn ysbyty Hwlffordd ond wedi cael adferiad iechyd, galwodd carfan o Eidalwyr yn nhafarn Llwyndafydd (Llangeler), ac yno sylwodd ar ŵr a oedd yn yfed wrth y bar. 'Rwy wedi cwrdd â thi o'r blaen,' meddai Toni. 'Ac rwy'n dy 'nabod dithau hefyd,' atebodd y gŵr arall. Aeth Toni ymlaen. 'Rwy'n cofio. Roeddwn wedi colli fy arfau ac wedi ildio yn anialwch Libya, ac yn dioddef yn ofnadwy o newyn a syched. Roeddwn ar fy ngliniau ac yn ceisio dal fy mreichiau i fyny. Gwnes arwydd at filwr Prydeinig fy mod eisiau dŵr i'w yfed. Estynnodd un ohonyn nhw fflasg, a phrofais ddŵr grisial ar fy ngwefusau. Ti oedd y milwr!'

'Wel, myn yffach i!' Cofleidiodd y ddau ei gilydd mewn dagrau. Adwaenid y gŵr yn lleol fel gyrrwr bws gyda'r 'Western Welsh'.

Ar ôl y rhyfel arhosodd Toni Vasami i weithio fel gwas ar fferm Blaen-achddu i Deio Davies a'i deulu am flwyddyn, er mwyn ennill ychydig arian cyn dychwelyd i dde'r Eidal. Yno roedd bywyd yn galed iawn a phrofodd Toni a'i wraig, Gelsomina, dlodi dychrynllyd, ac anodd oedd cynnal gwraig a dau o blant, sef Maria, deg oed, a Gino, pedair a hanner oed. Ni châi'r werin unrhyw gymorth gan y wladwriaeth. Dieithryn oedd Toni ar yr aelwyd am gyfnod. Cymerodd amser i greu perthynas â'i blant. Roedd yntau yn un o bedwar ar ddeg o blant ac wedi profi bywyd anodd yn ystod dirwasgiad y tridegau.

Cododd ei bac ar antur ddewr. Gadawodd ei deulu yn Ciro Marino a dychwelodd i Flaenachddu at Deio Davies a'i deulu i wasanaethu eto yn yr ardal lle bu'n garcharor. Ymhen dwy flynedd (1951), ymunodd ei wraig a'r plant ag ef. Trefnodd Deio fod Toni a'r teulu yn cael tŷ cyngor yng Nghapel Iwan.

'Ond ymhen chwe mis roedd Toni yn benisel, ac roedd golwg bryderus arno yn hytrach na'i lawenydd arferol. 'Bos, mae Gelsomina yn anniddig iawn. Mae wedi rhoi'r rhybudd ola' i mi. Darn o dir ac ychydig anifeiliaid a ffordd i fyw neu mae'n dychwelyd i'r Eidal gyda'r plant'. Hyd heddiw mae Gino yn canmol caredigrwydd a gweledigaeth anhunanol Deio Davies, Blaenachddu, i'r cymylau. 'Mae gen i'r cynnig cynta' ar ddyddyn bach o'r enw Cnwcyfrân. Mi gei di hwnnw. Mae ychydig o dir yn perthyn iddo a byddech yn iawn yno,' meddai Deio wrthynt. 'Ond 'does dim arian gen i i brynu anifeiliaid,' atebodd Toni. 'Dim ond pedair punt yr wythnos rwy'n ennill'.

Ymhen ychydig dyma'r 'samariad trugarog', Deio Davies, yn gweithredu eto. Daeth cnoc ar ddrws Cnwcyfrân. Yno roedd Deio gyda cherbyd a threiler. 'Mae pedair buwch yn y beudy i chi. Godrwch nhw cyn bod Toni yn dychwelyd. Pan gewch chi eich siec laeth gynta', gallwch

Y tu allan i'r Eglwys Gatholig, Castell-newydd Emlyn, yn y pumdegau.
O'r chwith i'r dde: Angelina Curado a Maria, y Tad Joyce, Raphael Vasami, Gino Vasami, Maria Vasami, Franco, Antonio a Gelsomina Vasami, Leonardo D'Acri.

ddechrau talu'n ôl.' Pump oed oedd Gino. A chyda bwcedi a dwy stôl godrwyd y buchod ganddo ef a'i fam. A phan ddychwelodd Toni cafodd syndod y tu hwnt i'w ddisgwyliad. Roedd y 'gymdogaeth dda', a oedd mor unigryw nodweddiadol o'r werin Gymreig, wedi ymddangos yn ei gwisg odidocaf. Rhoddodd caredigrwydd Blaenachddu gymorth i'r teulu i godi ar ei draed, nes ei fod erbyn heddiw yn un o'r teuloedd mwyaf uchel eu parch yn yr ardal.

Ym 1961 prynodd y teulu Flaencwm (19 cyfer) ger Penrhiwllan, lle cedwid gyrr o 23 o wartheg Friesian-Holstein. Wedi cyfnod yn Ysgol Uwchradd Fodern Castell-newydd Emlyn, dychwelodd Gino i'r fferm i helpu ei rieni, tra oedd ei dad yn gwasanaethu ar hyd y bröydd.

Ond dinesydd Eidalaidd oedd Gino o hyd, a bu'n rhaid iddo ddychwelyd i'r Eidal i gyflawni ei wasanaeth milwrol. Dewisodd y *Caribienieri*, cangen o'r heddlu. Ac yn ystod y cyfnod yma, tra oedd ar ei wyliau, cyfarfu â'i wraig, Graziella. Priodwyd y ddau, a hithau ond yn 17 oed, gan wreiddio yn ardal Croeslan ger Llandysul, a chymryd yr awenau ar fferm ei dad ac ychwanegu fferm Alltycnydau (Hill View) ati.

Bellach mae Gino a Graziella, a'u nai Toni Hack a'i wraig Arlene (fferm Glasfryn, ger Rhydlewis) yn berchen ar yrr o wartheg Friesian-Holstein a elwir yn Santa Maria – y gyrr mwyaf llaethog yng Nghymru. Fe'u cydnabyddir yn ffermwyr blaengar a llwyddiannus, er enghraifft, yn y modd y prynwyd stoc newydd ganddynt i mewn o Ganada. Ac ymhlith y llawryfon a ddaeth i'w rhan mae'r 'N.M.R. – Pantyfedwen', a enillwyd bump o weithiau, a Chwpan Aur Cymdeithas Genedlaethol Cofrestru Llaeth.

Ond mae Gino gyda'r cyntaf o hyd i gydnabod y cymorth a gafodd y teulu i ymsefydlu yn y bröydd. Wrth ddiolch am iechyd, am y teulu ac am y bendithion a ddaeth i'w rhan, mae fel petai ei holl enaid yn mynegi ei falchder am y cyfleon a'i galluogodd i roi urddas a phwrpas i'w deulu. Mae'n ŵr hawddgar, er iddo baffio mewn gornestau amatur, ond ni allai gystadlu am bencampwriaeth Cymru oherwydd ei ddinasyddiaeth Eidalaidd.

Mae Gino yn dalp o Calabria: 'Rwy'n hoffi mynd yn ôl i weld fy nheulu yn yr haul ond yng Nghymru rwy am fyw'. Mae hynny, efallai, yn fwy o destament i'r Cymry nag ydyw i'w benderfyniad. Mae'n rhugl ac yn llithrig mewn tair iaith – Eidaleg, Cymraeg a Saesneg. 'Ac mae e'n medru rhegi mewn tair iaith hefyd, 'sdim dal!' meddai ei nai Toni. A'r peth rhyfeddaf oedd mai Eidaleg a Chymraeg oedd ieithoedd Gino a'i chwaer, Maria, yng Nghapel Iwan yn y 1950au. Meddai Gino: 'Cefais sawl bonclust am ein bod yn siarad Cymraeg a'n rhieni yn methu deall'. A hyd heddiw, ers 1951, mae ei fam Gelsomina, wedi bod yn Eidales uniaith ac yn gysurus ymhlith ei theulu.

Cyn hir fe welwn *ristorante* (tŷ bwyta Eidalaidd) newydd ar fferm Pant-coch a chartref newydd Gino a'i deulu ger Bwlchygroes, Llandysul. Eu mab fydd y 'chef'. Mae wedi derbyn hyfforddiant trwy gyrsiau a phrofiad yn Llundain o reoli a chynllunio bwydlenni. Mae'r dyfodol yn ddisglair, yn wyrdd, coch a gwyn; mae'r dyfodol yn Vasami.

Mr Mils o Sirys!

Gŵr byr-sgwâr, twt yw Tommaso Spinelli, deheuwr a Rhufeiniwr o ran gwedd a magwraeth. Roedd ganddo dalcen llydan a'i linell bell o wallt yn amlygu cnwd toreithiog o dyfiant du, cyrliog a gribai'n ôl yn donnau i gyd. Gwisgai sbectol dros ei drwyn bwaog a syllai dros ei hymylon â'i lygaid bywiog yn fusnes i gyd.

Cyfarfûm ag ef gyntaf yn Bologna yn aduniad olaf cyn-garcharorion Gwersyll 70 ym 1996. Wedi ffwndro'n anniben trwy luniau yn ei waled drwchus dywedodd wrthyf ei fod wedi gweithio (fel carcharor rhyfel) ar fferm Sirys i ŵr o'r enw Mr Mils rywle yn Sir Benfro. Gwelwn y cwestiwn nesaf yn dod o bell – a allwn ddod o hyd i'r fferm Sirys a Mr Mils? Sialens arall. Parod oeddwn i fod o gymorth i'r hen Tommaso hawddgar. Gwelwn ei lygaid yn llanw wrth iddo sôn yn fyrlymus am ei atgofion hiraethus yn nhafodiaith Rhufain. Roedd am wireddu hen freuddwyd, fel llawer o'i gyd-gyn-garcharorion.

Euthum ati ar unwaith, wedi dychwelyd i Gymru, i durio am lygedyn o wybodaeth. Bûm ar y ffôn, ysgrifennais lythyr at y *Western Telegraph*, siaredais â chyn-garcharorion, ond heb lwc. Yna ffoniais nifer o swydd-feydd post, i weld a oedd 'Mr Mils' a'r fferm 'Sirys' yn enwau dilys a chofrestredig. Ac fel petai am y canfed tro cysylltais â gwraig hawddgar a chymwynasgar yn swyddfa'r post yn Nhyddewi. 'A allwch fy helpu, os gwelwch yn dda? Rwy'n chwilio am ddyn o'r enw Mr Mils sy'n byw ar fferm o'r enw Sirys'.

''Does neb o'r enw yna wedi ei gofrestru'n lleol. Ond arhoswch funud, mae gennyf Mr Miles, Mr Gerald Miles, ffermwr o ardal Croesgoch sy'n byw ar fferm Cae-rhys.'

289

'Mils . . . Miles . . . Sirys . . . Cirys . . . Cae-rhys. Diawch, dyna ddiddorol. Diolch yn fawr, FAWR!' Cefais ei rif ffôn hefyd ganddi, ac yn ddiymdroi euthum ati i gysylltu â Mr Mils . . . Miles (mae'n ddrwg gen i). A Chymro Cymraeg ydoedd â thafodiaith hyfryd pentir y sant yn llithro'n naturiol drwy'i sgwrs ar y ffôn. Cyflwynais fy neges a chyffroi yn llwyr pan ddywedodd ei fod yn cofio am ei rieni yn sôn am garcharorion rhyfel yn gweithio yng Nghae-rhys yn y 1940au, ac yn byw ac yn cysgu yn storws yr hen dŷ. Roedd gan Gerald wraig a theulu ieuanc o bedwar o fechgyn.

Cysylltais â Tommaso, ac ymhen ychydig amser roedd wedi trefnu i ddychwelyd i Gymru ym 1997 am y tro cyntaf ers 1945, i gyfarfod â Gerald a'r teulu, ac efallai i ymweld â'r fferm ac i edrych drwy hen luniau a chymharu atgofion, storïau a phrofiadau.

Ac ar ddydd Sadwrn heulog, braf o Fehefin ym 1997, daeth Mario Ferlito, Flavio Benetti a Tommaso Spinelli i Henllan. Dyma'r chweched tro a'r tro olaf i Mario ymweld â Chymru ers 1977. A'r tro hwn cyflwynodd bedwar llun ar ddeg dyfrlliw o'i waith ei hun wedi eu fframio o'r Gorsafoedd i'r Groes mewn gwasanaeth arbennig yn eglwys y carchar-

Tommaso Spinelli gyda Gerald ac Ann Miles, Cae-rhys, Croes-goch, yn eu haduniad yng Nghastell-newydd Emlyn.

orion yn Henllan. Roedd Mario, Flavio a Tommaso yn aros yn Abertawe, a theithiodd nifer o gefnogwyr i Henllan mewn bws. Yng ngofal y gwasanaeth roedd offeiriad Pabyddol, hyddysg mewn Eidaleg, o Dreforys, gyda chymorth hael arferol y Cannon Seamus Cunnane. Cysegrwyd rhodd Mario a'i luniau arbennig trwy eu taenellu â dŵr sanctaidd. Ymhlith y gynulleidfa niferus roedd amryw o Gymry a chyn-garcharorion a oedd bellach yn byw yn nyffryn Teifi a'r cyffiniau.

Paratowyd te blasus yn y neuadd Gatholig yng Nghastell-newydd Emlyn. Ymhlith y gynulleidfa roedd rhieni a phlant Ysgol y Ferwig, pobl a oedd am gyflwyno anrhegion i Mario, nifer o Gymry lleol am gyfarfod â Mario . . . a Mr Mils a'i wraig. Roedd yr hen Dommaso wrth ei fodd. Roedd wedi cyffroi gymaint a'i lygaid yn ddagrau i gyd. Wedi hanner cant a thair o flynyddoedd, ei freuddwyd oedd cael dychwelyd i Henllan a Chymru a chyfarfod â disgynyddion Mr Miles, y bu'n was iddo ar fferm Cae-rhys. Ni fedrai siarad Saesneg na Chymraeg ac ni allai Gerald Miles na'i deulu siarad Eidaleg chwaith. Nid oedd angen iaith rhyngddynt. Roedd y lleithder llygaid, a'r lluniau o'r injan ddyrnu a Chae-rhys gynt a'r 'sgubor a'r beudy a'r atgofion yn fodd i gyfamodi. Roeddwn innau dan deimlad hefyd wrth eu gwylio.

Heddwch a Brawdgarwch

Ar ddydd Gwener, yn ystod ystod wythnos yr Eisteddfod Genedlaethol yn Abergwaun, Awst 1986, fe gynhaliwyd defod arbennig iawn ar lwyfan y Pafiliwn yn ystod seremoni 'Cymru a'r Byd'. Daeth carfan o gyngarcharorion Eidalaidd a'u teuluoedd i Gymru am wythnos. Dyna'r trydydd tro i Mario ymweld â Chymru ers y tro cyntaf ym 1977.

Ers blynyddoedd bu'r gymdeithas o gyn-garcharorion Henllan yn pendrymu ynglŷn â'r ffordd orau i ddangos eu gwerthfawrogiad o ymddygiad gwâr y Cymry tuag atynt yn y pedwardegau. Nid anghofiodd yr Eidalwyr y cyfeillgarwch, y caredigrwydd na'r cydymdeimlad a ddangosodd y Cymry atynt. Pan ddychwelodd carfanau ym 1977, 1979 ac 1983 – roeddynt yn un tryblith emosiynol – dagrau, llawenydd a balchder yn gymysg â'i gilydd. Roeddynt mor falch o'r cyfle i gael ail-gwrdd â thrigolion dyffryn Teifi a'r cyffiniau, a fu mor urddasol wrth ddangos brawdgarwch tuag atynt yn nyddiau tywyll y rhyfel.

Roedd cymdeithas yr Eidalwyr am gyflwyno tlws parhaol i genedl y Cymry fel arwydd o ddiolchgarwch iddynt. A pha well ffordd na chyf-

Mario Ferlito yn dangos y 'Tlws Heddwch'
a gyflwynwyd i'r Eisteddfod Genedlaethol
yn Abergwaun ym 1986.

lwyno'r rhodd ar lwyfan cenedlaethol? Bu'r Archdderwydd (y Parchedig W. J. Gruffydd – Elerydd), Emyr Jenkins, Rhiannon S. Evans (y gemydd o Dregaron), Mario Ferlito a minnau yn ymgynghori'n gyson ynglŷn â dull y rhodd. Cynlluniodd Rhiannon Evans dlws o grefftwaith gwreiddiol ac unigryw, a gwahoddodd grefftwyr eraill i weithio ar wahanol rannau ohono. Bu Dafydd Jones o Lanybydder yn gweithio ar y llechen a'r llythrennu, lluniwyd y gwaith arian gan Iestyn Evans o Dregaron, a Conway Morgan o Bentre-gât a fu'n creu'r *plinth* o dderwen a ddaeth o Gwm Cuch – ardal â chysylltiadau â Phwyll a Rhiannon (arall!) a chainc gyntaf y Mabinogi.

Defnyddiwyd llechen ddu fel sail i'r tlws, yna llechen goch (symbolaidd o'r Groes) a llechfaen werdd (symbolaidd o'r ddaear), a chyda'r arian gwyn mae'r tri lliw yn cynrychioli lliwiau cenedlaethol Cymru a'r Eidal. Mae'r weiren bigog (o arian pur) yn gorwedd ar freichiau'r Groes ac ar ffurf cylch (sef cyfeiriadau at Eglwys y Carcharorion). Mae saith o ddwylo (rhif cyfrin Celtaidd) yn estyn allan o'r cylch am ryddid a brawdgarwch. Ac ar gorff y llechen cerfiwyd nod cyfrin yr Orsedd a'r Eisteddfod Genedlaethol ynghyd â'r geiriau – HEDDWCH – AMICIZIA (brawdgarwch).

Difyr a doniol oedd gweld Franco Crescini yn rhannu taflen gydag Emyr Feddyg ar lwyfan y Brifwyl yn ystod Seremoni Cymru a'r Byd, ac un daflen heb y Gymraeg a'r llall heb yr Eidaleg. Llywyddwyd y seremoni gan yr Archdderwydd Elerydd, a chyflwynwyd y seremoni drosglwyddo gan yr Athro Derec Llwyd Morgan. Roedd yn seremoni liwgar a chlywyd ton o gymeradwyaeth wresog yn 'sgubo tua'r llwyfan gan lenwi'r pafiliwn. Profiad cyffrous a mater o gryn syndod i Mario Ferlito a'i gydwladwyr oedd gweld y Cymry'n ymfalchïo'n gyhoeddus yn y weithred hon o sefydlu heddwch a brawdgarwch rhyngddynt a chyngarcharorion rhyfel. Ac roedd ieuenctid o Gymru ac o'r Eidal yno i gyfranogi o'r profiad ac i'w gadw ar gyfer y dyfodol.

Tasg anodd oedd cael yr Eidalwyr i gyrraedd y llwyfan fesul dau. Ond wedi i reolwr y llwyfan, Ifan Jones, lwyddo trwy amynedd diddiwedd i'w disgyblu, cerddodd Franco Crescini, Gustavo Scarante a Mario Ferlito ymlaen i gyflwyno'r 'Tlws Heddwch' i Emyr Feddyg. Yn osgordd iddynt roedd Laura Scarante a Sonia de Giovannini yng ngwisgoedd taleithiol Latium a Novara, dau facwy, Marco a Mirco (o'r Eidal), ac Annette Jones a Gareth Wyn Jones yn cynrychioli Ysgol y Ferwig, eu bröydd a Chymru.

Bwriad Cyngor yr Eisteddfod oedd cadw'r Tlws Heddwch yn ddiogel yn Amgueddfa Werin Genedlaethol Cymru, Sain Ffagan, a'i arddangos yn flynyddol ar lwyfan y Brifwyl yn ystod seremoni Cymru a'r Byd. Ni wireddwyd y bwriad hwnnw. Byddai yn drueni mawr pe byddai'r digwyddiad hanesyddol yn Abergwaun 1986 yn cael ei anwybyddu. Nid wyf wedi gweld y Tlws ers hynny.

Chwilio am y Rocyn Bach

Roedd naws ddieithr yr hydref wedi gwthio gwres yr haf o'r neilltu. Roedd y gwenoliaid o bob rhyw wedi ymfudo'n ôl i'w cynefin a'r bröydd hyn yn adfer eu naturioldeb.

Cefais alwad ffôn oddi wrth Gino Vasami yn fy ngwahodd i Westy'r Emlyn, Castell-newydd Emlyn, i gyfarfod ag Eidalwr o Rufain.

Roedd Antonio Erriu a'i wraig Giannina wedi teithio i Gastell-newydd Emlyn yng nghwmni Katy Menhinicka am reswm arbennig.

Wedi cyfnewid cyfarchion yn Eidaleg, a llenwi'r gwydrau â gwin

Llun cynnar o Lorenzo Aceto (y cyntaf ar y dde yn y cefn) cyn iddo gael ei garcharu.

gwyn, Orvietto Classico, dechreuodd adrodd ei stori: 'Roedd fy nhad, Lorenzo Domenico Aceto, wedi cael ei ddal yn El Alamein a'i gludo i'r India cyn ei symud eto i Wersyll 70 Henllan ym 1943. Ychydig cyn iddo farw ym 1996 addewais iddo y byddwn yn ceisio dod o hyd i deulu, a'u mab yn arbennig, y daeth i'w hadnabod a'u hedmygu yn ystod ei garchariad yng Nghymru'.

Dangosodd ddau lun du a gwyn, mewn cyflwr da iawn, i mi. Y cyntaf oedd llun pen ac ysgwydd o rocyn oddeutu deg oed. Roedd ganddo wyneb crwn a thalcen llydan dan drwch o wallt tywyll. Gwisgai gôt frethyn a chrys â choler agored. Ac ni ellid peidio â sylwi ar fathodyn yr Urdd ar labed ei gôt. Ar gefn y llun roedd 'zia Bernice (modryb), Kevin, Bryn Gwin' wedi ei ysgrifennu.

Roedd yr ail lun yn fwy o ran maint. Ynddo roedd gwraig yn ei brat blodeuog, ei siwmper, clocs gorau a sane 'lyle' yn cynnal clobyn o fabi, oddeutu naw mis, ar glos fferm ger trothwy tŷ. Yn y cefn, fel petai yn cuddio oddi wrth y camera, roedd ci defaid anwes y teulu. Ar gefn y llun

294

ceid y geiriau 'Nonno (padre della . . . Pintood)'.

'Byddwn yn falch iawn pe gallech fy helpu,' ymbiliodd Giannina. 'Roedd y teulu yn meddwl cymaint o fy nhad, fe'i gwahoddwyd i fod yn dad bedydd anrhydeddus i'r crwt bach'.

Roedd Gino a'r Eidalwyr wedi chwilio trwy'r dydd ond heb lwc. Gyrrodd fy ymennydd innau i 'over-drive' wrth imi wisgo fy het Gari Tryfan a gorffen fy ngwydraid gwin a disgwyl am yr un nesaf!

Pentre' Bryngwyn ger Cwmcou? Bryngwyn ger Synod Inn? Bryngwyn yn Llandudoch? A Bryngwyn hefyd yn Gorsgoch? Mae'n siŵr fod dwsinau ohonynt. Euthum adre' â'r cais yn diasbedain yn fy mhen. Bu trafod brwd ar ein haelwyd. Penderfynais ganolbwyntio ar Landudoch. Roeddwn yn gwybod am fferm Bryngwyn, a stad Pentŵd. Penderfynais ffonio Mair Garnon James, brodor ac un o gymeriadau'r pentre', yn ddiymdroi. Roedd fy ngwraig, Aures, yn cofio am Adran yr Urdd lewyrchus

Ceirwyn James, fferm Bryngwyn, Llandudoch, tua dengmlwydd oed, ac yn ddisgybl yn Ysgol 'Unedig' Llandudoch. Gwahoddwyd Lorenzo Aceto i fod yn dad bedydd anrhydeddus iddo. Anfonwyd y llun at Lorenzo tua 1962.

Roedd Lorenzo Aceto wedi cadw'r llun hwn ers 1946 i gofio am Ceirwyn James, ei fab bedydd mabwysiedig.

295

dan ofal Mair Evans yn Llandudoch.

Roedd Mair yn frwdfrydig ac yn gymorth mawr dros y ffôn. 'Roedd Ben a Blodwen James yn byw ar fferm Bryngwyn a hithau yn blentyn hynaf Wil a Neli James, Pentŵd Uchaf. A oes wyneb crwn gan y rocyn? A yw e'n gwisgo sbectol? Os yw e, Ceirwyn eu mab yw e. Rwy bron yn siŵr!' Roedd Mair wedi ateb llawer o'm hamheuon yn barod, ac wedi adnabod y rocyn bach heb ei weld.

Rhuthrais i Belle View i groeso twymgalon arferol Jeff a Mair James . . . 'Dewch i fi gael gweld y llun?' gofynnodd wedi inni drafod y tywydd, y teulu a rhoi'r byd yn ei le. 'O, Ceirwyn yw hwnna. Mab Ben a Blodwen. Bu farw ei dad ym 1976 yn 66 oed. Roedd y crwt bach yn ddisgybl yn Ysgol Capel cyn 1952 pan gaewyd yr academi. Unodd y ddwy ysgol dan brifathrawiaeth unigryw'r enwog T. H. Evans. Aeth Ceirwyn ymlaen i Ysgol Ramadeg Aberteifi ac i Brifysgolion Abertawe a Llundain, gan raddio mewn Cemeg. Bernice oedd chwaer ei dad ac roedd ei fam-gu yn byw ym Mhentŵd Uchaf.' Teimlwn gyffro, gwefr a rhyddhad o ddod o hyd i'r gadwyn goll mewn diwrnod, diolch i gymorth maer Llandudoch.

Roedd Lorenzo Aceto wedi cadw dyddiadur ac wedi camsillafu Pentŵd fel Pintood a Ceirwyn fel Kevin. Y cam nesaf oedd ffonio Dr Ceirwyn James (nawr yn 62 oed, a newydd ymddeol fel darlithydd mewn Cemeg ym Mhrifysgol Plymouth), yn ei gartref yn Torquay. Roedd ei Gymraeg yn loyw ac roedd yn barod iawn i siarad am ei gefndir ac i gadarnhau'r wybodaeth a oedd ger bron 'Rwy'n cofio Lorenzo yn plethu gwiail a gwneud basgedi ar y clos. Rwy'n ei weld nawr!' Ac wrth iddo ddweud y byddai'n barod iawn i gysylltu â Giannini a'i theulu, cefais foddhad mawr, oherwydd byddai'r gadwyn yn tyfu ac yn cryfhau.

Bu Dr Ceirwyn James yn gweithio yn yr Unol Daleithiau am gyfnod ac yn Chicago y cyfarfu â'i wraig. Mae ganddynt ddau o blant ac mae'r mab ar hyn o bryd yn mynychu cwrs gloywi i offeiriadon Catholig yn y Fatican, yn Rhufain.

Ni allai rhagluniaeth nac unrhyw linyn arian drefnu pethau yn well, oherwydd mae Antonio a Giannini Aceto yn byw bellach ar gyrion Rhufain – yn Manziana.

Allan o erchyllterau rhyfel, y lladd a'r dioddef, mae cwlwm arall o frawdgarwch wedi ei glymu yn y llinyn arian rhyfedd sy'n rhedeg trwy ein bywydau. Mor falch fyddai Lorenzo ein bod wedi dod o hyd i'r

Cymro bach sydd bellach yn ddarlithydd disglair ar yr ochr arall i Glawdd Offa ond sy'n cofio hefyd gyda balchder a llawenydd am y cyn-garcharor rhyfel a gafodd loches rhag y drin ar aelwyd groesawgar Cymry Llandudoch – a Bedyddwyr rhonc hefyd! Roedd yr *amicizia* (brawdgarwch) wedi goroesi ac wedi parhau ym mherson ei ferch Giannini. A dyna wefr fu cyfrannu at hwnnw!

Eglwys y Rhwystrau
Ym 1943 roedd tri chaban ar ddeg (Nissen), a elwid yn Wersyll 60, yn disgwyl dau gant o garcharorion rhyfel o'r Eidal ar Lamb Holm, un o Ynysoedd Erch (Orkney Islands) oddi ar arfordir gogleddol yr Alban. Roedd yn lle diffrwyth, gwag a digysgod, yn agored i elfennau'r Atlantig ac mor wahanol i hinsawdd gynnes Yr Eidal. Eu tasg oedd adeiladu rhwystrau concrit anferth (y 'Churchill Barriers') ar draws y sianel ddwy-reiniol er mwyn amddiffyn angorfa enwog Scapa Flow rhag ymosod-iadau pellach llongau tanfor y Natsïaid.

Ond ymhen misoedd trawsnewidiwyd y gwersyll. Adeiladwyd ffyrdd newydd a gerddi o flodau o amgylch y cabanau. Yn y lolfa ymddangos-odd cartwnau a murluniau doniol i godi hwyl ymhlith y carcharorion. Codwyd llwyfan yn un o'r cabanau ac yn gefndir iddo roedd sgrin liwgar yn dangos llosgfynydd Fesiwfiws yn mud-losgi, a bu'r darlun yn gysur i unigrwydd y 'Sole Mio'.

Yna, yn dilyn sgwrs rhwng y 'padre' o Eidalwr ac un o'r paentwyr tai o'r enw Domenico Chiocchetti, esgorwyd ar y syniad o greu eglwys. Cyflwynwyd dau gaban Nissen i'r carcharorion gan y 'Commandant' i'w gosod gefn wrth gefn fel sail i'r adeilad darparedig. Dechreuwyd ar y gwaith. Prif nodwedd y gwaith creadigol oedd dyfeisgarwch. Defnydd-iwyd bordiau plastig a roddwyd heibio o'r neilltu fel paneli mewnol i'r eglwys. Crewyd candelabra gosgeiddig a raels i'r allor o hen sgerbwd llong. Trawsnewidiwyd gwydr plaen yn ffenestri lliw gyda phaent du ac ychydig o ddychymyg i greu effaith patrymau plwm eglwysig. Ac fel yng ngwersyll Henllan, adeiladwyd allor, lluniwyd llestri i ddal y dŵr cyseg-redig, a chrewyd blaen yr eglwys gyda'i phinaclau gothig allan o goncrit.

Paentiwyd llun o'r Forwyn Fair a'r Baban gan Domenico Chioccetti. Creodd gŵr o'r enw Pennise benddelw o Grist, ac un arall, Bruttapasta, gof o ran galwedigaeth, gangell gywrain o hen heyrn rhydlyd a bedydd-fan o hen 'springs'. Ychwanegwyd cloch o un o'r amryw ysgerbydau o longddrylliadau o dan y dŵr, i roi llais i'r *campanile*.

Aeth y gwaith ymlaen am dair blynedd. Ond wedi i'r Eidalwyr ddych-welyd i'w gwlad ym 1946 anghofiwyd am yr eglwys fach. Fe'i han-rheithiwyd yn ddidrugaredd gan y gwyntoedd, collodd ei hysblander ac edrychai'n ddi-raen. Bu'n gwegian dan ei phwysau ei hun. Ymddangos-odd pothelli yn y lleithder. Daeth llygod i mewn iddi ac ymgartrefu yn y *sacristi* (y festri lle cedwid y llestri cymun). Dechreuodd y to ollwng dŵr gan ddifrodi'r gwaith addurniadol. Ond yn wahanol i Sir Aberteifi ynglŷn â gwersyll Henllan yn y 1940au, sylweddolodd yr ynyswyr fod yr eglwys a'i thrysorau yn gyfoeth amhrisiadwy ac yn rhan o dreftadaeth yr ynys. Ffurfiwyd pwyllgor i drefnu'r gwaith o adfer yr eglwys. A thrwy gyhoedd-usrwydd a ddaeth yn sgil rhaglen radio 'Gwasanaeth y Byd' gan y B.B.C., ailgysylltwyd â rhai o'r Eidalwyr a fu'n gyfrifol am greu Eglwys y Rhwystrau.

Dychwelodd Domenico Chiocchetti i Lamb Holm, gyda rhai eraill o'r cyn-garcharorion, ac adnewyddwyd yr adeilad i'w ysblander blaenorol.

Eglwys y Rhwystrau (Ynysoedd Erch), wedi ei hadeiladu o ddau gaban Nissen.

Allor Eglwys y Rhwystrau.

Cysegrwyd y gwaith ar Lun y Pasg, 10 Ebrill 1960. Roedd 200 o ynys-
wyr yn bresennol a dywedodd y Tad Whitaker yn ei araith: 'Bydded ei
waith yn amlwg i bawb . . . Mae pob deunydd crai materol wedi diflannu
ond mae'r ddau beth a oedd yn bodloni'r enaid yn aros – yr eglwys a'r
cerflun o San Siôr. Ond erys y gwir yng nghalonnau pobl'.

Mae'r murlun y tu ôl i'r allor yn seiliedig ar lun enwog Nicolo Barabino
(1872-91) – *Regina Pacis* (Brenhines Heddwch). Gwelir delwedd o'r hedd-
wch hwnnw yn llaw'r Baban, megis cangen fechan o'r olewydden, ac o'i
amgylch mae côr o geriwbiaid. Mae'r ceriwb ar y chwith yn dal tarian las
ag arfbais Moena (tre' enedigol Domenico), a'r un ar y dde yn gwthio
cleddyf yn ôl i'r waun.

Mewn llythyr at yr ynyswyr, ysgrifennodd Domenico: 'Mae fy ngwaith
ar ben. Rwyf wedi gwneud fy ngorau i roi ffresni yn ôl i'r eglwys fach,
fel yr oedd un mlynedd ar bymtheg yn ôl. Eich eiddo chi yw'r capel, i'w
garu a'i gadw. Dychwelaf i'r Eidal gydag atgofion cynnes am eich

299

caredigrwydd a'ch croeso arbennig. Fe'ch cofiaf am byth a dysgaf fy mhlant i'ch caru . . . Hwyl fawr fy nghyfeillion annwyl o Ynysoedd Erch, neu efallai y dylwn ddweud 'au revoir'.'

Ond dychwelodd Domenico eto ym Mai 1964, y tro hwn yng nghwmni Maria, a welodd waith ei gŵr am y tro cyntaf. Cyflwynwyd cyfarchion swyddogol o fwrdeistrefi Monesa a Trento a hefyd bedwar ar ddeg o gerfluniau pren Cirmo o elfennau'r ffordd i'r Groes. Cyflwynodd groes a llestri o wydr Venezia i'r allor, rhodd gan y Maer.

Ac yna ym 1992, hanner can mlynedd ar ôl eu carchariad cyntaf, dychwelodd wyth o gyn-garcharorion Eidalaidd eto i Lamb Holm. Y tro hwn yr oedd Chiocchetti yn rhy wan i ddod ond ymhlith y garfan yr oedd ei ferch Letizia a'i gŵr.

Mae'r ddynoliaeth yn meddu ar yr ewyllys i drechu anawsterau a chyfyngderau. Mae'r awydd i greu a gwarchod diwylliant ac i dawelu'r enaid yn gryfach o lawer nag unrhyw awydd am ryddid.

Bu farw Domenico Chiocchetti yn Moena ar 7 Mai 1999 yn 89 oed. Cynhaliwyd offeren arbennig, er cof am y crefftwr hael, yn yr eglwys fach ar 9 Mehefin, 1999.

Eglwys y Carcharorion, Henllan, yw'r unig eglwys o'i bath sy'n parhau i sefyll ar ei thraed ar dir mawr gwledydd Prydain. Ym 1944, addurnwyd eglwys arall yng ngwersyll P.O.W. 71 yn Sherrifhales, Swydd Amwythig, gan ŵr o'r enw U. D. Chirico. Ond wedi i'r eglwys fynd â'i phen iddi, dymchwelwyd yr adeilad ond achubwyd y ffresgo a'i symud i'r eglwys Gatholig leol ac yna i Neuadd Salters, cartref yr offeiriad Pabyddol lleol.

Meddai Mario Ferlito: 'Bûm yn lwcus o ddod i adnabod Domenico Chiocchetti. Rhannwyd cyfeillgarwch. Roedd ein cyd-ddealltwriaeth a'n hanianawd yn debyg. Cafodd yntau, fel minnau, anawsterau pan oeddem yn creu'r eglwysi, sef gwrthwynebiad y rhai hynny a oedd yn eiddigeddus. Roedd Domenico ddeng mlynedd yn hŷn na mi. Cyn y rhyfel, addurnwr tai proffesiynol ydoedd, ond gŵr diymhongar a swil iawn. Ac eto, er i rai fychanu ei waith, dychwelodd i Lamb Holm oherwydd bod yr ynyswyr a thrigolion Yr Alban wedi mawrygu ei waith, yn union fel yr oedd plant Ysgol y Ferwig wedi mawrygu fy ngwaith innau. Unwaith gofynnwyd i mi amddiffyn ei waith gyda'r canlyniad i rai droi cefn arnaf i. Ar ei farwolaeth, collais ffrind da. Rwyf yn parhau mewn cysylltiad â'i deulu'.

Euthum ar ymweliad ag Ynysoedd Erch am y tro cyntaf ym Mai 2004, gyda fy ngwraig a bron i hanner cant o rai eraill ar bleserdaith bws a drefnwyd gan Wyn ac Ann Rees, Amwythig. Erbyn heddiw mae'r awdurdodau lleol wedi cymryd gofal o'r eglwys ac wedi ei chodi yn un o brif atyniadau twistiaeth yr Ynysoedd. Trueni na fuasai awdurdodau'r hen Sir Aberteifi wedi gwneud yr un peth gyda gwersyll Henllan pan oedd y safle yn eu meddiant.

Antoni Schiavone

'O bryd a rheng brodyr ŷm,
Cnwd o had un cnawd ydym.'

Dyna a ddywed cwpled epigramatig Isfoel. Ac y mae meddylfryd y Cymro a'r Eidalwr gwledig o'r un anianawd. Bywyd caled oedd crafu bywoliaeth ar ddarnau bychain anffrwythlon o dir i gynnal teuluoedd niferus. Eto tyfodd parch tuag at Natur a chyd-ddyn. Roedd aberth, caredigrwydd, cymwynas a chyfeillgarwch yn rhannau annatod o ffordd o fyw. Tyfodd cenedl o'r gwerthoedd cynhenid a naturiol, ac roedd rhyfel, ymladd a lladd yn wrthun i galonnau'r rhai a fagwyd ar y gwerthoedd hynny.

Un a etifeddodd enynnau Cymreig ac Eidalaidd, trwy wreiddiau teuluol, yw Antoni Owain Gruffydd Schiavone. Newidiodd yr 'Antonio' a'r 'Griffith' yn gyfreithiol. Gŵr cymharol dal yw Toni, gydag awgrym o liw'r olewydd yn ei wynepryd, amlieithog, ysgafndroed ei symudiadau ac yn arddangos cynhesrwydd yn ei galon a'i wên. Mae'r to llawn o wallt a'r mwstás bellach yn britho, a gellir dweud, efallai, fod y 'llwyn eithin' yn nodwedd fwy Eidalaidd na Chymreig. Ond mae awch am gyfiawnder yn rhedeg drwy'i gyfansoddiad.

Fe'i haddysgwyd yn Ysgolion Adpar a Chastell-newydd Emlyn ac Ysgol Ramadeg Llandysul cyn mynd i Brifysgol Southampton i ddarllen Daearyddiaeth. Ymunodd â Phlaid Cymru yn ddeuddeg oed. Gwisgai gap pig Bob Dylan – wedi ei addurno â chasgliad o fathodynnau protest Cymreig, fel yr F.W.A., yn ei arddegau cynnar. Byddai'n dosbarthu ac yn gosod posteri etholiadol ar furiau, drysau a physt, ac erys buddugoliaeth Gwynfor yn fyw iawn yn ei gof, ac yntau'n llefnyn ifanc yn gwrando ar y canlyniadau dan garthen ei wely.

Ac yn y Brifysgol ymunodd â mudiadau asgell chwith – a phrotestio yn erbyn popeth a ymddangosai'n anghyfiawn i grwtyn ifanc radicalaidd ei orwelion. Casglodd arian a bwyd yn ystod Streic Fawr y glowyr ac ymunodd â C.N.D. Pan oedd yn Reading a Llundain gweithiai mewn siop recordiau am bedwar diwrnod yr wythnos, i ennill ei fara tra gwnâi waith gwirfoddol i ymddiriedaeth St Mungo fel ymwelydd cymdeithasol â chartrefi'r anghenus. Wedi dychwelyd i'r Rhyl ar ôl priodi Dawn (Rees), gynt o Flaenllan, Coedybryn, ailymunodd â Phlaid Cymru gan gymryd swydd ysgrifennydd cangen Gorllewin Fflint. Un o'r dorf ydoedd yn yr ymgyrch o blaid arwyddion dwyieithog yn Rhuddlan. Bu Ffred Ffransis yn ysbrydoliaeth iddo. 'Bu'n ddylanwad mawr arnaf – trwy ei arddeliad, ei egni a'i ddidwylledd,' meddai. Fe'i hetholwyd yn gadeirydd rhan-barthol Cymdeithas yr Iaith, yn aelod o'i Senedd ac yn Llywydd (cened-laethol) ar y mudiad rhwng 1985 a 1987. Ac yna ym 1983 safodd fel ymgeisydd Plaid Cymru yng Ngorllewin Fflint yn erbyn Tom Ellis a Robert Harvey (Ceidwadwr). 'Rwy'n parhau i brotestio, efallai bellach yn fwy disgybledig a llai cyhoeddus,' meddai gydag arddeliad. O ble y daeth y dyhead, yr ewyllys a'r cymhelliad i weithredu mor ddygn a pharhaol? Rhaid troi'r tudalennau yn ôl i'w gyndeidiau ar ochr ei dad a'i fam.

Gellir cytuno ag Isfoel eto:

Ni fyn y llanc ifanc oed
'Run athroniaeth â'r henoed.

Mae Toni yn fab i Vito Schiavone, cyn-garcharor rhyfel a oedd yn un o'r mil o Eidalwyr yng Ngwersyll Henllan. Ym 1951 priodwyd Vito ac Eluned, merch teulu fferm Cilfallen, uwchben Cwmcou – yng Nghapel Mair, Aberteifi.

Hanai Vito Schiavone o bentref bychan Monteguto, ger Foggia, fry ym mynyddoedd yr Appennini (asgwrn cefn Yr Eidal), i'r dwyrain o Napoli ac ychydig yn nes at Fôr yr Adriatig. Roedd Vito yn un o wyth o blant a gweithiai ei rieni yn ddyfal a chyson i'w cynnal ar ddarn bychan o dir caregog. Meddai Vito, sydd bellach yn henwr urddasol 91 oed, ac yn byw uwchben siop London House, Castell-newydd Emlyn:

'Roedd ein cartref di-nod ar ben tir uchel heb gyfleusterau dŵr na thrydan. Bywoliaeth gyntefig a ffiwdal ydoedd, a thlodi ofn-adwy yn ein hwynebu yn ddyddiol. Tirfeddianwyr absennol oedd y meistri a'r bobl lai cyfoethog a redai fasnach a busnesau lleol. Ers canrifoedd bu'r ardaloedd yn byw ar ddim ac yn tyfu digon ar gyfer yfory yn unig ar y tro. Yn y cyfnod rhwng y ddau ryfel, roedd rhaniad yn y pentref – democratiaid a chomiwnyddion. Roedd yr ardal yn rhy dlawd i Ffasgiaeth gymryd diddordeb ynddi.'

Fe'i cofrestrwyd yn y fyddin fel gweinydd i'r swyddogion. Gyrru lorïau oedd ei waith pan oedd gyda byddin Mussolini yn Yr Aifft ac Algeria. Yno fe'i cipiwyd yn garcharor, a'i symud i Dde Affrica cyn ei gludo ar long i Lerpwl ac ar drên i Henllan. Fel llawer o'i gydgarcharorion, âi allan i weithio ar ffermydd y bröydd. Erys tair fferm yn ei gof – un ger Aberporth, un ger Llanbed a Chilfallen, ger Cwmcou. Roedd Vito yn weithiwr dyfal a chyfeillgar a theuluoedd y ffermydd am ei gadw'n barhaol. Ar fferm teulu J. J. Thomas, ger Llanbed, yr oedd Vito yn gweithio pan fu farw unig fab y teulu ar ôl i'w awyren gael ei saethu i lawr uwch Yr Eidal. Ond rhoddwyd dillad y mab a gollwyd i Vito, a phan briododd Vito yn ystod Nadolig 1951, ei was priodas oedd J. J. Thomas.

I sicrhau gwasanaeth parhaol yng Nghilfallen, aeth Marged Jones (mam-gu Eluned, a briododd Vito) draw i wersyll Henllan i ymbil ar yr awdurdodau i roi caniatâd i Vito i aros ar y fferm. A thrwy hynny daeth i adnabod Eluned Jones. Ar ddiwedd y rhyfel aeth Vito i weithio ar stad y Cawdor a hefyd am gyfnod yng ngwesty'r Cawdor.

Newidiodd bywyd priodasol ei fywyd yn gyfan gwbl. Ganwyd dau fachgen iddynt – Antonio ac Emlyn Michele James Griffith. Cedwid siop ddillad, losin a mân bethau yn Albion House (Adpar) – cartref hen dadcu Toni. Byddai ei fam yn cynnal gwersi piano yn eu cartref tra byddai'r meibion, Toni ac Emlyn, yn mynd gyda'u tad yn aml i werthu dillad a chasglu o amgylch y ffermydd – gan gynnwys Blaenllan! Ym 1956 symudodd y teulu i London House yn stryd fawr Castell-newydd Emlyn ('House of Fashion' – i ddynion a merched).

Mae'r traddodiadau teuluol ar y ddwy ochr wedi dylanwadu yn drwm iawn ar fywyd a dyheadau Toni. Ond mae un profiad wedi'i serio ar ei gof. Ymwelodd â Monteguto, pentre' genedigol ei dad, ym 1963, wedi sefyll yr '11 plus', a chael caniatâd arbennig gan y Swyddfa Addysg i fynd gyda'i dad a'r teulu mewn modur i'r Eidal, a gwelodd anghyfiawnder cymdeithasol dybryd. Roedd aelodau ieuanc y teulu yn eu tlodi yn gorfod gwisgo dillad ail-law, di-raen a charpiog. Nid oedd dŵr yn y tai, dim ond ffynnon ganolog i bawb ar y *piazza*. Nid oedd trydan yn y

Y tad a'r mab – Vito Schiavone (90 oed) a Toni ei fab yng nghartref y tad,
London House, Castell-newydd Emlyn.

rhan fwyaf o'r tai, a gwelodd ddwy set deledu yn unig i wasanaethu'r dre'
gyfan. Golchai'r gwragedd ddillad eu teuluoedd â llaw mewn ffynnon
gyhoeddus, a defnyddid asynnod i dynnu ceirt a chario pwysau a'u
benthyca i rai teuluoedd a allai eu cadw. Penderfynodd y Toni ifanc y
byddai'n ceisio gweithredu yn erbyn anghyfiawnderau cymdeithasol y
dôi ar eu traws yn y dyfodol.

Mae'r parodrwydd i wasanaethu yn amlwg iawn ymhlith unigolion ar
y ddwy ochr. Dyrchafwyd tad Vito yn Faer Monteguto, hefyd ei fab
Antonio, ewythr Toni – a hefyd Eluned Schiavone (mam Toni) yn faeres
tref Castell-newydd Emlyn.

Daw'r duedd i wrthsefyll i'r amlwg trwy hen ewythr Toni ar ochr ei
fam, gŵr a erlidiwyd am iddo wrthod talu'r degwm. A hefyd dihangodd
dau hen ewythr arall i'w fam i weithfeydd cymoedd y De ar ôl ymosod ar
dollborth Cenarth yn ystod terfysgoedd Beca.

Cofnodir hefyd i Guisseppe Schiavone, brawd ei dad, ac yntau'n
garcharor rhyfel yn ystod yr Ail Ryfel Byd, lwyddo i ddianc o drên a'i
cludai i'r Almaen a cherdded yr holl ffordd yn ôl i'r Eidal yn ddiogel.

304

Dyna beth oedd penderfyniad.

Bu dylanwad diwylliannol ei fam, Eluned, yn drwm iawn arno o ran creu ymwybyddiaeth o gyfoeth ei gefndir Cymreig. 'Roedd Mam yn nith i'r cerddor dawnus Dafydd Emlyn Evans a'r Parchedig Ceri Evans, M.A., y naill yn emynydd toreithiog ac yn osodwr cerddoriaeth werin, a'r llall yn weinidog ac yn awdur *Fy Mhererindod Ysbrydol* a *Cofiant Dr Joseph Parry*. Bu tad-cu ar ochr fy mam yn arweinydd ar Gôr Cymysg Castell-newydd Emlyn gan ennill yn y Genedlaethol. Ac roedd yntau hefyd yn perthyn i gerddor enwog, gŵr o'r enw Herbert Emlyn o'r Brithdir. Bu fy mam yn gyfeilyddes yng Nghapel Bryngwyn am gyfnod hir, ac etholwyd hi'n ddiacones yno cyn 1939, anrhydedd unigryw i ddynes ieuanc mewn maes a reolid gan ddynion ar y pryd.'

Trwythwyd Toni ac Emlyn, ei frawd, yn yr Ysgol Sul a'r capel (dair gwaith y Sabath), cystadlu eisteddfodol, a gwersi piano gan eu mam – nes i brotest yr arddegau gicio yn erbyn y tresi. Bu Dr Leonard Hugh, gweinidog Ebeneser, yn ddylanwad parhaol arnynt hefyd. 'Deuthum yn ymwybodol yn ieuanc iawn o anghydffurfiaeth, annibyniaeth barn a rhyddid crefyddol,' meddai Toni.

Â'i gefndir amrywiol, aml-ddiwylliannol a rhamantus ar y ddwy ochr, nid rhyfedd i Toni Schiavone weithredu'n ymarferol yn erbyn anghyfiawnderau cymdeithasol. Nid yw'n surbwch cecrus, ond, i'r gwrthwyneb, mae'n mwynhau ei waith, ei ymgyrchoedd a'i oriau hamdden. Ac yntau'n Gyfarwyddwr Gweithredol Asiantaeth Sgiliau Sylfaenol Cymru, mae hefyd yn hyfforddi timau ieuenctid i chwarae pêl-droed a rygbi. Mae Emlyn hefyd yn hyfforddwr timau ieuenctid llwyddiannus iawn yng Nghaerfyrddin gyda'r bêl gron.

Mae Toni'n gwisgo'r Ddraig Goch ar ei lewys ac yn ei galon, ond mae ei thafod tân hanner Eidalaidd yn rhuo yn ei weithredoedd –

> Hysbys y dengys y dyn
> O ba radd y bo'i wreiddyn.

Bellach mae Antoni (Toni), Dawn a'u plant wedi ymwreiddio ym Mhandy Tudur ers 1982, ac mae Owain, Gwennan, Awen a Gwion wedi magu adenydd trwy'r gefnogaeth deuluol a'r addysg a dderbyniasant, ac maent yn cyfoethogi cenedl y Cymry gyda mwy na pheint neu ddau o waed Eidalaidd ynddynt.

Y Nawfed Cwlwm

Barddoniaeth a luniwyd am
Eglwys Gwersyll y Carcharorion, Henllan

Yr Allor

Dros gulbont afon Teifi,
Y fro dlos a'i hyfryd li,
Tua'r carchar y cyrchais
A hwnnw'n llwm heb sŵn llais.

Gwersyll Henllan a'i annedd
Wedi'r boen mor fud â'r bedd;
Ni ddôi bloedd o'r celloedd cau
Nac ateb o'r hen gutiau.

Bu'n llwyd aelwyd i filwyr
A gwâl gorchfygedig wŷr;
Yno gynt bu byddin gaeth
A'r muriau'n drwm o hiraeth.

Bu'n fedd i unben fyddin
A'r ffens yn ddidostur ffin;
Garsiwn caethglud y gwersyll
Fu yno'n lleng ddreng heb ddryll.

Bagad y weiren bigog
Dan anrhaith clytwaith eu clog
Yw'r trist wŷr fu'n llyfu'r llwch
Yn helynt yr anialwch.

Truan lu mewn estron wlad
Yn ing eu darostyngiad;
Hunllef caethiwed Henllan
Wedi'r rhwysg ydyw eu rhan.

Dygodd y pedwardegau – i'r rhengoedd
Hir-ingol brofiadau;
Arwyr yn treulio'u horiau
Yno 'mhell yn y gell gau.

Milwyr caeth fu'n hiraethu – a'u hiraeth
Am fore'r heddychu
A wnâi roi'r Almaenwr hy
A'r Eidalwr i'w deulu.

Bu mynych edrych drwy wydrau – estron,
Ffenestri a barrau,
Ac arfaethu'n gryf weithiau
Yno â'u her – a gwanhau.

          *   *   *

Troediais hyd at yr adwy – i annedd
Yr undonog dramwy;
Aeth yn angof y gofwy
A lle mall yw'r gwersyll mwy.

Troediais ar antur wedyn – yn wylaidd
I weled y darlun,
Ac imi daeth Ei gymun
O hardd ffresco dwylo dyn.

A thawel fu'r caethiwo – o weled
Athrylith y ffresco
O'i hongian, Crist diango'
O arw bren sy 'ngharchar bro.

307

Oni wybu caeth Babydd – yno gynt
Yn oer gell ei g'wilydd
Am afael ddi-ffael y Ffydd
Yn ei boen arno beunydd?

Piau'r llaw a adawodd
Luniau ar furiau o'i fodd?
Bysedd pwy baentiodd Basiwn
Ei Grist yn y cysegr hwn?

Rhoi mawredd ar y miwral,
Cyfaredd Ei wedd ar wal;
Llunio dwylo a dolur
Briwiau y Mab ar y mur.

Dioedi'r gweithio didwyll – ar alwad
Athrylith ei grebwyll;
Di-baid, rhoes ei ddiwyd bwyll
Ogoniant i le'r gannwyll.

Yno dwylo Eidalwr – â'i bwyntil
A baentiodd Waredwr;
Hysbys waith anhysbys ŵr,
Cain foliant y cyn-filwr.

O'i wael foddion, ei gelfyddyd – a droes
Yn drech na'r holl adfyd;
Rhyfedd ei allor hefyd
A'i barch i Waredwr byd.

Gwyddai am demlau gweddus – yr Eidal
A'u hyfrydwch hysbys;
Hardd gadeirlan llan a llys
A'u haeddiant gogoneddus.

Ei Fair annwyl fireinwen, – nid o faen
Ond o fonyn coeden;

Ei gelf a wnaeth y golfen
Yn Ŵr briw ar y garw bren.

A hyfedr oedd ef i drin – yn dyner
Y deunydd anhydrin;
Ymdaflodd â'i rym diflin
Nes troi y gwael yn llestr gwin.

Deunydd o goncrid yno – ar Deifi
Oedd lle'r dyfal wylio;
Cred a braich droes goncrid bro
Yn weddus allor iddo.

Â'i law siŵr rhoes gŵr y gell – ei gynnil
Ogoniant i linell;
Syn ei waith – gwelais yn well
Drist ofid yr ystafell.

Realaeth trist Swper Ola' – y Mab
Ar y mur sydd yma;
Erys dwys oedfa'r bara
Drwy hardd ffresco dwylo da.

Llun Seimon Pedr sy'n edrych
Ar dangnefedd Ei wedd wych,
A dichell y bradychwr
Ar y wal sydd mewn chwerw ŵr.

A'i offer mor ddieffaith,
Diddiwedd amynedd maith
A luniodd Grist-ddelw yno
Ar bren goruwch allor bro.

Er carchar, tynnodd artist
Â'i lân grefft ddarlun o'i Grist;
Saif ei waith lle rhoes efô
Addoliad celfydd ddwylo.

309

Rhoes gyllell i gymell Ei gur – a'i ffeil
    I roi ffurf i'w wewyr;
    Ei ddwylo luniodd ddolur
    Traha Calfaria ar fur.

Hir ei waith, caed cysegr Iôr – o oriau
    Ei lafurwaith didor;
    Y cut yn orfoledd côr
    A'r hyll yn fangre allor.

Gwybu drosi moel gaban – anaddas
    Yn feunyddiol gyrchfan;
    Anorfod le i garfan
    Fore o fawl a fu'r fan.

Bu mawl cangell o'r celloedd – yn afiaith
    I annifyr luoedd;
    Seiadol gorws ydoedd
    A chorâl mewn carchar oedd.

*   *   *

Carpiog garfan bwhwman y bomio
Yn aliwn unig gwangalon yno;
Yma y daethant o orymdeithio
Eu heirf a'u rhodres a'r ofer frwydro;
Caled a fu'r encilio – wedi'r her
I iselder y truenus ildio.

Llawer egwyl a drws cell ar agor
A roddodd hedd i chwerwedd carcharor;
Plygent yng ngolau canhwyllau allor
Â thaer eiriau yn y dieithr oror;
Yn y cwrdd gwell emyn côr – yn Henllan
Na hi'r fawlgan a oedd i'r rhyfelgor.

Yno bu iddynt â'u ffydd Babyddol
Yn eu dwthwn addoli bendithiol;

Milwyr caeth yn eu hiraeth wrth eiriol
Yn enwi Mair ac yna'n ymorol;
Yna o'i hedd bu troi'n ôl – i'r gell gau
A'u syber oriau o'r gosber hwyrol.

O'u caethiwed ar fore'r offeren
Deuent ynghyd yn ysbryd y croesbren;
Law-yn-llaw cerddent yn fintai lawen
Yno i ganu o sŵn y gynnen;
Yna i oer gaban hen – diolau;
Er eu hualau daeth eto'r heulwen.

Ond o'i burdeb rhoes y Crist Ei bardwn
I ddwys ymgynnull gwersyll y garsiwn;
Deuai o fiwsig oedfa'r defosiwn
Ei orfoledd i gad tyrfa aliwn;
Yma bu dwyster seinber sŵn – a thant
Corâl eu moliant fel moliant miliwn.

Gerbron yr allor gwelent ragoriaeth
Y Bugail annwyl ar bob gelyniaeth;
Yn y taer aros gwelent arwriaeth
A her rhyw alwad yn Ei farwolaeth;
Gwelent ddewr fuddugoliaeth – Calfaria
A'i eiriau ola' yn troi'n eiriolaeth.

*   *   *

Os di-gân yw'r distaw gôr
A drylliog ydyw'r allor,
Erys o hyd Ei groes Ef
A haeddiant Ei ddioddef.

D. Gwyn Evans

[Ôl-nodyn: cerdd fuddugol Gŵyl Fawr Aberteifi; beirniad: y Parchedig
W. J. Gruffydd (Elerydd)]

Seremoni cadeirio'r Parchedig D. Gwyn Evans yng Ngŵyl Fawr Aberteifi, wedi iddo ennill y gystadleuaeth ar ei awdl 'Allor'.

Y Pasg yn Henllan

Ger Henllan-ar-Deifi yn Neoniaeth Emlyn
Mae socedau gwag yn y benglog o goncrid
Yn sbïo dros yr afon yn hyllu drwy'r coed.

Yma y mae o hyd fel gwyliwr a anghofiwyd gan Amser
Yn gwarchod y bont a'r A pedwar-wyth-pedwar.
Yn nyddiau ei flynyddoedd mae deng mlynedd ar hugain.

Mae eisoes yn hen – a'i wyneb yn felyn o goncrid.

Bu cyffro yma – unwaith . . .

Sŵn milwyr yn ymarfer â drylliau a bomiau.

A'r 'Home Guard' yn rihyrsio i saethu gelyn dychmygol.
Fflachiai tân a mwg o lygaid y benglog hon . . .

Sŵn byddarol saethu . . . yna'n araf dawelu.

Ond fe ddaw'r dail i'r fforest yn y man
A bydd yntau yn cysgu o dan garthenni'r haf . . .
Hyd oni ddelo'r gaeaf drachefn â'i fysedd oer
I ddadorchuddio'r benglog hyll, yma yn Henllan-ar-Deifi.

Pan oedd y ganrif yn ifanc
Bu rhyfel o'r blaen . . .

Sŵn saethu drachefn a chysgodion milwyr.

Yr oedd cnawd yn gymysg â'r pwdel,
Gwaed yn gymysg â'r glaw . . .
Llarpiwyd cyrff ifanc gan ddannedd y Bwystfil . . .

Hwn oedd – y Rhyfel i orffen pob rhyfel.
Y celwydd brwnt. Mor frwnt â'r baw yn y ffos.

313

'Melys yw marw dros ein gwlad . . .'
Tybed?

Nid oes weddillion o dan y maen hwn,
Dim ond enw a dyddiad a'r stori drychinebus.
Er cof annwyl am fab Waenderwen –
Pe bai wedi byw am fis a phum niwrnod arall
Byddai wedi dod adre i'r llonyddwch hwn . . .

Clywir swn y seiren honno a fyddai'n rhybuddio'r boblogaeth
o ddyfodiad awyrennau bomio Almaenig.

Daeth rhyfel arall drachefn,
Y gynnen front a esgorodd ar ffoaduriaid a charcharorion.

Bomiwyd gwragedd a phlant yn Abertawe, Bremen, Lerpwl, Berlin.
Cludwyd Almaenwyr ac Eidalwyr yma i lannau Teifi
A'u llocio y tu ôl i'r gwifrau yn y gwersyll ar y gwndwn.

Heddiw, mae bwlch yn y clawdd.
Nid oes yma gaethiwed.

Syrthiodd yr hadau heddychol o big yr aderyn.
Tyfodd y goeden heb ofyn am ganiatâd
Yn uwch na ffenestr y caban lle bu Almaenwr
Ddeng mlynedd ar hugain yn ôl yn sbïo drwy'r gwagle;
Yn gwasgu ei drwyn ar y gwydr
Ac yn gweld trigolion Henllan ac Aberbanc
Yn rhodio heibio yn rhydd ar y briffordd.

Yma bu'n syllu drwy'r weiren bigog,
Yn gweld ei Almaen deg â llygaid hiraethus;
Mae'n gweld ei wraig a'i blant; ei dad a'i fam.
Gwêl yn ei ddychymyg
Yr iâr Wellington yn dodwy ei hwyau dur
A'r ceiliog Spitfire yn ei gwarchod.
Gweddïa dros Hitler, a'r Heinkel, a'r Messerschmitt.

Nid aeth pob Almaenwr nac Eidalwr adre.
Arhosodd rhai i ffermio yn y dyffryn bras
Yng Nghenarth a Llechryd;
Dringodd eraill i lethrau'r Frenni a'r Preselau
I fagu defaid a gwartheg a hiraeth.

Dowch yn ôl i'r pedwardegau.
Mae'n nos o haf.
Daw'r goleuni gwyn dros yr afon a'r cabanau.
Pwy yw'r arlunydd anhysbys hwn?
Welwch chi'r llaw a fu'n byseddu dryll
Yn paentio hen atgofion yn yr haul?

Yr Alpau, a'r tŷ uwchben y dyffryn.
Y lliwiau llachar – mor llachar â'r nos honno
Pan deimlodd gusan gwallgofus ei gariad yn llosgi ei wefusau.

Ble mae e erbyn hyn?
Pam nad aeth e â'r llun gydag e?
Yn lle ei adael yma i'r llwydni llaith . . .

Y caban hwn oedd y capel Pabyddol.
Porth y Nef i Gatholigion y caethiwed.
Heddiw mae Andrew bach, y Sais,
Yn gwthio ei ffordd drwy ganghennau y rhosyn gwyllt.

Dewisodd yr allwedd o'r bwndel yn ei law.
Hawdd ei adnabod –
Yr allwedd rydlyd yw hi.
Mae'r lleill i gyd yn loyw.

Sychwch eich traed.
Yn yr ystafell hon bu gweddi ac offeren,
A dyfeisiadau gwyrthiol y carcharor-addolwr.

*Daw sŵn canu corawl o Gorâl y Dioddefaint gan Bach,
yn cael ei ganu mewn Almaeneg.*

315

Dowch yn nes at yr allor.
Concrid yw'r gangell – yr un defnydd â'r pilbocs sy'n
gwarchod y bont.
Concrid i barch a
Choncrid i amarch.

Welwch chi wyrth y canwyllbrennau
A wnaed o dun bisgedi gan y dwylo celfydd?
Cyllell a morthwyl, ffeil ac amynedd a'u lluniodd.
Ildiodd y metel ufudd ac fe'i hoeliwyd ar bren.

Pan fu nos ar fyd
Yn argyfwng y blacowt, y mygydau-nwy a'r dogni bwyd,
Bu'r canhwyllbren hwn yn cynnal cannwyll y Ffydd;
Yn dal goleuni'r gwirionedd yn wyneb Mab Duw.
Sancteiddiwyd y paent aur a'r paent arian yn y metel,
Pan oedd Cariad yn gwario'i amser rhwng y weiren bigog.

Ni ddaw yma heddiw
I benlinio wrth yr allor, ac i gyfranogi o'r briwsion prin.

Dewch yn nes eto
I weld y Crist eciwmenaidd yn bwyta gyda'r deuddeg.

Pwy oedd yr arlunydd-garcharor a roes enaid i'r miwral
A chipio'r Crist a'i ddisgyblion i'r segurdod hiraethus?
Ei ddyrchafu Ef yno uwch yr Allor iwtiliti?
Nid oes yma bellach
Ond dwyster hen orffennol y mynnwn ei anghofio.

Yn yr oruwchystafell hon
Mae'r organ unig yn y segurdod maith;
Hen gerddor, heb gân, heb gôr.

Ond bu yma orfoledd corâl,
Roedd cyfaredd miwsig yn llenwi'r lle;
Yn ogoniant i Dduw sydd yn Dad pob cenedl;

Yn ogoniant i'r Mab sydd yn torri'r bara ymhob iaith,
Ac yn gwastraffu ei waed arnom wrth iacháu'r cenhedloedd.

*Gorffennir y gerdd gyda diweddglo gwych y Corâl . . . Wrth i'r
gerddoriaeth orffen mae'r camera yn tynnu'n ôl yn araf i
ddangos yr hen sied sinc rydlyd a fu'n 'gapel' i'r carcharorion.*

W. J. Gruffydd

Y Parchedig W. J. Gruffydd gyda Mario Ferlito.

Meddai'r Tad Italo Padoan, mewn llythyr at y Parchedig W. J. Gruffydd
(Elerydd):

'Bûm yn byw yng ngwersyll 70 Henllan, o'i sefydlu ym 1942 hyd
ymadawiad y carcharorion ym 1946.

Cyfieithwyd eich barddoniaeth, 'Y Pasg yn Henllan', gan Jon M. Jones
ac yna fe gyfieithiais y darn i'r Eidaleg fel y gallai'r cyn-garcharorion ei
weld a'i ddarllen. Gwersyll hollol Eidalaidd oedd Henllan, oni bai am
lond llaw o Almaenwyr a oedd yno am ychydig wythnosau yn Hydref
1942. Dathlwyd ein heglwys tu fewn i'r carchar gan eich barddoniaeth
drawiadol a phrydferth. Chi yw ein bardd a'n ffrind didwyll.

Diolch eto am eich awen, a ailgynheuodd y profiadau teimladwy a
ddaeth i'n rhan a thu ôl i weiren bigog yn y 40au.

Yr eiddoch yn gywir,

Italo Padoan

Cadwynau

Gŵr swil â'i drem yn dilyn – hynt afon
    Teifi ryw brynhawnyn;
A'i dirwyn gloyw draw'n y glyn
Drwy heulog dir ei elyn.

A daeth hiraeth i ymyrryd – â'i fyfyr
    Am lif afon mebyd;
Cofio ei miwsig hefyd,
Difyr ddawns ei dyfroedd hud.

Ei Eidal ddihafal ef – a alwai'r
    Gwyliwr draw i'w thangnef,
Adre'n ôl i dir ei nef
I'w heddwch o'r dioddef.

Ac ef yn unig yn y fan honno,
Daeth aflonyddwch hen dristwch drosto,
Aeth ei garchar i Mario – yn artaith,
A'i unig afiaith oedd rhin ei gofio.

'O lennyrch mwyn Bolonia – a llawnion
    Winllannoedd Rafenna,
O! am eto wylio'r ha'
A'i swynion yn Casena.

Wyf alltud o'm bro hudol, – ei llynnoedd
    A'i llannau hynafol,
O na chawn ail-fyw'n ei chôl, – dychwelyd
I wlad fy mebyd i weld fy mhobol.

Dihoenaf yng nghadwyni – fy hiraeth,
    Ni fwriaf mo'r rheini:
Fy nghred er pob caledi
Yn y loes a'm cynnal i.

Hiraethaf am y Sagrafen – a Gwyrth
　Y Gwin a'r afrlladen,
Blasu mwynber Offeren
Fawr y Brawd a fu ar bren.

Ond rhwystro'r carcharorion – wna symbol
　Hen siamber y caethion;
O fewn hyll efynnau hon
Yr wy'n clywed rhinc cloeon.

Yma nid oes na chymun – na hael fawl
　I'r ŵyl Fair a'i mebyn,
Na chaer wych i'r Iôr ei hun
Na delw o'r drud Eilun.

Hen salmau'r oesau a anghofiasom,
Cerddi eirias ein Ffydd a gollasom,
Ai marw ein Saint? Mawr ein siom, – mae'r Pader
A'r hen 'Ave' dyner yn fud ynom.'

　　　　*　　　*　　　*

Yn gynnar safai Mario
Yn drist wrth ei orchwyl dro,
O dano gweld yn y gwŷdd,
Draw o'r bryn dŵr y Bronwydd,
A chloch wrth ei hechel hen
Yn ddi-gân ddydd y gynnen.
O'r gŵys ni alwai'r gweision
Hanner dydd â'i seinber dôn
At y ford yn fintai fach,
Gan bwyll, i'r gegin bellach.

Â chlust ei alar fe glywai Mario
Nodau'i orffennol yn swynol seinio,
A chytgan o glych atgo' – Catholig
A rhin hen fiwsig yn Ornafaso.

319

A chlywai wŷs 'rhen gloch lon – yn hyglyw'n
  Eglwys ei obeithion,
  Fel cynt wrth araf afon
  Y bu i blant Babilon.

Yna'n dawel dychwelyd, – rhoi'i allu
  I greu allor ei wynfyd;
  Creu hafan rhag cur hefyd;
  Ar fawrhau'r Iôn, rhoi ei fryd.

Rhoi hofel i'r Sagrafen – a hen gut
  O goed i'r Offeren;
  Hen racs o frics i Fair Wen –
  Iesu mewn caban Nissen!

A'r Iesu'n 'nabod tlodi – ar y daith
  Er dydd cynta'i eni
  Nid anodd iddo roddi
  Yma'i ras i'w muriau hi.

Ond cariad Mario fu'n c'weirio'r ceyrydd,
A bu iddo lunio Tŷ ysblennydd,
A hoff fan i deulu'r Ffydd – a'r gloch fad.
I roddi galwad i gwrdd â'i gilydd.

O lew foddau'i gelfyddyd, – â sbarion
  A sbwriel bu'n ddiwyd;
  Yn wyrthiol creodd olud
  O duniau gwag – dyna i gyd.

Ar y wal rhoi'r Swper Ola' – a'r Oen
  Yno'n rhannu'r bara;
  Gweld Ei wên – y Bugail Da – mor serchog
  Ac un euog yno i giniawa.

*   *   *

Darfu'r Rhyfel a'i helynt,
Daeth i ben y gynnen gynt;
Aeth yn ôl y caethion hyn
I dud eu cariad wedyn.

Ond mae co'r allor o hyd
Yn y mêr yn ymyrryd,
A dônt o'r Eidal ar daith
I le'u mawl yma eilwaith,
Eto dro . . . i weld y drain
Am y waliau'n gnwd milain,
A'u hallor a'i chanhwyllarn
O dan sêl y rhwd yn sarn.

I amheuwyr byd mwyach
Y mae yma Feca fach;
Rhyw erw i bererin
A fu'n drech nag ofn y drin.
Cofgolofn i eofn wŷr,
I Mario a'i dramorwyr.

Hen allor ddiganhwyllau! – Ond o hyd
    Maent yn dal yn olau
    A phob gweddi sy'n ddiau'n
    Byw'n y cof heb ei nacáu.

Bydd yr Allor a'r Stori – yn Henllan
    Fyth yn ganllaw inni,
    A dal i'n hysbrydoli
    A wna'r ddawn a'i creodd hi.

Lle bu i'r Artist o Gristion – wneud ffald
    I'w Ffydd mewn gwlad estron,
    Fe geir tra bo'r Allor hon
    Falm Nefol ym min afon.

Capten Jac Alun Jones

321

Eglwysi
('Chiessettas')

Chwi wŷr ieuainc
â gwres
a gwin coch Yr Eidal yn treiddio
trwy eich gwythiennau –
nid oedd gennych un Colditz
i ddianc ohono,
na'r un twnel i'w geibio.
Ond ceibio a wnaethoch.
Ceibio seiliau i ail-greu yn eich caethiwed –
eglwysi ac allorau anheddau eich cynefin.

*   *   *

Erys y Capel Eidalaidd yn gadarn
ar ynys ddigysgod, noeth ynys Lamb Holm![1]
Ni welwch ddeunydd sgrap
llongau rhyfel suddedig, gwrec a heyrn fferm
ym mhrydferthwch ffresgo'r allor
a'r nenfwd addurnedig.
Gwena Madonna yr Olewydd
yn dangnefeddus
trwy dymhestloedd yr Iwerydd.
A Chalfari ymyl ffordd
yn rhodd gan drigolion
presennol Moena.

*   *   *

Roedd Gwersyll 70
yng nghanol gweirglodd a defaid.
Daeth carfan o blant ysgol a'u hathro
ar draws y capel cegrwth yn Henllan[2]
ar lannau Teifi.
Murluniau o'r Swper Olaf

322

a chanwyllbrennau o duniau bisgedi.
Dychwelodd Mario
hanner canrif yn hŷn
â'i arlunwaith ffres
o Safleoedd Ffordd y Groes
i ailgysegru 'Eglwys y Carcharorion'.

*   *   *

Llenwid diwrnodau'r wythnos
â gwaith yn Letterkenny,[3]
a Suliau tu ôl i balisâd.
Ysgafnhawyd ar alaeth hunan-laddiad
un carcharor rhyfel
trwy adeiladu eglwys o gerrig
hen ffermdai.
Prynwyd ffenestri lliw – porffor eu gwedd
gan gasgliad unedig y G.I.'s.
Gweddïwn i'r eglwys
a'i chlochdy cerrig barhau
wrth iddi ddychwelyd i'w defnydd preifat.

*   *   *

Nid yw capel
Campo La Faruk yn bod bellach.[4]
Rhoddwyd y canfasau
a baentiwyd ar liain main sachau fflŵr
i'r cadlywydd Prydeinig caredig.
Roedd taith y triptych
o Ogledd yr Affrig i amgueddfa
yn Glasgow
yn rhan o stori barhaol
heddwch yn ystod carchariad,
gobaith o anobaith.

323

Erys dirgelwch Ffydd
y carcharorion rhyfel yn eu heglwysi
a adeiladwyd
i ddiben Tragwyddol.[5]

Lesley M. McLetchie, Mehefin 1998
(cyfieithwyd gan Jon Meirion Jones)

1. Eglwys (Capel) Eidalaidd Ynysoedd Erch.
2. Eglwys y Carcharorion, Henllan.
3. Eglwys y Carcharorion, LetterKenny, Maryland, U.D.A.
4. Triptych o Ogledd yr Affrig (o waith carcharorion a atgyweiriwyd ar gyfer arddangosfa yn Glasgow, 2000).
5. Ysgrifennwyd 'i ddiben tragwyddol' gan garcharor Eidalaidd yn yr U.D.A.

Croeso

O'er thirty years have gone by
Since you went far away,
And when you left we never thought
You would be back one day.
Through open gates that day you trod;
Free men at last you were,
No shovels on your backs that morn
And not a single care.

For you were off to 'home sweet home',
All worries left behind,
And all you went through many a year,
Right then, you did not mind.
Because your loved ones over there
Were waiting patiently,
A pleasant hour was drawing nigh
To meet your family.

No more potatoes to be picked,
No trenching to be done,

324

No felling trees, no flax to reap;
Your freedom had begun.
Your destination was your home
Afar across the sea,
Peace bells were ringing once again
From here to Italy.

But when you were behind four walls
And all of us were free,
Good friends we were, and linger on
Do memories of thee.
Good times we had, and pleasant too
To drive you back and fore,
And many a funny story will
Be with us evermore.

We welcome you with open arms
Back here in camp seven 0,
For Mario's church reminds us all
Of a long, long time ago.
There is a welcome to you all
On hill-tops and in vales,
'This land will still be singing when
You'll come again to Wales.'

Merfyl Jones, Pentrecwrt
(un o'r gyrwyr)

Roedd Merfyl yn ŵyr i Ruth Mynachlog (Talgarreg), yn gefnder i Eirwyn (Pontsiân), ac yn fab i Johnny Jones (Ioan Wyn, sef mab Ruth). Etifeddodd y ddawn i brydyddu ac ysgrifennu oddi wrth ei dad, a oedd yn fardd gwlad ac yn gynganeddwr. Merfyl oedd awdur *Llyfr Canmlwyddiant Ysgol Capel Cynon* – 'Lle Tardd y Cerdin'. Gŵr swil oedd Merfyl a deithiai o amgylch y wlad fel siopwr â'i fan symudol. Roedd ganddo dri brawd: Ben; Gerallt (swyddog gydag U.C.A.C.) a Jâms, Pant Ifor, a enillodd wobr yn Eisteddfod Genedlaethol Bangor am lyfryn ar hanes ei fam (fel plentyn) yn bugeila.

To a P.O.W., Schianchi Nando, Secoudo Emilia, Parma, Italia
(on his departure from Cardigan County School, Feb. 1945)

Dear Nando, my friend, has departed
From school respected by all.
By the girls, boys, also the masters
And people, outside the brick wall.
He came from the horrors of battle,
Worked hard, though worried and sad;
Who could not be merciful to him,
A loved one, by some Mam and Dad.

I've never seen yet a civilian
So faithful and loyal as he,
When I was once in great trouble
He did all he could to help me.
When down we find out a true friend
Surrounded with darkness and fears,
His loving affection, surprised me
When parting in torrents of tears.

Who so ever will be his successor
No matter what nation or race,
No African, Indian or Welshman
Can never again fill his place.
At school there are many things covered,
No plan to guide them the way,
To Nando overflowing with knowledge
No secrets could hide from his eye.

He mended, yes, hundreds of watches
And clocks, from afar and near;
If Nando could have the material
There's no man in Wales to compare,
But when repairing a motor,
A master of jobs great and small,

To have him in charge of a garage
Would mean satisfaction for all.

I can see the day now approaching
When my friend will be free to return,
To see his wife and dear children
Now waiting the morning to dawn.
If I will succeed to find money,
One summer will visit him far,
I will reap a harvest of welcome
For helping a Prisoner of War.

*Caro Amico –
Evan Williams, Tegfan, Cilgerran*

Gofalwr llawn-amser Ysgol Ramadeg Aberteifi oedd Evan Williams. Cofir amdano gan genedlaethau o ddisgyblion fel gŵr cydnerth yn ei 'overalls' glas, ei gap fflat a'i fwstás llwyn eithin. Yn achlysurol cofir amdano'n llunio penillion i ddigwyddiadau'r dre' a'r ysgol. Cadwyd llawer o'r rhain gan y disgyblion.

Derbyniais y llythyr canlynol gan W. J. Gruffydd.

Gorsedd Beirdd Ynys Prydain

Bro Dawel,
Tregaron,
Dyfed,
SY25 6HA.

Mawrth 20, 1985

Annwyl Jon,
Diolch am eich llythyr grasol. Braint arbennig yw cydsynio â'r cais. Rwy'n falch ac yn llawen fod 'Y Pasg yn Henllan' wedi dwyn ffrwyth. Ni fuasai'r had wedi egino oni bai am eich gweledigaeth chi.

Cyfarchion i gyn-garcharorion Henllan

Annwyl Ffrindiau, Brodyr a Chwiorydd,

Yr wyf fi, eich cyfaill, William John Gruffydd, Archdderwydd Gorsedd
Beirdd Ynys Prydain, yn anfon atoch chi gyfarchion y Pasg.

Nid wyf wedi anghofio'r wefr honno a gefais wrth sefyll ym mhulpud
Capel Siloam y Ferwig gyda'r Tad Padoan a Mario Ferlito, i ddarllen y
gerdd 'Y Pasg yn Henllan'. Yr oeddwn wedi gofyn yn y gerdd:

> Pwy oedd yr arlunydd-garcharor a roes enaid i'r miwral
> A chipio'r Crist a'i ddisgyblion i'r segurdod hiraethus?'

Trwy weledigaeth fy nghyfaill Jon M. Jones cefais ateb i'r cwestiwn.

Bob Sul byddaf yn teithio heibio i Henllan ar fy nhaith i bregethu.
Wrth arafu yn ymyl y bont diolchaf am fod yna bont ar draws y gwledydd,
ac mai Crist y Swper Olaf yw'r bont sydd yn ein huno mewn cariad brawdol.
Bendith ar eich cymdeithas.

Yr eiddoch,

W. J. Gruffydd – Archdderwydd

Ac i gloi, dyma soned gan y diweddar Barchedig J. Edward Williams,
a fu'n weinidog ar Gapel y Drindod, Aberbanc, ger Henllan, o'i gyfrol *Awst
a Cherddi Eraill* (1967).

Y Parchedig J. Edward Williams gyda Mario Ferlito.

328

Eglwys y Carcharorion, Henllan

Dan ormes lem ein gwifrau-pigog ni,
A'u beichus hiraeth am Yr Eidal gain,
Daeth awydd cofio aberth Calfari
A dull eu tud o foli'r Goron Ddrain:
Ac wele lunio cangell, delwau lliw,
A hoelio cloch y Bronwydd ar y twr,
Ac uwch yr allor, paentio'r Swper briw
Yn orchest syn o'r Croeshoeliedig Ŵr.
Ond nid oes tramwy mwyach trwy ei dôr,
Ac ni ddaw caethion trist i blygu glin:
Mae'r hogiau 'mhell a rhydd tu hwnt i'r môr
A geiriau gloywon Rhyddid ar eu min.
Hen adfail ydyw heno yn y plwy',
Hen adfail sy'n gofgolofn iddynt hwy.